300 RICETTE SENZA GRASSI

ROMILDA RINALDI

300 RICETTE SENZA GRASSI

RIZZOLI EDITORE

« *Ogni uomo desidera vivere a lungo,
ma nessuno vuole invecchiare* »

GIONATA SWIFT

...e per questo, nulla di meglio di
una dieta appropriata!

Tutti a tavola
senza grassi

Non è che si voglia fare della "scienza medica", parlando di ricette di cucina, ma è logico che si parli di salute, di benessere fisico tutte le volte che dobbiamo occuparci dei nostri pasti giornalieri. È ovvio ricordare quanta importanza abbia la nutrizione dal primo giorno della nostra vita e quindi come sia necessario regolare o addirittura escludere quegli alimenti che possono ad un tratto, per tante ragioni e indipendentemente dall'età, riuscire dannosi alla nostra salute. Questi alimenti che debbono essere regolati o esclusi, sia pure per un determinato periodo di tempo, molto spesso sono i grassi: così le carni, i pesci e i formaggi grassi saranno sostituiti da carni, pesci e formaggi magri; l'olio, il burro ed altri grassi animali dal latte magro, mentre il tuorlo dell'uovo, contenente sostanze grasse, sarà sostituito dalla chiara ricca di proteine, ma priva di grassi. Ne risulterà una dieta che sarà valida per coloro che soffrono di insufficienza epatica e di ipercolesterolemia; limitando poi zucchero e amidi, per coloro che desiderano mantenersi al medesimo peso (ottimo sistema per conservare bellezza e salute) e con altre limitazioni, per coloro che vogliono dimagrire gradualmente e senza eccessivi sacrifici.
La raccolta comprende entrées, *primi piatti, piatti di mezzo, verdure e dolci.*
Ovviamente, per coloro che non vogliono ingrassare e per coloro che vogliono dimagrire, ogni pasto non deve superare il numero delle calorie concesse, per cui dipenderà dal gusto di ognuno la scelta e l'unione dei vari piatti, così per esempio: entrée + *verdura*

+ *dolce oppure pietanza* + *frutta oppure primo piatto* + *verdura* + *frutta, ecc., controllando la tabella delle calorie alla fine del
volume.*

*La nostra dieta è piacevole a seguirsi poiché per la sua varietà non
costringe a quella monotonia di alimentazione che è nemica della
perseveranza.*

*Inoltre è bene precisare che, malgrado le sue restrizioni, tale dieta
assicura ugualmente quell'apporto proteico-vitaminico di cui ha bisogno il nostro organismo, e le vivande, benché senza grassi, risultano
invitanti e appetitose per l'uso di aromi, che si possono aumentare a
piacere, e di ingredienti profumati e saporiti come i funghi secchi,
notevoli inoltre per le loro qualità nutritive, di cui abbiamo "bene-
ficato" con una certa larghezza le nostre preparazioni. Per la maggiore comodità delle massaie le ricette sono per 4 persone perché,
anche se la dieta verrà seguita da una sola persona, le preparazioni
saranno gradite dagli altri componenti della famiglia, per i quali
tutt'al più basterà aggiungere a cottura ultimata olio o burro o altro
grasso a piacere. Per la cottura dei cibi è indispensabile usare teglie,
casseruole, pentole rivestite internamente di materiale antiaderente
(meglio se corazzate e antigraffio). Pesci, verdure e frutta freschi
possono essere sostituiti dai prodotti surgelati o in scatola al naturale.*

Per non ingrassare

*Le calorie vanno da 1.800 a 2.500 giornaliere
(aumentabili in caso di notevole attività fisica).
La dose di pane o di grissini non deve superare gli
80-100 grammi al giorno per non compromettere
la disponibilità degli altri alimenti, volendo ·
rimanere nel limite delle calorie stabilite.
Ridurre al massimo durante i pasti qualsiasi
bevanda*

ENTRÉES

1. "Bouchées" di funghi

Calorie
per persona
395

Dosi per 4 persone:

4 PANINI AL LATTE DI MEDIA GRANDEZZA
GR. 60 DI FUNGHI SECCHI
4 CUCCHIAI DI PARMIGIANO
1 PICCOLA CIPOLLA
1 CUCCHIAIO DI PREZZEMOLO TRITATO
LATTE MAGRO
1 TAZZA DI BRODO PREPARATO CON L'ESTRATTO
NOCE MOSCATA
2 CUCCHIAI DI WORCESTERSHIRE-SAUCE
SALE E PEPE

Per la besciamella:
1 CUCCHIAIO DI FARINA
¼ DI LITRO DI LATTE MAGRO

Dopo aver tenuto i funghi a bagno nell'acqua tiepida per circa 2 ore, togliete loro ogni residuo di terra, scolateli e raccoglieteli in una casseruola. Aggiungetevi la cipolla tritata, una tazza di brodo, qualche cucchiaiata di latte, il sale, il pepe e cuocete lentamente per 40 minuti. Prima di togliere il recipiente dal fuoco unite il prezzemolo tritato. Quando i funghi sono cotti, in un'altra casseruola mettete la farina, stemperatela con il latte freddo, unite il sale e cuocete a fuoco basso mescolando continuamente (per 6 o 7 minuti) finché otterrete una crema fluida e omogenea. Incorporatevi il parmigiano, la noce moscata e i funghi già pronti. Il composto non dev'essere troppo denso perciò, se occorre, aggiungete ancora un po' di latte. In una tazza mettete la Worcestershire, diluitela con qualche cucchiaiata di latte, quindi prendete i panini che dovranno essere tondi e lisci, togliete loro orizzontalmente una piccola calotta nella parte superiore, svuotateli della mollica, bagnateli ognuno con un cucchiaio di Worcestershire e latte, riempiendoli poi con il composto. Disponeteli in una teglia spalmata leggermente di burro o di margarina e metteteli nel forno già caldo per circa 10 minuti. Serviteli come antipasto o come primo piatto contornati da foglie di lattuga fresca.

2. Canapè capriccio

Calorie
per persona
355

Dosi per 4 persone:

GR. 200 DI FUNGHI FRANCESI

GR. 50 DI GROVIERA

16 GAMBERETTI DI MEDIA GRANDEZZA

1 CIPOLLA

1 TAZZA DI BRODO PREPARATO CON L'ESTRATTO

GR. 50 DI FARINA

6 DECILITRI DI LATTE MAGRO

PANE GRATTUGIATO

PREZZEMOLO TRITATO

1 FOGLIA D'ALLORO

1 FETTINA DI LIMONE

8 FETTINE DI PANE IN CASSETTA

SALE E PEPE

Pulite e lavate i funghi, tagliateli a fettine, raccoglieteli in una casseruola, unitevi la cipolla tritata, una tazza di brodo, il sale, il pepe e cuocete lentamente per 30 minuti. Intanto lessate per circa 10 minuti i gamberetti in acqua salata alla quale avrete aggiunto la fettina di limone e l'alloro. Appena sono pronti, scolateli e lasciateli raffreddare, quindi sgusciateli. In una casseruola mettete la farina, stemperatela con il latte freddo, salate e cuocete lentamente finché otterrete un composto cremoso e omogeneo. Toglietelo dal fuoco, incorporatevi il groviera grattugiato e i funghi già pronti con il fondo di cottura che avrete fatto evaporare quasi tutto. Imburrate leggermente una teglia, disponetevi le fette di pane (scartate la crosta) una accanto all'altra in uno strato solo, aggiustate su ogni fetta una grossa cucchiaiata del composto di funghi, cospargete con due cucchiai di groviera, lasciati da parte e mescolati ad un cucchiaio di pane grattugiato, e mettete il recipiente nel forno bollente per 5 minuti. Cospargete ogni "crostatina" di prezzemolo tritato, guarnitela con 2 gamberetti e servite subito questo delicatissimo piatto come *entrée,* facendolo seguire da una tazza di brodo magro ben caldo.

3. Canapè di piselli

Calorie
per persona
405

Dosi per 4 persone:

GR. 800 DI PISELLI
GR. 50 DI LINGUA SALMISTRATA
4 CUCCHIAI DI GROVIERA GRATTUGIATO
2 CUCCHIAI DI PARMIGIANO
PANE IN CASSETTA
1 GROSSA CIPOLLA
LATTE MAGRO
BRODO PREPARATO CON L'ESTRATTO
½ CUCCHIAINO DI ZUCCHERO
SALE

Per la besciamella:
GR. 30 DI FARINA
½ LITRO DI LATTE

Raccogliete in una casseruola i piselli, la cipolla tagliata a fettine, 2 o 3 cucchiai di latte, il sale, lo zucchero. Ricoprite con il brodo e cuocete lentamente per circa 40 minuti, facendo evaporare tutto il liquido. Intanto in un'altra casseruola mettete il latte nel quale avrete stemperato la farina e a fuoco basso mescolate continuamente finché otterrete una besciamella densa ed omogenea; incorporatevi il groviera grattugiato, toglietela dal fuoco e unitevi i piselli. Ricavate dal pane in cassetta 8 fettine spesse circa 1 cm. e ½, privatele della crosta, poi con un tagliapasta rotondo ritagliatele in tanti dischi che metterete nel forno a tostare leggermente. Disponeteli poi uno accanto all'altro in una teglia imburrata, ricopriteli con un disco di lingua (ritagliato con il medesimo tagliapasta) e su questa aggiustate una grossa cucchiaiata del composto besciamella-piselli. Cospargete di parmigiano, ponete il recipiente per 5 minuti nel forno ben caldo e servite i "canapè" come antipasto. Potete sostituire la lingua con fettine di mozzarella e i piselli freschi con quelli surgelati (gr. 400).

4. "Cassettina" ripiena

Calorie
per persona
390

Dosi per 4 persone:

GR. 200 DI LINGUA SALMISTRATA
4 CUCCHIAI DI PARMIGIANO
1 CUCCHIAIO DI FARINA
LATTE MAGRO
1 CAROTA LESSA
1 CUCCHIAIO DI CAPPERI
NOCE MOSCATA
TARTUFO NERO
1 PANE IN CASSETTA

Prendete un pane in cassetta raffermo di un giorno (lungo circa cm. 16 e alto cm. 5), toglietegli la parte superiore affinché la superficie sia perfettamente piana e tagliate a ciascuna estremità una fetta di circa 1 cm. e ½ di spessore. Con un coltello dalla lama seghettata fate un'incisione interna seguendo i contorni del pane e delicatamente asportate la mollica. Tritate finemente la lingua e mettetela da parte, quindi versate in una casseruola un bicchiere abbondante di latte nel quale avrete stemperato la farina, salate e cuocete a fuoco basso, sempre mescolando, finché otterrete un composto cremoso ed omogeneo. Unitevi la lingua tritata, la carota appena tolta dal fuoco e passate subito al setaccio il composto che dovrà essere ben caldo per facilitare l'operazione. Raccogliete il passato in una terrina, aggiungetevi il parmigiano, i capperi tritati finemente, la noce moscata e mescolate molto bene. Con l'impasto riempite la "cassettina", richiudete le due estremità con le fette tolte, legatela, avvolgetela in carta oleata o in un foglio d'alluminio e mettetela nel frigorifero per qualche ora. Quindici minuti prima di servire tagliatela a fettine spesse circa 1 cm. e ½ poi ricomponetela, legandola di nuovo; mettetela in una teglia unta leggermente di burro o di margarina e fatela colorire nel forno a fuoco forte per 7-8 minuti. Appena la "cassettina" sarà pronta, slegatela, aggiustate le fette sul piatto da portata, su ciascuna di esse ponete una fettina di tartufo e servitele da sole o con un sugo di pomodoro: in questo caso l'antipasto costituisce un primo piatto ed è bene farlo seguire da una tazza di brodo caldo preparato con estratto vegetale.

16

"Conchiglie" valdostane
(ricetta n. 5)

5. "Conchiglie" valdostane

Calorie
per persona
245

Dosi per 4 persone:

GR. 400 DI FUNGHI PORCINI
1 SPICCHIO D'AGLIO
1 CUCCHIAIO DI PREZZEMOLO TRITATO
½ BICCHIERE DI VINO BIANCO
LATTE MAGRO
PANE GRATTUGIATO
SALE

Per la besciamella:
GR. 80 DI FONTINA
GR. 50 DI FARINA
½ LITRO DI LATTE MAGRO
1 CHIARA D'UOVO
1 CUCCHIAINO DI CIPOLLA TRITATA

Pulite e lavate i funghi come di consueto, tagliateli a fettine e raccoglieteli in una casseruola dove l'aglio schiacciato starà sobbollendo in ½ bicchiere di latte. Salateli, mescolateli bene e dopo qualche minuto aggiungete il vino. Coprite il recipiente e cuoceteli molto lentamente per circa 30 minuti. Prima di toglierli dal fuoco, unitevi il prezzemolo tritato. Intanto preparate la besciamella: in una casseruola mettete la cipolla tritata con ½ bicchiere di latte, fatela cuocere a fuoco basso per 5 minuti poi aggiungete la farina stemperata nel resto del latte freddo, condite con il sale e, mescolando, proseguite la cottura finché otterrete un composto omogeneo. Unite la fontina tagliata a fettine sottili e appena questa si sarà sciolta completamente, togliete il recipiente dal fuoco e aggiungetevi la chiara d'uovo. Prendete 4 piccole terrine a forma di conchiglia che possano andare al fuoco, imburratele, ponete in ognuna una cucchiaiata di besciamella, su questa disponete i funghi e ricoprite con il resto della besciamella. Spolverizzate di pane grattugiato e mettete le "conchiglie" nel forno a fuoco moderato finché la besciamella avrà preso un bel colore dorato. Qualora nella besciamella si fossero formati dei grumi, passatela al setaccio prima di unirvi la fontina. Potete sostituire i funghi freschi con gr. 50 di funghi secchi. È bene ricordare che con questa *entrée* va abolito il primo piatto.

17

6. *Crema di yogurt*

Calorie
per persona
190

Dosi per 4 persone:

4 VASETTI DI YOGURT MAGRO
GR. 50 DI PARMIGIANO
2 CUCCHIAINI DI SAVORA
1 CUCCHIAIO DI PREZZEMOLO
1 CUCCHIAIO DI MANDORLE GIÀ SGUSCIATE
4 NOCI
PAPRICA

Mettete le mandorle a bagno nell'acqua ben calda per circa 10 minuti, quindi scolatele, spellatele, distendetele sulla placca del forno a calore bassissimo, asciugatele senza farle colorire, riunitele nel raccoglitore del frullatore, aggiungetevi la Savora, il prezzemolo, la metà dello yogurt, la metà del parmigiano e frullate per circa un minuto. Fermate la macchina, unite il resto del parmigiano e dello yogurt, frullate ancora per ½ minuto e versate il tutto in una terrina che, ben coperta, terrete in ghiaccio per circa un'ora. Al momento di servire guarnite la superficie della crema con qualche gheriglio di noce e spolverizzate leggermente di paprica. Accompagnate con fettine di pane in cassetta tostate nel forno e, se è la stagione adatta, con ravanelli ben lavati, asciugati e tagliati a "fiore". Questa *entrée*, particolarmente gradita nella stagione calda, per gli ingredienti che la compongono può "sopportare" un primo piatto.

7. Panini ripieni

Calorie
per persona
380

Dosi per 4 persone:

4-8 PANINI AL LATTE
GR. 100 DI LINGUA SALMISTRATA
GR. 100 DI MOZZARELLA
½ BICCHIERE DI VINO BIANCO O DI MADERA
LATTE MAGRO
SAVORA
1 SPICCHIO D'AGLIO

In una teglia insieme a 4 o 5 cucchiai di latte mettete l'aglio schiacciato, con un cucchiaio di legno comprimetelo e quando sarà tutto dissolto, unitevi la lingua tritata grossolanamente, fate assorbire tutto il liquido, quindi aggiungete il vino e appena questo è evaporato togliete il recipiente dal fuoco. Prendete i panini, asportate orizzontalmente la calotta superiore, svuotateli della mollica e spalmateli nell'interno con la Savora diluita con qualche cucchiaiata di latte; riempiteli con la lingua alla quale avrete aggiunto la mozzarella tagliata a dadini e disponetevi sopra la calotta asportata. Aggiustateli uno accanto all'altro in una teglia unta di burro o di margarina, bagnateli con qualche cucchiaiata di latte e metteteli nel forno a fuoco vivo per circa 5 minuti. Serviteli caldi come antipasto e accompagnati da un sugo di pomodoro: completate il vostro menù con carne ai ferri e frutta fresca.

8. Pâté di salmone

Calorie
per persona
295

Dosi per 4 persone:

GR. 400 DI PATATE
GR. 400 DI SALMONE IN SCATOLA
GR. 100 DI MOLLICA DI PANE
LATTE MAGRO
1 CUCCHIAIO DI PREZZEMOLO E 1 DI BASILICO TRITATI
1 SPICCHIO D'AGLIO
SALE

Lessate le patate in acqua leggermente salata senza farle rompere; appena pronte, spellatele, passatele allo schiacciapatate e raccoglietele in una terrina. In una piccola casseruola mettete la mollica del pane, versatevi sopra il latte caldo e mescolando fate cuocere finché otterrete una specie di besciamella piuttosto soda che incorporerete alle patate. Scolate bene il salmone dal suo liquido, scartate ogni residuo di pelle, tritatelo finemente, unitelo al composto di patate che finirete di condire con l'aglio, il prezzemolo e il basilico tritati, e il sale. Versate il composto in uno stampo unto leggermente di burro e mettetelo in ghiaccio per circa 2 ore. Prima di servire, immergetelo un momento in acqua bollente, quindi capovolgetelo sul piatto da portata e servite il pâté contornato da cetriolini che taglierete a "ventaglio": seguito da una tazza di brodo magro sostituisce il primo piatto.

PRIMI PIATTI

9. *Bordura di riso con rognone*

Calorie
per persona
620

Dosi per 4 persone:

GR. 320 DI RISO

GR. 50 DI PARMIGIANO

GR. 50 DI MOZZARELLA

2 ROGNONI DI VITELLO DI MEDIA GRANDEZZA

2 CUCCHIAI DI BRANDY

1 CUCCHIAINO DI PREZZEMOLO TRITATO

LATTE MAGRO

ACETO

CIPOLLA

ALLORO

SEDANO

SALE E PEPE

Liberate dal grasso i rognoni, tagliateli a fettine sottili, metteteli a bagno nell'acqua e aceto per circa 10 minuti poi scolateli e fateli asciugare sopra un tovagliolo. In una casseruola, piena per metà d'acqua salata, aggiungete la cipolla, il sedano e l'alloro; lasciate sobbollire per 10 minuti, unitevi il riso e fate in modo che questo, a cottura ultimata, abbia assorbito tutta l'acqua e quindi non abbia bisogno di essere scolato. Quando il riso è pronto, conditelo con il parmigiano e con la mozzarella tagliata a dadini, versatelo in uno stampo liscio, forato nel centro, leggermente bagnato d'acqua e lasciatelo riposare qualche minuto al caldo. Intanto mettete sul fuoco una teglia unta di burro o di margarina, raccoglietevi il rognone, bagnatelo con il brandy, che farete evaporare, quindi condite con il sale e il pepe, aggiungetevi qualche cucchiaiata di latte e finite di cuocere a fuoco molto vivo; spolverizzate di prezzemolo e togliete il recipiente dal fuoco. Sul piatto da portata sformate il riso e nel centro di questo aggiustate il rognone con tutto il fondo di cottura. Servite la bordura come "piatto unico" e completate il menù con ZUCCHINE AL FUNGHETTO (*vedi* ricetta n. 275) e con frutta fresca.

10. Cannelloni al formaggio

Calorie
per persona
660

Dosi per 4 persone:

4 CANNELLONI DI PASTA DURA PER PERSONA
GR. 100 DI GROVIERA
4 CUCCHIAI DI PARMIGIANO
GR. 150 DI PISELLI SURGELATI
GR. 80 DI LINGUA SALMISTRATA
1 PICCOLA CIPOLLA
1 CUCCHIAIO COLMO DI FARINA
1 CHIARA D'UOVO
PANE GRATTUGIATO
LATTE MAGRO
SALE E PEPE

In una casseruola, raccogliete i piselli, la cipolla tritata, un decilitro di latte, salate e cuocete lentamente per circa 30 minuti. In un altro recipiente mettete la farina stemperata con $1/4$ di litro di latte freddo, condite con un pizzico di sale e, mescolando, fate cuocere finché otterrete una besciamella fluida e omogenea. Toglietela dal fuoco, incorporatevi 4 cucchiai di parmigiano e unitela ai piselli, lasciate insaporire per qualche minuto e regolate la densità che dev'essere piuttosto fluida; aggiungete infine la lingua tritata e mettete il recipiente da parte. Intanto i cannelloni che avrete messo a bollire in abbondante acqua salata, saranno pronti. Togliete la pentola dal fuoco, versatevi un coppino d'acqua fredda, quindi prendete 2 o 3 cannelloni alla volta con un mestolo forato, distendeteli sopra un tovagliolo, apriteli con le forbici, spalmateli con il composto di piselli-lingua, richiudeteli e aggiustateli uno accanto all'altro in una teglia unta di burro o di margarina. Quando avrete completato uno strato, cospargetelo con la metà del groviera tagliato a fettine sottili e bagnate qua e là con qualche cucchiaiata di latte. Fate un secondo strato, conditelo come il primo, bagnatelo con qualche cucchiaiata di latte e ricopritelo con la chiara che avrete sbattuto leggermente, unendovi il resto del parmigiano (2 cucchiai), 4 cucchiai di latte e un cucchiaio di pane grattugiato. Mettete nel forno già caldo a colorire. Lasciate riposare qualche minuto prima di servire nella teglia.

11. *Crema di gamberetti*

Calorie
per persona
375

Dosi per 4 persone:

GR. 600 DI GAMBERETTI
4 PATATE
2 CAROTE
2 PORRI
2 GAMBI DI SEDANO
1 POMODORO
2 CUCCHIAI DI BRANDY
BRODO PREPARATO CON L'ESTRATTO VEGETALE
1 DECILITRO DI LATTE MAGRO
1 CUCCHIAINO DI CURRY
SALE

Tagliate a pezzi le patate, le carote, il sedano, il pomodoro e i porri (solo la parte bianca), raccoglieteli in una casseruola, unitevi circa un decilitro di latte e, mescolando, a fuoco basso fateli insaporire, salateli e quando il latte sarà tutto evaporato, aggiungete due tazze abbondanti di brodo; portate lentamente a cottura, quindi passate tutto al setaccio e raccogliete il passato in un recipiente che metterete al caldo sul fuoco bassissimo. Intanto avrete già lavato molto bene i gamberetti; scolateli, asciugateli, sgusciateli e, senza più lavarli (altrimenti fanno l'acqua) riuniteli in una padella spalmata di burro o di margarina. Bagnateli subito con il brandy, cui darete fuoco, e appena questo si è spento, condite prima con il sale, poi aggiungete una tazzina d'acqua calda nella quale avrete stemperato il curry e cuocete per circa 10 minuti. A cottura ultimata, tritateli, passateli al setaccio ancora caldi e mescolateli al composto di verdure. Regolate la densità della crema, fate prendere il bollore, quindi versate il tutto direttamente nelle fondine nelle quali avrete messo qualche gamberetto lasciato da parte intero. Benché un po' elaborata, vale la pena lo stesso di preparare questa squisita minestra che potrete ottenere, altrettanto buona, sostituendo i gamberetti con del pesce di piccola taglia, più economico.

Bordura di riso con rognone
(ricetta n. 9)

12. Crema di sedano

Calorie
per persona
280

Dosi per 4 persone:

GR. 500 DI POMODORI
1 CESPO DI SEDANO VERDE
3 PATATE
2 PICCOLE CIPOLLE
1 SPICCHIO D'AGLIO
GR. 50 DI FARINA
LATTE MAGRO
6 CUCCHIAI COLMI DI PARMIGIANO
2 CUCCHIAINI D'ESTRATTO VEGETALE
1 FOGLA D'ALLORO
SALE E PEPE

Mondate, lavate e tagliate a pezzi il sedano, le patate e una cipolla; raccoglieteli in una casseruola, ricopriteli d'acqua salata e cuoceteli lentamente. Intanto in un altro recipiente riunite i pomodori e la cipolla rimasta, tagliati a pezzi, l'aglio e la foglia d'alloro. Cuocete lentamente per 40 minuti, passate poi tutto al setaccio, mettete di nuovo il passato sul fuoco, aggiungete il sale, il pepe, qualche cucchiaiata di latte e quando il composto avrà la densità di una crema, finitelo di condire con mezzo cucchiaino d'estratto, con 2 cucchiai di parmigiano, e toglietelo dal fuoco. Appena il sedano, le patate e le cipolle sono pronti, passateli al setaccio insieme all'acqua di cottura; mettete il tutto di nuovo nella casseruola, unitevi la farina stemperata in un bicchiere di latte e, mescolando, cuocete a fuoco basso per circa un quarto d'ora. Se il composto sarà troppo denso, diluitelo con il latte o con l'acqua, e prima di toglierlo dal fuoco unite il resto dell'estratto e del parmigiano. Versate la crema direttamente nelle fondine, lasciatela riposare per qualche minuto, poi lentamente nel centro di ogni piatto versate a cucchiaiate il sugo di pomodoro, facendo attenzione che rimanga ben delimitato nel centro, formando così un'allegra decorazione. Questa crema può essere preparata anche con i sedani di Verona (almeno 4 di media grandezza) che lesserete sbucciati e tagliati a pezzi.

25

13. *Crema savoiarda*

Calorie
per persona
245

Dosi per 4 persone:

GR. 500 D'INDIVIA BELGA
GR. 80 DI FONTINA
4 PATATE
1 CIPOLLA
1 SPICCHIO D'AGLIO
LATTE MAGRO
BRODO PREPARATO CON L'ESTRATTO VEGETALE
4 FETTINE SOTTILI DI PANE IN CASSETTA
NOCE MOSCATA
SALE E PEPE

Tagliate l'indivia in grossi pezzi, scartando una parte del torsolo
che generalmente è un po' amaro. Lavatela, scolatela, mettetela in
una casseruola, unitevi la cipolla tagliata a fettine, le patate a tocchetti, l'aglio schiacciato e un decilitro di latte. Fate insaporire a
fuoco lento sempre mescolando e, quando il latte sarà tutto evaporato,
condite con il sale, il pepe, ricoprite le verdure con circa un litro
di brodo e cuocete per 40 minuti. Passate poi tutto al setaccio o
al tritaverdure e mettete di nuovo il passato sul fuoco; regolate la
densità che dovrà essere come quella di una crema e lasciate sobbollire per qualche minuto. Intanto in 4 teglie di pirex leggermente
unte di burro o di margarina suddividete le fettine di pane a cui
avrete tolta la crosta, cospargetele di noce moscata, ricopritele con
la fontina tagliata a fettine sottili e mettete i recipienti nel forno
finché il formaggio comincia a sciogliersi; versatevi sopra il passato
bollente e servite subito. Potete mitigare il sapore un po' amarognolo
dell'indivia (che del resto è molto gradevole) con 1/3 di cucchiaino
di zucchero che aggiungerete all'inizio della cottura delle verdure.

14. Gnocchi di polenta al latte

Calorie
per persona
645

Dosi per 4 persone:

GR. 500 DI POMODORI PELATI IN SCATOLA
GR. 400 DI FARINA GIALLA
2 LITRI DI LATTE MAGRO
GR. 50 DI PARMIGIANO
1 PICCOLA CIPOLLA
1 CAROTA
1 GAMBO DI SEDANO
1 FOGLIA D'ALLORO
$\frac{1}{3}$ DI CUCCHIAINO DI ZUCCHERO
$\frac{1}{2}$ CUCCHIAINO D'ESTRATTO VEGETALE
NOCE MOSCATA
SALE E PEPE

Mettete il latte in una casseruola con una presa di sale e quando sta per bollire unitevi la farina, mescolando continuamente affinché non si facciano grumi. Cuocete per circa 30 minuti e qualora l'impasto fosse troppo sodo, aggiungete ancora del latte caldo. Quando la polenta è pronta, unitevi la metà del parmigiano, versatela sul piano del tavolo di cucina in uno strato di circa 2 cm. di spessore, lisciatene bene la superficie con la lama di un coltello bagnata di acqua e fate raffreddare. Intanto in una casseruola riunite i pomodori passati al setaccio, la cipolla, la carota e il sedano tagliati a pezzetti, l'alloro, l'estratto, il sale, il pepe e lo zucchero. Cuocete lentamente per 40 minuti, quindi passate tutto al setaccio, mettete di nuovo il passato sul fuoco, unitevi due cucchiai di parmigiano e, mescolando, fate condensare il composto che deve avere la densità di una crema. Con un tagliapasta rotondo di circa 5 cm. di diametro, ritagliate la polenta in tanti dischi. Imburrate una teglia di pirex dal bordo non troppo alto, fatevi uno strato di dischi, cospargeteli con il parmigiano al quale avrete mescolato un pizzico di noce moscata, ricoprite con un altro strato che condirete come il primo e versate su tutto il sugo di pomodori. Vi consigliamo di prendere una teglia piuttosto grande nella quale si possano aggiustare solamente due strati di gnocchi. Mettete la teglia nel forno già caldo per 15 minuti, quindi servite nel recipiente di cottura. Potete rendere gli gnocchi più nutrienti e più saporiti cospargendo i dischi anche con gr. 200 di mozzarella tagliata a fettine sottili.

15. *Maccheroni al sugo*

Calorie
per persona
425

Dosi per 4 persone:

GR. 320 DI MACCHERONI
GR. 500 DI POMODORI PELATI IN SCATOLA
4 CUCCHIAI DI PARMIGIANO
1 PICCOLA CIPOLLA
1 CAROTA
1 GAMBO DI SEDANO
1 MAZZETTO DI AROMI (SALVIA, ALLORO, ROSMARINO)
½ CUCCHIAINO DI ESTRATTO VEGETALE
½ CUCCHIAINO DI ZUCCHERO
1 BICCHIERE DI LATTE MAGRO
SALE E PEPE

Tritate finemente la cipolla, la carota e il sedano; raccoglieteli in una casseruola, unitevi il latte, fatelo evaporare per metà, quindi aggiungete i pomodori passati al setaccio, il mazzetto degli aromi, l'estratto, il sale, il pepe, lo zucchero e cuocete lentamente finché il sugo avrà la consistenza di una crema. Prima di toglierlo dal fuoco, incorporatevi 2 o 3 cucchiai di parmigiano. Intanto i maccheroni che avrete messo a cuocere in abbondante acqua salata saranno pronti. Scolateli, versateli di nuovo nel loro recipiente di cottura, unitevi il sugo e, sempre mescolando, mettete i maccheroni ancora sul fuoco per 2 o 3 minuti affinché insaporiscano bene. Cospargeteli di parmigiano e disponeteli sul piatto da portata che avrete precedentemente riscaldato. Secondo il vostro gusto potete rendere il sugo ancora più saporito, aggiungendo (prima dei pomodori) ½ bicchiere di vino bianco secco. Qualora voleste sostituire i maccheroni con gli spaghetti (poiché quest'ultimi "tengono" meno la cottura dei maccheroni) non metteteli di nuovo sul fuoco per condirli. Una certa quantità d'idrati di carbonio, di cui il nostro organismo ha bisogno, può entrare in una dieta non ingrassante senza comprometterla.

16. *Maccheroni gratinati*

Calorie
per persona
760

Dosi per 4 persone:

GR. 300 DI MACCHERONI (PENNE)
GR. 100 DI LINGUA SALMISTRATA
GR. 100 DI MOZZARELLA
GR. 50 DI FUNGHI SECCHI
4 CUCCHIAI DI PARMIGIANO
1 CUCCHIAIO DI SALSA DI POMODORO
1 BICCHIERE DI VINO BIANCO
1 PICCOLA CIPOLLA
1 CAROTA
1 GAMBO DI SEDANO
1 FOGLIA D'ALLORO
LATTE MAGRO
1 CUCCHIAINO DI PREZZEMOLO TRITATO
PANE GRATTUGIATO
SALE E PEPE

Dopo aver tenuto i funghi a bagno nell'acqua per circa 2 ore, scolateli, togliete loro ogni residuo di terra e raccoglieteli in una
casseruola. Unitevi la cipolla, la carota e il sedano tritati, una tazza
d'acqua calda nella quale avrete sciolto la salsa di pomodoro, 3 o 4
cucchiai di latte, l'alloro, il sale, il pepe e cuocete lentamente per
40 minuti, aggiungendo il vino, poco alla volta, durante la cottura.
Quando i funghi sono pronti, scartate l'alloro e finiteli di condire
con il prezzemolo tritato. Cuocete i maccheroni in abbondante acqua
salata, appena pronti scolateli, versateli di nuovo nel recipiente di
cottura (fuori dal fuoco), unitevi la lingua tritata finemente, la
metà del parmigiano, un poco di pepe, qualche cucchiaiata di latte
e mescolate bene. Aggiustate la metà dei maccheroni in una teglia
di pirex unta di burro o di margarina e disponete su questi i funghi
con tutto l'intingolo e la mozzarella tagliata a dadini. Ricoprite
con il resto dei maccheroni, lisciatene bene la superficie, bagnate
con qualche cucchiaiata di latte, cospargete con il parmigiano lasciato
da parte, al quale avrete unito altrettanto pane grattugiato e mettete
il recipiente nel forno caldissimo per 7 o 8 minuti. La mozzarella
può essere sostituita dal Bel Paese. Molto nutrienti, i "maccheroni
gratinati" possono costituire un piatto "unico": completeranno il
menù verdure cotte o frutta fresca.

17. *Minestra di cavolfiore*

Calorie
per persona
195

Dosi per 4 persone:

1 CAVOLFIORE DI CIRCA GR. 500
GR. 100 DI SPAGHETTI
BRODO PREPARATO CON L'ESTRATTO VEGETALE
GR. 50 DI CACIOTTA GRATTUGIATA
1 CUCCHIAINO DI SALSA DI POMODORO
1 SPICCHIO D'AGLIO
1 FOGLIA D'ALLORO
SALE E PEPE
PREZZEMOLO

Dividete il cavolfiore in cimette di cui spellerete bene i gambi che laverete e raccoglierete in una casseruola; versatevi sopra circa 1 litro e ½ d'acqua calda salata, aggiungete l'estratto e l'alloro e cuocete lentamente. Quando il cavolfiore è a metà cottura, unite la salsa di pomodoro, l'aglio tritato e gli spaghetti spezzettati. Mescolate bene e cuocete per circa 15 minuti. La minestra dev'essere piuttosto brodosa quindi, se occorre, aggiungete ancora un poco di brodo preparato con l'estratto. Qualche minuto prima di togliere il recipiente dal fuoco, levate l'alloro e finite di condire con il prezzemolo tritato, con metà della caciotta e con un poco di pepe. Servite la minestra con il resto del formaggio che raccoglierete nell'apposita formaggera. Se sostituirete il cavolfiore bianco con quelli piccoli verdi (broccoli), la minestra sarà ancor più saporita.

18. *Minestra di piselli e funghi*

Calorie
per persona
180

Dosi per 4 persone:

GR. 30 DI FUNGHI SECCHI
1 TAZZA DI PISELLI IN SCATOLA
GR. 150 DI RISO
4 CUCCHIAI DI PARMIGIANO
1 CIPOLLA
1 GAMBO DI SEDANO
1 CUCCHIAINO DI PREZZEMOLO TRITATO
BRODO PREPARATO CON L'ESTRATTO VEGETALE
2 O 3 CUCCHIAI DI LATTE MAGRO
1 PIZZICO DI ZUCCHERO
SALE E PEPE

Dopo aver lasciato i funghi a bagno per circa 2 ore, scolateli, trita-teli, raccoglieteli in una piccola casseruola, unitevi il sedano e $\frac{1}{4}$ di cipolla tritati, una tazza di brodo, il sale, il pepe e cuocete lenta-mente per circa 30 minuti. In un'altra casseruola abbastanza capace per contenere 4 minestre, mettete i piselli con il resto della cipolla tritata, il latte, una tazza d'acqua calda, lo zucchero, il sale e cuocete per 10 minuti, quindi unitevi i funghi già pronti e tanto brodo quanto occorre per ottenere circa 1 litro e $\frac{1}{2}$ di liquido. Fate pren-dere il bollore, aggiungete il riso e portatelo a cottura. Appena pronto, prima di toglierlo dal fuoco, finitelo di condire con il prez-zemolo e con il parmigiano: mescolate bene, versate la minestra nella zuppiera e servite subito.

19. *Minestra di riso e lenticchie*

Calorie
per persona
305

Dosi per 4 persone:

GR. 200 DI LENTICCHIE
GR. 80 DI RISO
1 CUCCHIAINO D'ESTRATTO VEGETALE
1 CUCCHIAINO COLMO DI SALSA DI POMODORO
1 CIPOLLA
1 CAROTA
2 GAMBI DI SEDANO
1 BICCHIERE DI LATTE MAGRO
SALE

Dopo aver mondato accuratamente le lenticchie, mettetele a bagno nell'acqua fredda per circa 12 ore (dalla sera alla mattina). Al momento di cucinarle, in una pentola riunite la cipolla, la carota, il sedano tritati e il latte. Lasciate sobbollire finché il latte sarà evaporato della metà poi versatevi le lenticchie, mescolatele bene, ricopritele d'acqua calda, aggiungete l'estratto, la salsa, il sale e cuocetele lentamente finché saranno quasi cotte. A questo punto regolate la quantità del liquido, sufficiente per 4 minestre, e unite il riso. Appena questo è pronto, versate il tutto nella zuppiera e servite. La minestra di lenticchie dev'essere piuttosto densa e generalmente non si accompagna con il parmigiano, ma nel nostro caso (avendo abolito i grassi), si possono aggiungere 2 o 3 cucchiaiate colme di formaggio che non stoneranno affatto, anzi daranno maggiore risalto al sapore delle lenticchie. Potete sostituire il riso con la pasta (cannolicchi) che metterete nella misura di un pugno scarso a persona. Benché le lenticchie abbiano calorie piuttosto elevate, le abbiamo ugualmente introdotte nelle nostre ricette (in dosi molto limitate) in considerazione della grande quantità in esse contenuta di sali minerali, soprattutto di potassio, ferro, fosforo e zolfo.

20. Minestra di riso e piselli

Calorie
per persona
310

Dosi per 4 persone:

CIRCA GR. 250 DI PISELLI IN SCATOLA
GR. 150 DI RISO
2 FETTINE DI LINGUA SALMISTRATA
2 CUCCHIAI DI PARMIGIANO
1 GROSSA CIPOLLA
1 CUCCHIAINO D'ESTRATTO VEGETALE
LATTE MAGRO
SALE

Tritate finemente la cipolla, raccoglietela in una casseruola, unitevi un bicchiere di latte e, mescolando, cuocete finché questo sarà quasi tutto evaporato. Aggiungete i piselli ben colati dal loro liquido, fateli insaporire qualche minuto, quindi unitevi circa 1 litro e ½ d'acqua calda nella quale avrete sciolto l'estratto. Fate prendere il bollore e versate nella casseruola il riso che porterete a cottura a calore moderato e quando è pronto, prima di togliere il recipiente dal fuoco, finite di condire, incorporando la lingua tritata finemente e il parmigiano. Qualora voleste adoperare piselli freschi, prendetene almeno un chilogrammo, riuniteli in una casseruola insieme alla cipolla tritata e ad una tazza di brodo, cuoceteli per 30 minuti poi aggiungete il resto del brodo, il riso e, a cottura ultimata, finite di condire incorporando una tazzina di latte, la lingua tritata e il parmigiano. Poiché la lingua salmistrata è molto nutriente, aumentandone la dose (2 fettine a persona) si potrà abolire la pietanza e completare il menù con verdura e frutta fresca.

21. *Minestra di riso e zucca*

Calorie
per persona
220

Dosi per 4 persone:

GR. 500 DI ZUCCA GIALLA
GR. 80 DI RISO
½ LITRO DI LATTE MAGRO
½ CIPOLLA
1 GROSSA PATATA
1 CUCCHIAINO DI PREZZEMOLO TRITATO
BRODO PREPARATO CON L'ESTRATTO VEGETALE
2 CUCCHIAI DI PARMIGIANO
SALE E PEPE

In una casseruola riunite la cipolla tritata e un bicchiere di latte. Fate sobbollire a fuoco basso, mescolando spesso e quando il latte sarà quasi tutto evaporato, aggiungete la zucca tagliata a dadi, condite con il sale e il pepe, lasciate insaporire poi unite la patata che avrete sbucciato e diviso a metà, circa 1 litro di brodo caldo e cuocete a fuoco moderato per quasi un'ora. Trascorso questo tempo mettete la patata in un piatto, schiacciatela bene, versatela di nuovo nel recipiente, aggiungete il riso e tanto brodo quanto occorre per cuocerlo. Durante la cottura versate nel recipiente, poco alla volta, il resto del latte. Prima di togliere la casseruola dal fuoco finite di condire con il prezzemolo e con il parmigiano. Mescolate, fate riposare per un minuto, quindi servite questa minestra assai delicata, il cui sapore piuttosto dolce, secondo il vostro gusto, potrete mitigare aumentando la dose del prezzemolo o aggiungendo 3 o 4 foglioline di sedano tritate finemente.

22. *Minestra di trippa*

Calorie
per persona
360

Dosi per 4 persone:

GR. 400 DI TRIPPA (FOIOLO)
GR. 80 DI RISO (O ALTRETTANTO DI PASTA)
1 CIPOLLA
1 CAROTA
1 GAMBO DI SEDANO
1 SPICCHIO D'AGLIO
1 CUCCHIAIO DI BASILICO TRITATO
4 CUCCHIAI DI PECORINO
1 CUCCHIAINO D'ESTRATTO VEGETALE
1 BICCHIERE DI LATTE MAGRO
½ BICCHIERE DI VINO BIANCO
SALE E PEPE

Lavate bene la trippa sotto l'acqua corrente, scolatela e tagliatela a listerelle. In una casseruola riunite la cipolla, la carota, il sedano tritati e il latte; lasciate sobbollire per qualche minuto, unite la trippa, mescolatela continuamente e quando sarà ben asciutta bagnatela con il vino. Appena questo è evaporato condite con il sale e il pepe e versate nel recipiente circa 2 litri d'acqua calda nella quale avrete sciolto l'estratto. Cuocete a fuoco lento per circa 3 ore e, a cottura ultimata, aggiungete ancora del brodo, fate prendere il bollore e unite il riso o la pasta. Qualche minuto prima di togliere il recipiente dal fuoco, aggiungete l'aglio e il basilico tritati e 2 cucchiai di formaggio. Versate nella zuppiera la minestra che accompagnerete con il resto del pecorino. Questa minestra, essendo molto nutriente per le proteine contenute nella trippa, può costituire da sola il piatto "forte" della colazione o della cena. Per stomachi delicati, affinché sia più leggera, si può abolire l'aglio.

23. *Pasta e peperoni gratinati*

Calorie
per persona
435

Dosi per 4 persone:

GR. 600 DI PEPERONI
GR. 500 DI POMODORI
GR. 280 DI MACCHERONI (SPOLE)
GR. 50 DI GROVIERA
4 CUCCHIAI DI PARMIGIANO
1 BICCHIERE DI LATTE MAGRO
1 CIPOLLA
1 CHIARA D'UOVO
QUALCHE FOGLIOLINA DI BASILICO
1 FOGLIA D'ALLORO
NOCE MOSCATA
SALE E PEPE

Arrostite i peperoni sulla fiamma o sulla placca del forno, spellateli, lavateli e tagliateli a striscioline, dopo aver eliminato i semi. In una casseruola fate sobbollire in un bicchiere di latte la cipolla tagliata a fettine; quando il latte si sarà quasi tutto consumato, unite i peperoni, i pomodori spellati privati dei semi e tritati, qualche fogliolina di basilico, l'alloro, il sale e il pepe; coprite il recipiente e cuocete lentamente finché otterrete un composto piuttosto denso. Intanto i maccheroni, cotti in abbondante acqua salata, saranno pronti: scolateli, lasciandoli piuttosto morbidi e conditeli con il parmigiano al quale avrete mescolato la noce moscata. Disponeteli a strati in una teglia unta di burro o di margarina, ponendo su ogni strato il groviera tagliato a fettine sottili e qualche cucchiaiata del composto di peperoni. Sopra l'ultimo strato, dopo averlo condito come gli altri, versate la chiara sbattuta leggermente insieme a due cucchiai di parmigiano che avrete tenuto da parte. Mettete nel forno a fuoco moderato a colorire e fate riposare qualche minuto prima di servire. Questo primo piatto piuttosto sostanzioso vi permetterà di concludere il menù con un'insalata verde e con una macedonia di frutta fresca.

24. *Ravioli di carne*

Calorie
per persona
710

Dosi per 4 persone:

GR. 500 DI POMODORI PELATI
IN SCATOLA
1 PETTO DI POLLO (2 PEZZI)
GR. 100 DI FEGATINI DI POLLO
1 FETTINA DI LINGUA SALMISTRATA
GR. 80 DI CERVELLO
GR. 50 DI PARMIGIANO
1 CUCCHIAINO DI ESTRATTO VEGETALE
1 CIPOLLA
2 GAMBI DI SEDANO
1 CUCCHIAINO DI PREZZEMOLO TRITATO
1 SPICCHIO D'AGLIO
1 FOGLIA D'ALLORO
SALE

Per la pasta:

GR. 400 DI FARINA
4 CHIARE D'UOVO
LATTE MAGRO

In una casseruola riunite mezza cipolla e un gambo di sedano tritati, l'alloro, i pomodori passati al setaccio e l'estratto; salate e cuocete lentamente per circa 40 minuti. Prima di togliere il recipiente dal fuoco, fate evaporare tutto il liquido eccedente e per rendere il sugo più denso, incorporatevi 1 cucchiaio di parmigiano grattugiato. Mentre i pomodori cuociono, preparate il ripieno: in una casseruola non troppo grande, piena per metà d'acqua salata fate bollire l'alloro, ½ cipolla e 1 gambo di sedano per qualche minuto, unitevi il petto di pollo e cuocetelo lentamente per circa 10 minuti, quindi toglietelo dall'acqua e mettetelo da parte. Nella medesima acqua cuocete il cervello per 5 minuti (al quale avrete tolto la pellicina sotto l'acqua corrente), scolatelo e sempre nel medesimo recipiente fate bollire i fegatini per 5 o 6 minuti. Tritate il petto di pollo, i fegatini, la lingua, l'aglio e il prezzemolo, raccoglieteli in una terrina, aggiungetevi il cervello, che avrete schiacciato con una forchetta, la terza parte del parmigiano e il sale, mescolando energicamente finché gli ingredienti saranno ben amalgamati. Con la farina, le chiare d'uovo, il latte e il sale preparate la pasta (*vedi* "GÂTEAU" DI TAGLIATELLE, n. 215), ricavatene una sfoglia sottile e, secondo le istruzioni date per i RAVIOLI ALLA MANTOVANA (*vedi* ricetta n. 229) preparate gli agnolotti che cuocerete in abbondante acqua salata. Scolateli bene con un mestolo forato, aggiustateli a strati in un piatto da portata e condite ogni strato con il parmigiano rimasto e il sugo di pomodoro dal quale avrete tolto l'alloro.

25. Risotto alla lingua

Calorie
per persona
430

Dosi per 4 persone:

GR. 320 DI RISO
GR. 50 DI LINGUA SALMISTRATA
GR. 40 DI PARMIGIANO
4 GROSSI POMODORI MATURI
1 CIPOLLA
1 CUCCHIAIO DI PREZZEMOLO TRITATO
1 FOGLIA D'ALLORO
½ BICCHIERE DI VINO BIANCO
BRODO PREPARATO CON L'ESTRATTO VEGETALE
SALE E PEPE

In una casseruola, abbastanza grande per cuocere il risotto, riunite la cipolla tritata, i pomodori spellati, privati dei semi e tagliati a pezzi, l'alloro, il sale e il pepe. Lasciate sobbollire per circa 10 minuti, quindi unite il riso e a fuoco piuttosto vivo fate assorbire tutto il sugo. Bagnate con il vino, condite con il sale e il pepe e portate il riso a cottura, aggiungendo di tanto in tanto qualche cucchiaiata di brodo bollente. Prima di togliere il riso dal fuoco, scartate l'alloro, incorporatevi metà del formaggio grattugiato, la lingua e il prezzemolo tritati finemente. Fate riposare qualche minuto, quindi versate il risotto sul piatto da portata e cospargetelo con il resto del formaggio.

26. Risotto alla paesana

Calorie
per persona
445

Dosi per 4 persone:

GR. 320 DI RISO

GR. 200 DI FUNGHI COLTIVATI

GR. 200 DI PISELLI SURGELATI

GR. 40 DI PARMIGIANO

½ BICCHIERE DI VINO BIANCO

1 CIPOLLA

1 SPICCHIO D'AGLIO

LATTE MAGRO

BRODO

1 CUCCHIAIO DI PREZZEMOLO TRITATO

1 FOGLIA D'ALLORO

SALE E PEPE

In una casseruola unta d'olio raccogliete l'aglio tritato e sempre mescolando fatelo colorire leggermente. Unitevi i funghi tagliati a pezzetti e l'alloro, insaporiteli per qualche minuto, conditeli con il sale e il pepe, bagnateli con il brodo e cuoceteli a fuoco moderato per circa 20 minuti. Intanto in un'altra casseruola riunite i piselli, la cipolla tagliata a fettine, una tazza di brodo, qualche cucchiaiata di latte, il sale e cuocete per 20 minuti. Quando i funghi sono pronti, aggiungetevi il riso, bagnatelo con il vino e appena questo è evaporato, portatelo a cottura, versandovi, quando occorre, del brodo bollente. Dieci minuti prima che il riso sia pronto, scartate l'alloro, unite i piselli, quindi toglietelo dal fuoco e finitelo di condire con il prezzemolo tritato e con il parmigiano. Chiudete il recipiente e lasciate "mantecare" qualche minuto prima di servire. Secondo il vostro gusto potete rendere il risotto ancor più saporito, incorporandovi a metà cottura mezzo peperoncino rosso piccante tritato finemente.

27. Risotto alla vicentina

Calorie
per persona
460

Dosi per 4 persone:

GR. 320 DI RISO
GR. 300 DI CARNE MAGRA DI VITELLO
GR. 40 DI PARMIGIANO
½ BICCHIERE DI VINO BIANCO
BRODO PREPARATO CON L'ESTRATTO VEGETALE
1 BICCHIERE DI LATTE MAGRO
1 CUCCHIAIO DI SALSA DI POMODORO
1 CIPOLLA
2 CHIODI DI GAROFANO
1 FOGLIA D'ALLORO
NOCE MOSCATA
SALE

In una casseruola riunite la cipolla tritata, l'alloro, i chiodi di garofano, la carne tagliata a dadi piuttosto piccoli e un bicchiere di latte; fate sobbollire e appena questo sarà tutto evaporato condite con il sale e versatevi il vino, coprite il recipiente e dopo pochi minuti unite una tazza d'acqua calda nella quale avrete sciolto la salsa di pomodoro. Proseguite la cottura molto lentamente e quando la carne è quasi cotta, scartate i chiodi di garofano e aggiungete il riso. Bagnatelo di tanto in tanto con qualche cucchiaiata di brodo bollente e un minuto prima di toglierlo dal fuoco, incorporatevi la metà del parmigiano. Lasciatelo riposare un poco poi disponetelo sul piatto da portata e cospargetelo con il resto del formaggio, al quale avrete mescolato una presa di noce moscata. Il riso così preparato si presta ad essere servito come "piatto unico", specie se aumenterete la dose della carne; fatelo seguire da formaggio fresco (robiolina, mozzarella, ecc.) e da abbondante frutta.

28. Risotto con fegatini e funghi

Calorie
per persona
480

Dosi per 4 persone:

GR. 320 DI RISO
GR. 25 DI FUNGHI SECCHI
12 FEGATINI DI POLLO
4 CUCCHIAI DI PARMIGIANO
BRODO PREPARATO CON L'ESTRATTO VEGETALE
LATTE MAGRO
1 CIPOLLA
1 FOGLIA D'ALLORO
1 CUCCHIAIO DI BRANDY
SALE E PEPE

Dopo aver tenuto i funghi a bagno nell'acqua per circa 2 ore, scolateli, tritateli grossolanamente, raccoglieteli in una casseruola, aggiungetevi la cipolla tritata, una tazza di brodo, 4 o 5 cucchiai di
latte, il sale, il pepe e cuocete a fuoco lento per circa 40 minuti.
Intanto lavate, asciugate i fegatini, tagliateli a fettine, metteteli in
una grande casseruola e cuoceteli a fuoco moderato insieme a una
tazza di latte e a una fogliolina d'alloro. Conditeli con il sale, il
pepe e appena il latte si sarà consumato della metà, unite il riso,
mescolatelo bene, salatelo, bagnatelo con il brandy e appena questo
è evaporato, finitelo di cuocere, aggiungendo di tanto in tanto qualche cucchiaiata di brodo bollente. Quando il riso è quasi pronto unitevi i funghi già cotti, scartate l'alloro, incorporatevi il prezzemolo
tritato e la metà del parmigiano. Disponetelo sul piatto da portata,
cospargetelo con il resto del formaggio e servitelo subito come "piatto
unico".

4. *300 ricette senza grassi*

29. Risotto giallo

Calorie
per persona
375

Dosi per 4 persone:

GR. 320 DI RISO
GR. 40 DI PARMIGIANO
1 GROSSA CIPOLLA
1 GAMBO DI SEDANO
LATTE MAGRO
BRODO PREPARATO CON L'ESTRATTO VEGETALE
1 BICCHIERE DI VINO BIANCO
ZAFFERANO
SALE E PEPE

In una casseruola mettete la cipolla e il sedano tritati con un bicchiere di latte; lasciate sobbollire e quando il latte si sarà consumato della metà, unite il iso, mescolatelo bene, bagnatelo con il vino, fatelo evaporare, quindi condite con il sale e il pepe e proseguite la cottura versandovi via via del brodo bollente. A metà cottura aggiungete lo zafferano (mezza bustina, che troverete già confezionata dal droghiere o dal farmacista) e appena il riso è pronto, fuori dal fuoco conditelo con la metà del parmigiano. Mescolatelo bene, lasciatelo riposare per 2 o 3 minuti, quindi versatelo nel piatto da portata, precedentemente riscaldato e servitelo con il resto del parmigiano che metterete nella formaggera. Questo risotto è l'ideale per formare un saporito "piatto unico" se unito a spezzatino in umido, a nodini al marsala, a ossi buchi.

30. *Spaghetti alla pugliese*

Calorie
per persona
405

Dosi per 4 persone:

KG. 1 DI POMODORI
GR. 320 DI SPAGHETTI
4 CUCCHIAI DI PARMIGIANO
½ CUCCHIAINO D'ESTRATTO VEGETALE
2 SPICCHI D'AGLIO
½ CUCCHIAINO DI CAPPERI
LATTE MAGRO
1 FOGLIA D'ALLORO
SALE, PEPE E ORIGANO

Immergete i pomodori per qualche minuto nell'acqua bollente, spellateli, privateli dei semi, tagliateli a pezzi e raccoglieteli in una teglia piuttosto larga. Unitevi l'aglio tritato, l'alloro, l'estratto, il sale, il pepe e cuocete a fuoco moderato, mescolando spesso. Quando i pomodori saranno bene asciutti, aggiungetevi 2 cucchiai di latte, 2 cucchiai di parmigiano, i capperi, l'origano e toglieteli dal fuoco. Intanto gli spaghetti, che avrete messo a cuocere in abbondante acqua salata, saranno pronti al dente; scolateli e versateli nella teglia dove il sugo (scartate l'alloro) sarà ancora caldo. Mettete il recipiente sul fuoco piuttosto vivo, mescolate gli spaghetti affinché possano insaporirsi bene e disponeteli sul piatto da portata. Spolverizzateli con il resto del parmigiano e serviteli subito. Se amate i sapori piccanti sostituite il parmigiano con il pecorino per essere fedeli alla ricetta tradizionale; ma poiché il pecorino è il formaggio più grasso fra quelli che compaiono nelle ricette, potrete diminuirne la dose.

31. *Spaghetti con le vongole*

Calorie
per persona
380

Dosi per 4 persone:

KG. 1 DI VONGOLE
GR. 500 DI POMODORI
GR. 320 DI SPAGHETTI
2 SPICCHI D'AGLIO
1 GAMBO DI SEDANO
1 CUCCHIAIO DI PREZZEMOLO TRITATO
1 PICCOLO PEPERONCINO
½ CUCCHIAINO D'ESTRATTO VEGETALE
SALE E PEPE

Lavate molto bene le vongole sotto l'acqua corrente, raccoglietele in una casseruola e a fuoco piuttosto vivo fate aprire le conchiglie, togliete i molluschi, lavateli ancora una volta per liberarli dalla terra che spesso rimane loro attaccata e metteteli da parte. Versate l'acqua emessa dalle vongole in un'altra casseruola, passandola attraverso un tovagliolo bagnato e strizzato, mettete il recipiente sul fuoco, aggiungete i pomodori spellati, privati dei semi e tagliati a pezzi, l'aglio, il sedano e il peperoncino tritati e l'estratto. Condite con il sale e il pepe, cuocete lentamente e quando il sugo sarà abbastanza denso, unitevi le vongole e il prezzemolo tritato. Disponete la casseruola sul bordo del fornello e lasciate sobbollire finché gli spaghetti, che cuocerete in abbondante acqua salata, saranno pronti. Colateli al dente, versateli in una teglia insieme alle vongole, mescolateli bene e, a fuoco basso, lasciateli insaporire per 2 o 3 minuti. È facoltativo cospargerli di parmigiano o di pecorino grattugiati.

32. Stracciatella al pomodoro

Calorie
per persona
120

Dosi per 4 persone:

GR. 300 DI POMODORI PELATI IN SCATOLA
4 CHIARE D'UOVO
4 CUCCHIAI DI PARMIGIANO
1 CUCCHIAIO DI PANE GRATTUGIATO
1 CUCCHIAIO DI PREZZEMOLO TRITATO
ESTRATTO VEGETALE
1 FOGLIA D'ALLORO
1 SPICCHIO D'AGLIO
1 PRESA DI ZUCCHERO
SALE E PEPE

In una casseruola raccogliete i pomodori passati al setaccio, aggiungetevi l'aglio tritato, l'alloro, ½ cucchiaino d'estratto, il sale, il pepe, lo zucchero e cuocete lentamente per circa 30 minuti. Intanto in una terrina mettete le chiare d'uovo, sbattetele leggermente, quindi incorporatevi, mescolando con un cucchiaio di legno, il pane grattugiato, il parmigiano e il prezzemolo; condite con il sale e il pepe e diluite con qualche cucchiaiata di brodo freddo preparato con l'estratto. Appena il sugo di pomodoro è pronto, diluitelo con tanto brodo (sempre preparato con l'estratto) quanto occorre per 4 minestre (scartate l'alloro), fate prendere il bollore e versatevi a poco a poco il composto preparato, agitandolo con una forchetta. Sempre mescolando lasciate bollire 4 o 5 minuti molto lentamente, quindi togliete il recipiente dal fuoco e versate questa delicatissima stracciatella nella zuppiera da tavola. Servitela subito.

33. *Timballini alla romana*

Calorie
per persona
540

Dosi per 4 persone:

GR. 320 DI RISO
GR. 200 DI FEGATINI DI POLLO
GR. 100 DI MOZZARELLA
GR. 50 DI LINGUA SALMISTRATA
4 CUCCHIAI DI PARMIGIANO
1 BICCHIERE DI LATTE MAGRO
½ BICCHIERE DI VINO BIANCO
1 CIPOLLA
1 FOGLIA D'ALLORO
NOCE MOSCATA
PANE GRATTUGIATO
SALE E PEPE

Togliete il fiele ai fegatini, lavateli, asciugateli, tagliateli a pezzetti molto piccoli e metteteli ad insaporire in una casseruola dove avrete fatto bollire lentamente per 5 minuti ½ cipolla tritata con il latte. Condite con il sale e il pepe e appena il latte sarà tutto consumato, bagnate i fegatini con il vino e finiteli di cuocere. Prima di toglierli dal fuoco, aggiungete la lingua tritata e la noce moscata. In una pentola lessate il riso in acqua salata alla quale avrete aggiunto la mezza cipolla rimasta e l'alloro; fate in modo che a cottura ultimata il riso abbia assorbito tutto il liquido. Scartate la cipolla, l'alloro e conditelo con il parmigiano, mescolandolo bene. Ungete di burro o di margarina gli stampi, spolverizzateli di pane grattugiato e riempiteli per metà di riso; sulla superficie di questo fate una specie d'incavatura nella quale suddividerete i fegatini e la mozzarella, tagliata a dadini. Ricoprite con il resto del riso e mettete gli stampi nel forno a fuoco moderato per circa 20 minuti. Sformate i timballini sul piatto da portata e serviteli da soli o insieme a un sugo di pomodoro (*vedi* ricetta n. 300). Insalata e frutta fresca potranno completare il vostro menù.

34. *Vermicelli alla barese*

Calorie
per persona
420

Dosi per 4 persone:

KG. 1 DI POMODORI FRESCHI
GR. 320 DI VERMICELLI
GR. 30 DI PECORINO O GR. 40 DI PARMIGIANO
2 MELANZANE
1 CUCCHIAINO D'ESTRATTO DI CARNE
2 SPICCHI D'AGLIO
1 GROSSA CIPOLLA
1 MANCIATA DI BASILICO
1 CUCCHIAIO DI CAPPERI
SALE E PEPE

Prendete delle melanzane napoletane, le quali essendo di sapore piut-tosto dolce non hanno bisogno di essere messe sotto sale. Lavatele, asciugatele, tagliatele a tocchetti che raccoglierete in una casseruola unta d'olio e che a fuoco moderato, sempre mescolando, farete colo-rire al massimo. A questo punto unitevi l'aglio, la cipolla e il basilico tritati, i pomodori spellati privati dei semi e tagliati a pezzi, l'estrat-to, il sale, il pepe e cuocete lentamente per circa 1 ora perché il sugo deve risultare molto denso. Quando è pronto, incorporatevi 2 cucchiai di pecorino, i capperi e versatene la metà in una grande teglia unta leggermente d'olio che metterete sul fuoco molto basso. Unitevi i vermicelli (di formato un po' grosso) che cotti in abbon-dante acqua salata, avrete scolato al dente; mescolandoli rapidamente fateli insaporire, quindi disponeteli sul piatto da portata e finiteli di condire con il resto del sugo e del formaggio. Questi vermicelli, come tutti i primi piatti della gastronomia pugliese, rappresentano il "pezzo" forte della tavola e vengono curati in modo particolare: vi si possono aggiungere carne e verdure tritate, pesci lessi e arro-stiti, formaggi di diverse qualità, ecc. Come abbiamo già detto per gli SPAGHETTI ALLA PUGLIESE (*vedi* ricetta n. 30) il pecorino deve essere consumato in dose minore di quella degli altri formaggi.

PIATTI
DI MEZZO

35. Baccalà con funghi

Calorie
per persona
305

Dosi per 4 persone:

GR. 600 DI BACCALÀ GIÀ BAGNATO

GR. 30 DI FUNGHI SECCHI

2 PATATE DI MEDIA GRANDEZZA (CIRCA GR. 200)

2 SPICCHI D'AGLIO

4 CUCCHIAI DI PARMIGIANO

1 CUCCHIAIO DI PREZZEMOLO TRITATO

1 CIPOLLA

1 FOGLIA D'ALLORO

1 FETTINA DI LIMONE

1 GAMBO DI SEDANO

LATTE MAGRO

NOCE MOSCATA

1 TAZZA DI BRODO PREPARATO CON L'ESTRATTO VEGETALE

PANE GRATTUGIATO

2 CUCCHIAINI DI FARINA

SALE E PEPE

Lasciate i funghi a bagno nell'acqua tiepida per circa 2 ore, quindi scolateli, tritateli grossolanamente, raccoglieteli in una casseruola, unitevi ½ cipolla tritata, 3 o 4 cucchiai di latte, una tazza di brodo, il sale, il pepe e cuoceteli lentamente per 40 minuti. Intanto a fuoco bassissimo (l'acqua deve appena fremere) lessate il baccalà in acqua poco salata alla quale avrete aggiunto l'alloro, una fettina di limone, il sedano e il resto della cipolla. Quando introducendo la forchetta nel baccalà comprenderete che questo è cotto, scolatelo, spellatelo, spinatelo, tritatelo, riunitelo in una terrina, aggiungetevi le patate lesse passate allo schiacciapatate, il prezzemolo e l'aglio tritati finemente, il parmigiano, un pizzico di noce moscata e tanto latte quanto occorre per ottenere un impasto piuttosto molle. Mescolate bene e versate il tutto in una teglia, spalmata di burro o di margarina. Quando i funghi sono cotti unitevi una tazza di latte nella quale avrete stemperato la farina e cuocete ancora per 5 minuti, ottenendo un intingolo cremoso che verserete sopra il composto di baccalà. Spolverizzate di pane grattugiato, bagnate con qualche cucchiaiata di latte e mettete il recipiente nel forno finché il pane grattugiato avrà preso un leggerissimo colore dorato. Servite nella teglia di cottura.

36. Coniglio ai peperoni

Calorie
per persona
360

Dosi per 4 persone:

1 BEL CONIGLIO GIOVANE DI CIRCA KG. 1,200
4 PEPERONI IN SCATOLA ARROSTITI O AL NATURALE
2 SPICCHI D'AGLIO
2 POMODORI FRESCHI
LATTE MAGRO
1 CUCCHIAINO D'ESTRATTO VEGETALE
1 MAZZETTO DI AROMI (SALVIA, ALLORO, ROSMARINO)
2 CUCCHIAI DI BRANDY
1 CUCCHIAIO DI PREZZEMOLO TRITATO
SALE E PEPE

Pulite, lavate il coniglio, tagliatelo a pezzi, mettetelo a colorire leggermente in una teglia spalmata d'olio, quindi bagnatelo con il brandy, dategli fuoco e appena questo si è spento, aggiungete l'aglio schiacciato, il mazzetto degli aromi, i pomodori spellati, privati dei semi e tritati, il sale, il pepe, l'estratto e cuocete lentamente per 45 minuti. A questo punto aggiungete i peperoni ben colati dal loro liquido e tagliati a pezzi piuttosto grandi e qualora fossero freschi, prima di unirli al coniglio, arrostiteli sulla fiamma o sulla placca del forno e spellateli bene. Proseguite la cottura ancora per 20 minuti, bagnando di tanto in tanto con qualche cucchiaiata di latte. Prima di togliere il recipiente dal fuoco, finite di condire con il prezzemolo tritato. Per completare la pietanza, che diventerà "piatto unico", insieme ai peperoni potete aggiungere 3 o 4 patate tagliate in grossi spicchi o servire il coniglio con gr. 250 di riso bollito.

37. Coniglio alla messicana

Calorie
per persona
355

Dosi per 4 persone:

1 CONIGLIO GIOVANE E TENERO DI CIRCA KG. 1,200
4 GROSSI POMODORI
1 CIPOLLA
1 DECILITRO DI LATTE MAGRO
½ BICCHIERE DI VINO BIANCO
4 CUCCHIAI DI BRANDY
2 CUCCHIAINI DI SENAPE
1 MAZZETTO DI AROMI (SALVIA, ALLORO, TIMO)
2 SPICCHI D'AGLIO
PREZZEMOLO TRITATO
SALE E PEPE

In una casseruola piuttosto bassa e larga mettete la cipolla tagliata a fettine con un bicchiere d'acqua; fate sobbollire lentamente e quando l'acqua è evaporata della metà, aggiungete il coniglio che avrete tagliato a pezzi; mescolando continuamente, lasciate insaporire finché l'acqua sarà stata tutta assorbita e la cipolla avrà preso un leggero colore. Condite con il sale e il pepe, bagnate con il vino. Unitevi i pomodori spellati, privati dei semi e tritati, il mazzetto degli aromi, l'aglio schiacciato e mettete nel forno a fuoco moderato. In una tazza riunite il brandy, il latte e la senape e quando il coniglio sarà cotto, aggiungetevi il composto mescolando bene. Dopo qualche minuto servitelo nel piatto da portata da solo o con 4 patate lesse cotte senza buccia in acqua salata alla quale avrete aggiunto un cucchiaino d'estratto. Cospargete il tutto di prezzemolo tritato.

38. *Filetti di sogliola gratinati*

Calorie
per persona
200

Dosi per 4 persone:

4 SOGLIOLE DI GR. 250 CIASCUNA
2 CUCCHIAI DI FARINA BIANCA
1 BICCHIERE DI LATTE MAGRO
2 CUCCHIAI DI VINO BIANCO
1 CUCCHIAIO DI PARMIGIANO
1 CUCCHIAIO DI PANE GRATTUGIATO
½ CIPOLLA
2 GAMBI DI SEDANO
1 FOGLIA D'ALLORO
1 CUCCHIAIO DI PREZZEMOLO TRITATO
SALE E PEPE

Fatevi preparare nel negozio dove comprate il pesce i filetti delle sogliole, ma non dimenticate le teste e tutte le lische che, ben lavate, metterete a bollire in acqua salata alla quale avrete aggiunto la cipolla, il sedano, l'alloro e il sale. Fate cuocere 15 minuti, togliete poi tutti i resti delle sogliole, quindi nel brodo ottenuto cuocete i filetti (che debbono essere appena ricoperti di liquido) per pochi minuti a fuoco bassissimo, altrimenti "si arricciano". In una casseruola stemperate la farina con il latte e con il brodo, cuocete finché otterrete una crema densa e omogenea, aggiungetevi il vino, il sale, il pepe e toglietela dal fuoco. Ungete di burro una teglia da portata bassa e larga, disponetevi i filetti di sogliole, cospargeteli con il prezzemolo, ricopriteli con la besciamella, spolverizzate di pane grattugiato e di parmigiano mescolati e mettete nel forno a gratinare. Per rendere più saporito questo piatto, potete aggiungere una dozzina di cozze già tolte dalle loro valve e 3 o 4 cucchiai di sugo di pomodoro che distenderete sopra i filetti (insieme al prezzemolo) prima di ricoprirli con la besciamella.

39. *Galantina di pollo*

Calorie
per persona
620

Dosi per 6 persone:

UN BEL POLLO DI CIRCA 1 CHILO E ½
GR. 300 DI CARNE MAGRA DI VITELLO
GR. 100 DI MOLLICA DI PANE
GR. 150 DI LINGUA SALMISTRATA TAGLIATA IN 2 FETTE
1 SCATOLETTA DI TARTUFI NERI
GR. 25 DI PISTACCHI
4 CUCCHIAI DI MARSALA
LATTE MAGRO
4 O 5 CUCCHIAI DI PARMIGIANO
1 CIPOLLA
1 CAROTA
1 GAMBO DI SEDANO
1 FOGLIA D'ALLORO
1 CHIODO DI GAROFANO
NOCE MOSCATA
SALE E PEPE

Prendete un bel pollo (o una gallina giovane), facendo attenzione che la pelle sia sana. Dopo aver pulito il pollo come di consueto, tagliategli il collo a due dita dalla testa, mettetelo sul tavolo di cucina con il petto in giù e con un coltellino fategli un'incisione diritta che dal collo arrivi sino alla coda, tagliate le giunture delle ali e delle cosce, sollevate la pelle e, aiutandovi con le dita e con il coltellino, staccatela da tutte e due i lati; al punto delle ali e delle cosce rovesciate la pelle e fatela uscire tagliando via i nervetti che la trattengono. Passati questi due punti, facilmente staccherete la pelle del petto. Raccoglietela in una terrina, conditela con il sale, il pepe, la noce moscata e 2 cucchiaiate circa di marsala. Distaccate poi tutta la carne dalla carcassa, tagliate a dadi il petto e raccogliete questo in un altro recipiente, aggiungendovi la lingua tagliata pure a dadi della medesima grandezza, i pistacchi che avrete immerso un momento nell'acqua calda per spellarli più facilmente e i tartufi tagliati a fettine in armonia alla grandezza dei dadi. Condite il tutto con il sale, il pepe, la noce moscata, il resto del marsala e mescolate bene; avrete così preparato il "mosaico" della galantina. Ed ora preparate la farcia: tritate finemente la carne di vitello e il resto della carne di pollo, raccogliete il tutto in una terrina, aggiungetevi la mollica del pane che avrete fatto bollire per alcuni minuti con poco latte, ottenendo una specie di besciamella molto densa. La farcia deve risultare compatta quindi se volete ottenere una galantina a "regola d'arte", pestate il composto poco alla volta nel mortaio e poi passatelo al setaccio. Condite la farcia con un pizzico di sale, di pepe, unitela al "mosaico" e mescolate a lungo affinché questo possa distribuirsi bene. Prendete la pelle, distendetela, disponetevi sopra l'impasto al quale darete press'a poco la forma di un polpettone e ricopritelo con i lembi della pelle che cucirete con un grosso ago e del filo bianco, punzecchiando poi la pelle qua e là. Avvolgete la galantina in un tovagliolo che legherete nel centro e alle due estremità con uno spago e mettetela così preparata in una casseruola ovale, ricoprendola d'acqua leggermente salata. Unitevi la carcassa e le zampe, il sedano, la carota, l'alloro, la cipolla nella quale conficcherete il chiodo di garofano e cuocete a fuoco molto basso per circa un'ora e mezza. Trascorso questo tempo, togliete la galantina dal brodo, lasciatela riposare un quarto d'ora, liberatela dal tovagliolo, avvolgetela in un altro bagnato d'acqua e ben strizzato e legatela come la prima volta. Mettetela sopra il tagliere, copritela con un piatto sul quale aggiusterete un peso e lasciatela riposare per circa 10 ore. Tagliate la galantina a fettine sottili e, qualora voleste metterla in gelatina, unite al brodo una scatoletta di gelatina in polvere, seguendo le istruzioni accluse. Poiché la galantina è un piatto raffinato adatto anche ad ospiti, le dosi sono per 6 persone. Comunque data la preparazione piuttosto lunga, vale la pena di farne di più, dal momento che, in fresco, si conserva per 2 o 3 giorni.

40. *Lumache alla romana*

Calorie
per persona
160

Dosi per 4 persone:

8 DOZZINE DI LUMACHE DI VIGNA
KG. 1 DI POMODORI
4 ACCIUGHE
4 SPICCHI D'AGLIO
1 PEPERONCINO
1 MANCIATA DI MENTA FRESCA
ACETO
SALE GROSSO
SALE FINO

Prima di cucinare le lumache, lasciatele per 48 ore in un cestino di vimini, quindi mettetele per 2 ore in un grande recipiente pieno d'acqua fredda alla quale avrete aggiunto una manciata di sale grosso e due bicchieri d'aceto. Con un mestolo di legno mescolatele affinché possano eliminare tutta la schiuma; ripetete questo lavaggio con acqua, aceto e sale almeno altre due volte e infine risciacquatele in abbondante acqua corrente. Ponetele al fuoco in una pentola piena d'acqua fredda, che farete scaldare a calore moderato affinché le lumache possano uscire dal guscio; a questo punto aumentate il fuoco e fate bollire per 30 minuti. Scolatele e lavatele di nuovo. In una teglia mettete l'aglio e il peperoncino tritati, i pomodori spellati, privati dei semi e tagliati a pezzi, un pizzico di sale e fate sobbollire per circa un quarto d'ora, quindi aggiungete le acciughe lavate, diliscate e tagliate a pezzetti e le lumache che dovranno essere ricoperte dal sugo. Lasciate cuocere lentamente per circa mezz'ora, facendo attenzione che il sugo rimanga piuttosto denso. Prima di togliere le lumache dal fuoco, finitele di condire con la menta tritata.

41. *Medaglioni di animelle*

Calorie
per persona
425

Dosi per 4 persone:

GR. 500 DI ANIMELLE DI VITELLO
2 CUCCHIAI DI MARSALA
1 PICCOLO TARTUFO NERO
BRODO
LATTE MAGRO
2 FETTINE DI LINGUA
1 PANE IN CASSETTA
1 FOGLIA D'ALLORO
SALE E PEPE

Pulite le animelle sotto l'acqua corrente, quindi sbollentatele nell'acqua salata, scolatele, finitele di pulire e lasciatele raffreddare sul tagliere, mettendovi sopra un piatto con un peso. Dopo quasi un'ora, con un tagliapasta rotondo di circa 7 cm. di diametro ricavatene tanti dischi che finirete di cuocere molto lentamente insieme ai ritagli e all'alloro in una padella unta d'olio per circa 20 minuti, chiudendo il recipiente con il coperchio. Bagnateli a metà cottura con il marsala poi, se occorre, con il brodo e condite con un po' di sale e con il pepe. Intanto tagliate il pane a fettine spesse circa 1 cm. e con il tagliapasta ricavatene tanti dischi grandi come quelli delle animelle. Spruzzateli di latte e fateli tostare leggermente sulla graticola del forno. Appena sono pronti, aggiustateli sul piatto da portata, disponetevi sopra le animelle con tutto il fondo di cottura, che avrete raccolto con qualche cucchiaiata di latte, e su queste aggiustate il tartufo tagliato a fettine sottili. Tritate i ritagli di animelle insieme alla lingua e disponete il tritato tutto intorno ai dischi. Servite questo delicatissimo piatto con un budino di spinaci. S'intende che le fettine di pane in cassetta sostituiranno per questo pasto la vostra dose di pane o di grissini.

Lumache alla romana
(ricetta n. 40)

42. *Melanzane ripiene di carne*

Calorie
per persona
250

Dosi per 4 persone:

6 MELANZANE (CIRCA KG. 1,200)
GR. 300 DI CARNE TRITATA
6 POMODORI MATURI
4 CUCCHIAI DI PARMIGIANO
LATTE MAGRO
1 CIPOLLA
2 SPICCHI D'AGLIO
½ BICCHIERE DI VINO BIANCO
1 PEPERONCINO PICCANTE
1 CHIARA D'UOVO
PANE GRATTUGIATO
BRODO PREPARATO CON L'ESTRATTO VEGETALE
BASILICO O ORIGANO
1 PIZZICO DI ZUCCHERO
SALE E PEPE

Prendete possibilmente le melanzane napoletane di sapore dolce, immergetele per 3 o 4 minuti in acqua salata in ebollizione, quindi scolatele e raffreddatele sotto l'acqua fredda. Tagliatele a metà nel senso della lunghezza, svuotatele delicatamente senza romperle, lasciando un involucro di circa 1 cm. e ½ e aggiustatele in una teglia leggermente unta d'olio, una accanto all'altra con la parte concava in alto. In una casseruola fate sobbollire la cipolla e uno spicchio d'aglio tritati in ½ bicchiere di latte e quando questo sarà evaporato della metà, unite la carne. A fuoco vivo fate asciugare tutto il liquido, bagnate con il vino, aggiungete i pomodori spellati, privati dei semi e tritati. Condite con il sale e il pepe, cuocete lentamente per 40 minuti e a metà cottura incorporate la polpa tritata tolta alle melanzane, ottenendo un ragù non troppo denso. Toglietelo dal fuoco, unitevi 2 cucchiai di parmigiano, il peperoncino tritato, la chiara d'uovo e con l'impasto riempite le melanzane. Cospargetele di pane grattugiato, mescolato al resto del formaggio e cuocetele nel forno a fuoco moderato, versando, quando occorre, sul fondo del recipiente qualche cucchiaiata di brodo. Intanto spellate i pomodori rimasti, privateli dei semi, tritateli insieme al resto dell'aglio, riuniteli in una casseruola, aggiungetevi una tazzina di latte, il sale, il pepe, lo zucchero e cuoceteli lentamente; appena avrete ottenuto un sugo piutosto cremoso, finitelo di condire con l'origano o con il basilico tritato e toglietelo dal fuoco. Quando le melanzane sono pronte, lasciatele riposare qualche minuto fuori dal forno, quindi, prima di servirle, suddividetevi sopra il sugo.

5. *300 ricette senza grassi*

43. *Nasello al prezzemolo*

Calorie
per persona
290

Dosi per 4 persone:

4 TRANCI DI NASELLO DI CIRCA GR. 250 L'UNO
1 BICCHIERE DI VINO BIANCO
LATTE MAGRO
BRODO PREPARATO CON L'ESTRATTO VEGETALE
1 CIPOLLA
1 CUCCHIAIO DI FARINA
1 GROSSA MANCIATA DI PREZZEMOLO
2 CETRIOLINI
2 CUCCHIAI DI SUCCO DI LIMONE
1 RAMETTO DI TIMO
SALE E PEPE

In una casseruola mettete il vino, la cipolla tritata, una tazza di brodo e il timo: lasciate sobbollire per qualche minuto, quindi unite le fette di nasello una accanto all'altra, che dovranno essere ricoperte di liquido. Conditele con il sale e il pepe e cuocetele lentamente, per circa un quarto d'ora, rivoltandole una volta durante la cottura. Appena sono pronte, scolatele dal sugo e disponetele in un piatto da portata che possa andare al fuoco. Scartate il timo e nel recipiente versate la farina che avrete stemperato in ½ bicchiere di latte. Salate e mescolando cuocete per 4 o 5 minuti, aggiungendo tanto latte quanto occorre per ottenere una specie di besciamella. Unite il prezzemolo e i cetriolini tritati finemente, il succo del limone e versate il composto sul pesce che metterete 5 minuti nel forno già caldo. Con il medesimo procedimento potrete preparare fette di palombo, filetti di pesce persico e di sogliole.

44. *Nodini al marsala*

Calorie
per persona
330

Dosi per 4 persone:

4 GROSSI NODINI DI VITELLO
GR. 300 DI POMODORI PELATI IN SCATOLA
GR. 200 DI PISELLI IN SCATOLA
GR. 300 DI PATATE
2 CUCCHIAI DI MARSALA
LATTE MAGRO
1 CIPOLLA
1 FOGLIA D'ALLORO
2 CUCCHIAI DI PARMIGIANO
NOCE MOSCATA
SALE E PEPE

Togliete le parti grasse ai nodini, legateli con del filo bianco affinché mantengano la forma e metteteli in una casseruola dove ½ bicchiere di latte starà sobbollendo con la cipolla tritata. Cuoceteli a fuoco basso, rivoltateli, mescolate spesso e, appena il latte sarà stato quasi tutto assorbito, conditeli con il sale e il pepe, bagnateli con il marsala, che farete evaporare, quindi unite l'alloro, i pomodori passati al setaccio, i piselli ben colati dal loro liquido e a fuoco moderato portate tutto a cottura. Intanto le patate staranno cuocendo in acqua salata; quando la carne è quasi pronta, scolate le patate, sbucciatele, passatele allo schiacciapatate, raccoglietele in una casseruola e, mescolando energicamente, incorporatevi una tazzina di latte, il parmigiano e la noce moscata. Appena il puré sarà divenuto soffice e spumoso, mettetelo in caldo a bagnomaria fuori dal fuoco. Sul piatto da portata aggiustate i nodini, contornateli con i piselli e intorno a questi aggiustate a cucchiaiate il puré di patate. Se però volete dare alla vostra pietanza un aspetto più accurato, mettete il puré di patate in una grossa tasca di tela con bocchetta scannellata e strizzatelo, formando un elegante bordo tutto intorno ai piselli.

45. "Omelettes" di piselli

Calorie
per persona
200

Dosi per 4 persone:

6 CHIARE D'UOVO
GR. 300 DI PISELLI SURGELATI O GR. 700 DI PISELLI
FRESCHI
2 CUCCHIAINI DI MAIZENA
LATTE MAGRO
4 CUCCHIAI DI PARMIGIANO
½ BICCHIERE DI VINO BIANCO
BRODO PREPARATO CON L'ESTRATTO VEGETALE
1 CIPOLLA
PANE GRATTUGIATO
SALE

In una casseruola riunite i piselli, la cipolla tritata e ½ bicchiere di latte; appena questo si sarà consumato aggiungete il sale, una tazza di brodo e cuocete lentamente per circa 30 minuti. Quando i piselli sono quasi cotti, incorporatevi la metà del parmigiano e la maizena sciolta in un cucchiaio di latte, fate addensare e togliete il recipiente dal fuoco. In una terrina sbattete leggermente le chiare con il sale, versatele in una grande padella spalmata d'olio che girerete in tutti i sensi per far spandere bene il composto e ricavatene una frittata non troppo colorita e alquanto sottile. Toglietela dal fuoco, aggiustatela in una teglia leggermente unta di burro o di margarina, ponetevi nel centro (nel senso del diametro) il composto di piselli, ripiegatela su se stessa, cospargetela con un cucchiaio di pane grattugiato, mescolandolo al resto del formaggio, bagnatela con due cucchiai di latte e mettetela per 5 minuti nel forno. Servitela nella teglia di cottura, da sola o contornata da un puré di patate. Invece di una sola "omelette" grande, potete prepararne 4 piccole che saranno più pratiche da servire.

46. *Pancetta ripiena*

Calorie
per persona
350

Dosi per 4 persone:

GR. 700 CIRCA DI PANCETTA DI VITELLO
GR. 200 DI CERVELLO DI VITELLO
GR. 50 DI LINGUA SALMISTRATA
GR. 50 DI MOLLICA DI PANE BAGNATA NEL LATTE MAGRO
2 CHIARE D'UOVO
1 CUCCHIAINO DI PREZZEMOLO TRITATO
1 CUCCHIAINO D'ESTRATTO VEGETALE
1 CIPOLLA
1 GAMBO DI SEDANO
1 CAROTA
1 SPICCHIO D'AGLIO
NOCE MOSCATA
SALE

Lavate il cervello nell'acqua fredda, togliendo la pelle e le venette, quindi sbollentatelo nell'acqua salata, finitelo di pulire e tagliatelo a pezzetti. In una terrina riunite la lingua, la terza parte della cipolla, il prezzemolo e l'aglio tritati, il cervello, la mollica del pane bagnata nel latte e la noce moscata. Mescolate energicamente finché gli ingredienti saranno ben amalgamati e versate l'impasto nella pancetta che il vostro fornitore vi avrà preparato. Cucite l'apertura della tasca e fate attenzione che tutto l'involucro sia perfettamente sano. Riempite una casseruola per due terzi d'acqua salata, aggiungetevi il resto della cipolla, la carota, il sedano e l'estratto; fate prendere il bollore e unite la pancetta che farete cuocere molto lentamente per circa due ore. Lasciate riposare la carne nel brodo per 10 minuti, quindi scolatela e fatela raffreddare, ponendovi sopra un piatto con un peso. Al momento di servirla, tagliatela a fette non troppo sottili, accompagnatela con cetriolini e cipolline sottaceto o con una salsetta verde o con un sugo di pomodoro. Passate al setaccio il brodo di cottura con tutte le verdure e adoperatelo per preparare una minestra di riso a cui potrete aggiungere pisellini dolci, freschi o in scatola. La pancetta così preparata può essere anche cotta nel forno: prendete un foglio sottile d'alluminio (apposta per cucina), ponetevi nel centro la carne e, senza aggiungere né sale, né grassi, avvolgetela nel foglio, formando un pacchetto. Mettete il "pacchetto" sulla placca del forno e cuocete a fuoco moderato per circa 2 ore. A cottura ultimata lasciate riposare la carne 10 minuti prima di toglierla dall'alluminio.

47. Pesce spada alla mediterranea

Calorie
per persona
295

Dosi per 4 persone:

GR. 600 DI PESCE SPADA
KG. 1 DI FAVE FRESCHE
2 GAMBI DI SEDANO
1 PICCOLA CIPOLLA
1 SPICCHIO D'AGLIO
2 CUCCHIAI DI VINO BIANCO
1 CUCCHIAIO DI PREZZEMOLO TRITATO
2 CUCCHIAI DI PECORINO GRATTUGIATO
BRODO PREPARATO CON ESTRATTO DI CARNE O VEGETALE
SALE

Sgusciate le fave, togliete loro la pelle, raccoglietele in una teglia e aggiungetevi la cipolla e il sedano tritati, l'aglio schiacciato e due tazze di brodo. Fate prendere il bollore, quindi disponetevi il pesce che avrete tagliato in quattro fette e che dovrà essere interamente ricoperto di brodo; salate e cuocete a fuoco basso per circa mezz'ora. A cottura ultimata lasciate evaporare il liquido eccedente e un momento prima di togliere il pesce dal fuoco, unitevi il vino e cospargete con il prezzemolo tritato, a cui avrete mescolato il pecorino grattugiato. Servite nella teglia di cottura.

48. Piccioni in stufato

Calorie
per persona
335

Dosi per 4 persone:

2 GROSSI PICCIONI (CIRCA GR. 800)
GR. 50 DI FUNGHI SECCHI
2 CIPOLLE
1 BICCHIERE DI LATTE MAGRO
½ BICCHIERE DI VINO BIANCO
1 CUCCHIAIO COLMO DI SALSA DI POMODORO
BRODO PREPARATO CON L'ESTRATTO VEGETALE
1 FOGLIA D'ALLORO
1 CUCCHIAIO DI PREZZEMOLO TRITATO
1 CUCCHIAINO DI MAIZENA
SALE E PEPE

In una casseruola fate sobbollire per 5 minuti una cipolla tagliata a fettine e l'alloro con il latte e quando questo sarà quasi evaporato per un terzo, aggiungete i piccioni puliti, lavati come di consueto e divisi a metà nel senso della lunghezza. Mescolando fate assorbire tutto il liquido, rosolateli leggermente, quindi conditeli con il sale e il pepe, ricopriteli con una tazza d'acqua calda nella quale avrete sciolto la salsa di pomodoro e proseguite la cottura lentamente per circa un'ora. Intanto in un'altra casseruola, riunite l'altra cipolla tritata, i funghi che avrete tenuto a bagno nell'acqua per circa due ore (poi ben colati), una tazza di brodo, il sale, il pepe e cuocete per 40 minuti. Prima di togliere il recipiente dal fuoco fate evaporare tutto il liquido e finite di condire con il prezzemolo tritato. Quando i piccioni sono pronti, aggiungetevi i funghi, lasciate insaporire qualche minuto, quindi aggiustate il tutto sul piatto da portata. Ricuperate il fondo di cottura con il vino e con una tazza d'acqua tiepida nella quale avrete sciolto la maizena, salate, fate addensare e versate l'intingolo sopra i piccioni e sopra i funghi. Potete aggiungere (quando unite i funghi ai piccioni) due tazze di pisellini in scatola "al naturale", lasciando insaporire il tutto qualche minuto in più. I piselli, con il loro gusto dolce e delicato, armonizzano molto bene con quello piuttosto amarognolo dei funghi secchi. I piccioni in stufato si possono accompagnare con un risotto in bianco, (gr. 250) condito con parmigiano e noce moscata e fatto cuocere in una quantità d'acqua salata che venga tutta assorbita dal riso. In questo caso la frutta fresca completerà il vostro menù.

49. *Pizza di funghi*

Calorie
per persona
530

Dosi per 4 persone:

GR. 400 DI PASTA DI PANE GIÀ LIEVITATA
GR. 300 DI FUNGHI PORCINI
GR. 150 DI MOZZARELLA
GR. 50 DI GROVIERA
2 CUCCHIAI DI FARINA
LATTE MAGRO
BRODO PREPARATO CON L'ESTRATTO VEGETALE
2 SPICCHI D'AGLIO
1 CUCCHIAIO DI CIPOLLA TRITATA
1 CUCCHIAIO DI PREZZEMOLO TRITATO
SALE

In una casseruola mettete mezzo bicchiere di latte e l'aglio schiacciato che comprimerete con un cucchiaio di legno finché sarà completamente dissolto. Aggiungete i funghi, conditeli con il sale, lasciateli insaporire per qualche minuto poi bagnateli con una tazza di brodo e portateli lentamente a cottura; quando sono quasi pronti, fate evaporare il liquido eccedente e unitevi il prezzemolo tritato. In una casseruola versate ½ litro di latte nel quale avrete già stemperato la farina, salate e, mescolando, cuocete finché otterrete una crema fluida e omogenea (se vi fossero dei grumi passatela al setaccio). Toglietela dal fuoco, aggiungetevi la metà del groviera e i funghi già cotti. Prendete la pasta del pane, mettetela sulla spianatoia leggermente infarinata, schiacciatela con le mani, ponetevi sopra la cipolla tritata e il resto del groviera, quindi richiudetela e lavoratela finché gli ingredienti si saranno ben incorporati. Fatene una palla, disponetela nel centro di una teglia unta d'olio e con le mani tiratela e distendetela finché avrete ricoperto il fondo e il bordo del recipiente. Aggiustatevi sopra il composto di funghi, ricoprite con la mozzarella tagliata a fettine e mettete la pizza nel forno già caldo per circa 30 minuti. Servitela calda come piatto di mezzo che farete seguire da verdure crude o cotte e da frutta fresca.

50. *Pollo alla creta*

Calorie
per persona
550

Dosi per 4 persone:

1 POLLO DI CIRCA KG. 1,250
AROMI (SALVIA, ALLORO, ROSMARINO)
SALE E PEPE
CRETA

Il pollo alla creta non è facile da cucinare in casa non per la preparazione in sé che è molto semplice, ma per la difficoltà di procurarsi la creta con la quale deve venire cotto. Comunque vi diamo le istruzioni qualora vi sia possibile procurarvela: prendete il pollo, pulitelo come di consueto, lavatelo, asciugatelo bene, conditelo nell'interno con gli aromi, cospargetelo di sale e di pepe e avvolgetelo in un foglio sottile di alluminio. Prendete poi la creta, fatene con l'acqua un impasto piuttosto consistente con il quale ricoprirete interamente il pollo, formando un involucro molto spesso. Lasciate che la creta si asciughi e indurisca, quindi mettete il tutto sulla placca del forno e cuocete a fuoco vivo per circa un'ora e mezza. Trascorso questo tempo, spegnete il forno e lasciate riposare 10 minuti prima di rompere la creta e liberare il pollo. Fate attenzione di aprire il foglio solo quando avrete appoggiato il pollo sul piatto da portata per non far disperdere il sugo emesso dal pollo durante la cottura. Per ottenere quasi il medesimo risultato con un sistema molto più pratico, vi consigliamo di procurarvi l'apposita teglia di terracotta (si trova presso i negozi di casalinghi) nella quale metterete il pollo condito e incartato come se dovesse cuocere nella creta. A cottura ultimata lasciate riposare il pollo 10 minuti nel forno spento e portatelo a tavola nella teglia di cottura.

51. *Pollo alla greca*

Calorie
per persona
970

Dosi per 4 persone:

1 POLLO DI CIRCA KG 1,250
GR. 250 DI RISO
1 BICCHIERE ABBONDANTE DI VINO BIANCO
1 CUCCHIAIO D'UVETTA SULTANINA
1 CUCCHIAIO DI PINOLI
GR. 40 DI PARMIGIANO
2 CIPOLLE
2 O 3 SPICCHI D'AGLIO
4 POMODORI
2 PEPERONI
2 GAMBI DI SEDANO
LATTE MAGRO
BRODO PREPARATO CON L'ESTRATTO VEGETALE
NOCE MOSCATA
½ CUCCHIAINO DI ZAFFERANO
PAPRICA
SALE

Tritate finemente la cipolla, l'aglio, il sedano, i peperoni e i pomodori (quest'ultimi spellati e privati dei semi). Ungete d'olio una teglia, fatevi colorire leggermente il pollo tagliato a pezzi piuttosto piccoli, quindi salatelo, toglietelo dal recipiente e sostituitelo con le verdure tritate e con un bicchiere di latte. Lasciate sobbollire per circa 5 minuti, aggiungete di nuovo i pezzi di pollo e lo zafferano diluito in un pochino di brodo, fate insaporire, poi unite il vino e, quando il pollo sarà a metà cottura, l'uvetta sultanina, i pinoli e un poco di brodo. Intanto il riso che avrete messo a bollire in acqua salata sarà pronto. Scolatelo (ma non troppo), conditelo con il parmigiano al quale avrete mescolato la noce moscata e la paprica, disponetelo sul piatto da portata (già riscaldato) possibilmente ovale e nel centro, per tutta la lunghezza del piatto, fate una specie di incavatura nella quale sistemerete il pollo con tutto il sugo di cottura. Completate il menù con frutta fresca.

52. *Pollo all'indiana*

Calorie
per persona
700

Dosi per 4 persone:

1 POLLO DI CIRCA KG. 1,250
4 GROSSE CIPOLLE
2 MELE RANETTE
CIRCA 1 LITRO DI LATTE MAGRO
2 CUCCHIAI DI BRANDY
BRODO PREPARATO CON L'ESTRATTO VEGETALE
½ CUCCHIAINO DI CURRY
2 CUCCHIAINI DI SALSA DI POMODORO GIÀ PRONTA
1 FOGLIA D'ALLORO
1 FOGLIA DI SALVIA
1 CHIODO DI GAROFANO
SUCCO DI LIMONE
SALE E PEPE

Pulite, lavate il pollo come di consueto; ponete nel suo interno la salvia, l'alloro, il chiodo di garofano, il sale, il pepe e aggiustatelo in una casseruola ovale spalmata d'olio, dove possa stare non troppo discosto dalle pareti del recipiente e fatelo rosolare leggermente. Aggiungetevi le cipolle e le mele tagliate a fettine sottili, il sale, il pepe e tutto il latte. Coprite il recipiente e cuocete a fuoco molto basso per circa un'ora e mezza. Quando il pollo è cotto, toglietelo dalla casseruola, tagliatelo in 4 pezzi, aggiustatelo in una teglia da portata spalmata di burro e tenetelo al caldo. Passate al setaccio il fondo di cottura, aggiungete il brandy e una tazza di brodo nel quale avrete sciolto il curry e la salsa di pomodoro. Fate prendere il bollore, quindi versate l'intingolo sopra il pollo che metterete un minuto nel forno già caldo. Spruzzatelo di succo di limone e servitelo con gr. 250 di riso cotto in tanta acqua salata quanta occorre affinché il riso non debba essere scolato a cottura ultimata. Potrete completare il menù con insalata mista o con frutta fresca.

53. Pollo sottosale

Calorie
per persona
550

Dosi per 4 persone:

1 POLLO DI CIRCA KG. 1,250
3 KG. DI SALE NON RAFFINATO
1 MAZZETTO DI AROMI (1 FOGLIA D'ALLORO, 1 FOGLIA DI
SALVIA, 1 RAMETTO DI ROSMARINO)

Pulite il pollo come di consueto, lavatelo, asciugatelo bene e ponete nel suo interno il mazzetto degli aromi. Prendete una casseruola dal bordo piuttosto alto dove il pollo possa stare comodamente e con la terza parte del sale fate uno strato sul fondo del recipiente; ponetevi sopra il pollo e ricopritelo con il resto del sale che comprimerete bene con le mani affinché non rimangano vuoti. Mettete la casseruola nel forno a calore moderato e cuocete per circa 2 ore. Trascorso questo tempo, levate il recipiente dal fuoco, delicatamente scartate il sale, togliete il pollo, facendo attenzione che non si rompa, altrimenti il sale, penetrando nel suo interno, lo renderebbe troppo salato. Quindi il pollo deve uscire dalla pentola perfettamente sano e ricoperto da una bella crostina dorata. Con un pennello da cucina togliete il sale che può essere rimasto attaccato e servitelo subito ben caldo. Il pollo cucinato in questa maniera oltre ad avere un delicatissimo sapore è di facile digestione e particolarmente adatto per una dieta non ingrassante in quanto tutto il grasso del pollo durante la cottura viene assorbito dal sale.

54. *Polpette con funghi*

Calorie
per persona
240

Dosi per 4 persone:

GR. 400 DI CARNE DI VITELLO MAGRA

GR. 50 DI FUNGHI SECCHI

1 GROSSA CIPOLLA

4 CUCCHIAI DI PARMIGIANO

2 FETTINE DI LINGUA SALMISTRATA

2 CHIARE D'UOVO

2 CUCCHIAI DI MOLLICA DI PANE

LATTE MAGRO

BRODO PREPARATO CON L'ESTRATTO VEGETALE

1 CUCCHIAIO DI PREZZEMOLO TRITATO

1 FOGLIA D'ALLORO

NOCE MOSCATA

SALE E PEPE

Dopo aver tenuto i funghi a bagno per circa 2 ore nell'acqua tiepida, scolateli e raccoglieteli in una casseruola piutosto larga. Unitevi la cipolla tritata, l'alloro, 2 tazze di brodo, il sale, il pepe e fate sobbollire per circa 30 minuti. Intanto tritate la carne insieme alla lingua, passandola 2 volte alla macchina; riunite il tritato in una terrina, unitevi la mollica del pane bagnata nel latte (poi ben strizzata), 2 cucchiai di parmigiano, la noce moscata, il sale, il pepe e le chiare d'uovo leggermente sbattute. Mescolate energicamente e, quando gli ingredienti si saranno amalgamati, con le mani bagnate ricavate dall'impasto delle piccole polpette, lisciandone bene la superficie. Aggiungete una tazza di brodo caldo ai funghi, fate prendere il bollore, quindi aggiustate nel recipiente le polpette una accanto all'altra, che dovranno essere ricoperte di liquido perché durante la cottura non vanno rivoltate. Cuocete lentamente (altrimenti le polpette si rompono) per circa 20 minuti, facendo evaporare all'ultimo momento tutto il liquido eccessivo. Finite di condire con qualche cucchiaiata di latte e con il prezzemolo tritato al quale avrete mescolato il resto del parmigiano. Servite nel recipiente di cottura questa gustosissima pietanza come "piatto unico", completando il menù con un'insalata verde e frutta fresca.

55. *Rognone al brandy*

Calorie
per persona
230

Dosi per 4 persone:

2 ROGNONI DI VITELLO (CIRCA GR. 600)
4 CUCCHIAI DI BRANDY
1 SPICCHIO D'AGLIO
1 CUCCHIAIO DI PREZZEMOLO TRITATO
ACETO
SALE

Prendete i rognoncini di vitello, liberateli dal grasso, divideteli a metà nel senso della lunghezza e da ogni metà ricavate ancora due fettine. Immergeteli per circa 10 minuti in acqua e aceto quindi scolateli e asciugateli molto bene con un tovagliolo. Fate riscaldare una padella spalmata di burro, aggiustatevi le fettine di rognone e appena si saranno colorite leggermente da tutte e due le parti, bagnatele con il brandy e coprite subito il recipiente in modo che rimanga un poco di liquido per la cottura. Dopo circa un minuto, aggiungete l'aglio, il prezzemolo tritato e il sale, cuocete ancora un momento e versate il rognone nel piatto da portata precedentemente riscaldato. Potete servirlo con gr. 250 di riso, messo a cuocere in acqua salata alla quale avrete aggiunto ½ cucchiaino d'estratto di carne, una foglia d'alloro e un pezzetto di cipolla. Quando il riso è cotto l'acqua di cottura dovrà essere tutta assorbita, quindi scartate l'alloro e la cipolla, conditelo con qualche cucchiaiata di parmigiano e aggiustatelo tutto intorno al rognone.

56. *Saltimbocca alla salvia*

Calorie
per persona
185

Dosi per 4 persone:

GR. 600 DI FETTINE DI VITELLO
½ CIPOLLA
LATTE MAGRO
½ BICCHIERE DI VINO BIANCO
2 CUCCHIAINI DI MAIZENA
1 CUCCHIAIO DI PREZZEMOLO TRITATO
IL SUCCO DI MEZZO LIMONE
SALVIA
SALE E PEPE

Battete bene le fettine e, qualora fossero troppo grandi, tagliatele
a metà nel senso della larghezza perché i saltimbocca debbono essere
piuttosto piccoli. Cospargete le fettine di sale e di pepe, ponete su
di ognuna mezza foglia di salvia, arrotolatele su se stesse e fermatele
con uno stecchino. Mettete in una teglia unta d'olio la cipolla tritata finemente, fatela soffriggere qualche minuto, quindi bagnatela
con un bicchiere di latte; cuocete a fuoco molto lento, mescolando
spesso e quando il latte comincia a prendere un leggero colore nocciola, aggiungete i saltimbocca. Conditeli ancora con un pizzico di
sale, unitevi il vino e lasciateli cuocere per circa 20 minuti. Togliete
i saltimbocca dalla teglia e aggiustateli sul piatto da portata che
terrete al caldo. Stemperate la maizena in un bicchiere di latte,
versate nel recipiente di cottura, mescolate continuamente e quando avrete ottenuto un composto cremoso, ma molto fluido, unitevi
il prezzemolo tritato e il succo del limone. Togliete subito la salsetta
dal fuoco e versatela sopra i saltimbocca che servirete insieme alle
BIETOLE ALLA PIACENTINA (*vedi* ricetta n. 167).

57. Scaloppine alla bolognese

Calorie
per persona
215

Dosi per 4 persone:

GR. 400 DI SCALOPPINE DI VITELLO
GR. 100 DI MOZZARELLA
GR. 80 DI LINGUA SALMISTRATA
LATTE MAGRO
SALE

Battete bene le scaloppine, togliendo le parti grasse e gli eventuali filamenti, quindi mettetele in una padella unta d'olio e friggetele, facendole colorire leggermente da tutte e due le parti. Conditele con il sale, toglietele dal fuoco e aggiustatele una accanto all'altra in una teglia spalmata di burro o di margarina. Sopra ogni fettina mettetene una di lingua press'a poco della medesima grandezza di quella di carne, sulla lingua aggiustate una fettina di formaggio e bagnate con qualche cucchiaiata di latte. Mettete il recipiente nel forno finché il formaggio comincia a sciogliersi. Servite le scaloppine nella teglia di cottura e accompagnatele con spinaci al formaggio. Se avete del sugo di pomodoro, fatelo scaldare bene e versatene qualche cucchiaiata sopra le scaloppine quando sono già pronte; in questo caso però unirete un contorno di puré di patate (4 patate di media grandezza) preparato con il latte magro e con un cucchiaio di parmigiano e un pizzico di noce moscata.

Scampi all'americana
(ricetta n. 58)

58. *Scampi all'americana*

Calorie
per persona
535

Dosi per 4 persone:

KG. 1,200 DI SCAMPI
KG. 1,200 DI POMODORI
FRESCHI O GR. 750
DI PELATI IN SCATOLA
GR. 250 DI RISO
4 CUCCHIAI DI BRANDY
1 CIPOLLA
1 CAROTA
2 GAMBI DI SEDANO
2 SPICCHI D'AGLIO
2 FOGLIE DI SALVIA
8 BACCHE DI GINEPRO
4 CHIODI DI GAROFANO
1 PRESA DI SEMI DI FINOCCHIO
1 FOGLIA D'ALLORO
1 RAMETTO DI ROSMARINO
PREZZEMOLO

1 PIZZICO DI ZUCCHERO
SALE E PEPE

In una casseruola riunite la cipolla, il sedano, la carota, i pomodori tagliati in grossi pezzi e tutti gli altri odori. Fate sobbollire lentamente e dopo circa un'ora passate tutto al setaccio e condite con il sale, il pepe e lo zucchero. Il sugo deve avere la densità di una crema, perciò se fosse troppo liquido, mettetelo ancora sul fuoco a evaporare. Lavate molto bene e asciugate gli scampi, sgusciateli e, senza più lavarli, raccoglieteli in una teglia spalmata d'olio, fate prendere loro il calore, quindi bagnateli con il brandy e cui darete fuoco. Appena questo si sarà spento, aggiungete il sale, il pepe e il sugo, facendo sobbollire per 10 minuti. Intanto il riso che avrete messo a cuocere nell'acqua bollente salata, sarà pronto; scolatelo, disponetelo su un piatto ovale da portata, fatevi nel centro una leggera incavatura nella quale aggiusterete gli scampi che scolerete dal sugo con un mestolo forato. Nel nostro caso, dato che il riso non è condito con il burro, sostituite questo con gr. 40 di parmigiano, il cui sapore non stonerà affatto con quello degli scampi. Servite il sugo rimasto in una salsiera che metterete al caldo sopra uno scaldavivande.

59. Sformato di pollo

Calorie
per persona
690

Dosi per 4 persone:

1 POLLO LESSO
GR. 50 DI LINGUA SALMISTRATA
2 CUCCHIAI DI PARMIGIANO
4 CUCCHIAI DI MOLLICA DI PANE
2 CUCCHIAI DI VINO BIANCO
LATTE MAGRO
3 CHIARE D'UOVO
1 CUCCHIAIO DI CAPPERI
1 PEPERONE ARROSTITO IN SCATOLA
NOCE MOSCATA
PANE GRATTUGIATO
SALE E PEPE

Dopo aver lessato il pollo come di consueto con gli aromi, disossatelo e tritatene finemente la carne insieme alla lingua, riunendo poi il tutto in una terrina. Aggiungetevi la mollica del pane bagnata nel latte (poi ben strizzata), il parmigiano, i capperi, il peperone tagliato a quadratini, la noce moscata, il vino, il sale e il pepe. Mescolate energicamente e quando gli ingredienti si saranno amalgamati, incorporatevi le chiare montate a neve. Versate l'impasto in uno stampo liscio, rotondo, unto leggermente di burro o di margarina e cosparso di pane grattugiato. Cuocete nel forno finché la superficie del composto sarà ben colorita. Lasciate riposare qualche minuto, quindi capovolgete lo stampo sul piatto da portata e guarnite lo sformato con cipolline e cetriolini sottaceto. Servite a parte un buon sugo di pomodoro che raccoglierete nella salsiera. Secondo il vostro gusto potete abolire i capperi, il peperone e la noce moscata e aromatizzare il composto con la buccia grattugiata di un limone; lo sformato che avrà sapore meno piccante e sarà di più facile digestione, si unirà meglio a un contorno di verdure cotte.

60. ”Soufflé” di cervello

Calorie
per persona
380

Dosi per 4 persone:

GR. 300 DI CERVELLO DI VITELLO
GR. 150 DI FEGATINI DI POLLO
GR. 50 DI FARINA
6 CHIARE D'UOVO
6 CUCCHIAI DI PARMIGIANO
LATTE MAGRO
2 CUCCHIAI DI MARSALA
½ CIPOLLA
½ CUCCHIAINO DI CURRY
1 FOGLIA DI SALVIA
BUCCIA DI LIMONE
SALE

Lavate il cervello sotto l'acqua fredda, cercando di togliere la pellicina e le venette; lessatelo per 5 minuti nell'acqua bollente salata, scolatelo, finitelo di pulire, quindi mettetelo in una casseruola leggermente unta di burro o di margarina, fategli prendere un leggero colore, bagnatelo con una tazzina d'acqua (da caffè) nella quale avrete sciolto il curry e finitelo di cuocere a fuoco lento. In una teglia mettete i fegatini tagliati a pezzi con la cipolla tritata, la salvia e qualche cucchiaiata di latte. Appena questo è evaporato, bagnate con il marsala, coprite il recipiente e cuocete per circa 10 minuti molto lentamente. Condite i fegatini con il sale, poi tritateli e, ancora caldi, passateli al setaccio insieme al cervello. In una casseruola mettete la farina, stemperatela con ½ litro di latte, aggiungete il sale e mescolando cuocete finché otterrete un composto cremoso e omogeneo. Fuori dal fuoco unitevi il passato di cervello e fegatini, il parmigiano, un poco di buccia di limone grattugiata e infine le chiare montate a neve. Versate subito in un recipiente di pirofila dal bordo piuttosto alto spalmato di burro o di margarina e cuocete nel forno a fuoco moderato per circa 30 minuti senza aprire il forno durante i primi 15 minuti di cottura. Appena il "soufflé" è pronto, servitelo subito caldissimo da solo o con un sugo di pomodoro che raccoglierete nella salsiera.

61. *Spinaci e fegatini*

Calorie
per persona
420

Dosi per 4 persone:

KG. 2 DI SPINACI
GR. 300 DI FEGATINI DI POLLO
GR. 50 DI PARMIGIANO
GR. 40 DI FARINA
LATTE MAGRO
½ CIPOLLA
2 SPICCHI D'AGLIO
2 CUCCHIAI DI MARSALA
PANE GRATTUGIATO
NOCE MOSCATA
SALE E PEPE

Lavate, asciugate i fegatini, tagliateli a pezzetti, fateli insaporire con la cipolla tritata in una teglia unta di burro, bagnateli di marsala, conditeli con sale e pepe e metteteli da parte. Quindi in una casseruola, versate ½ litro di latte nel quale avrete stemperato la farina, aggiungete il sale, la noce moscata e cuocete sempre mescolando per 6 o 7 minuti: fuori dal fuoco, incorporatevi il parmigiano. Mondate, lavate gli spinaci, cuoceteli senz'acqua, ma con una presa di sale, appena pronti scolateli, strizzateli, tritateli grossolanamente, metteteli a insaporire in una casseruola dove l'aglio tritato avrà sobbollito per pochi minuti con qualche cucchiaiata di latte. Ponete la metà degli spinaci in uno stampo leggermente imburrato, ricopriteli con la metà della besciamella che cospargerete di fegatini, fate un secondo strato di spinaci, ricoprite con il resto della besciamella, lisciate bene la superficie, spolverizzate di pane grattugiato e mettete nel forno a calore moderato a colorire leggermente. I fegatini di pollo possono essere sostituiti da resti di carne lessa o arrostita che avrete comunque fatto insaporire con la cipolla e bagnato di marsala.

62. *Tortino alla valdostana*

Calorie
per persona
605

Dosi per 4 persone:

GR. 350 DI RISO

GR. 100 DI FONTINA

GR. 150 DI LINGUA SALMISTRATA

GR. 50 DI PARMIGIANO

LATTE MAGRO

NOCE MOSCATA

¼ DI CIPOLLA

1 FOGLIA DI ALLORO

PANE GRATTUGIATO

SALE E PEPE

In una terrina mettete ½ litro di latte, aggiungetevi un pizzico di sale, il pepe, la noce moscata, la fontina tagliata a fettine sottili e la lingua tritata; coprite il recipiente e tenetelo in luogo fresco per circa un'ora. Cuocete il riso nell'acqua bollente salata alla quale avrete aggiunto un quarto di cipolla e l'alloro, scolatelo al dente, scartate la cipolla e l'alloro, conditelo con il parmigiano e in una teglia, leggermente unta di burro o di margarina, aggiustatelo a strati e su ogni strato versate un poco del composto che avete messo in fresco. Terminate con uno strato di riso, bagnatelo con qualche cucchiaiata di latte, cospargetelo di pane grattugiato e mettete il recipiente nel forno già caldo finché la superficie del tortino avrà preso un bel colore dorato. Lasciatelo riposare qualche minuto e servitelo nella teglia di cottura: potete accompagnarlo con un sugo di pomodoro che raccoglierete in una salsiera. Fate seguire questo piatto unico da abbondante frutta fresca.

VERDURE

63. *Budino di spinaci*

Calorie
per persona
375

Dosi per 4 persone:

KG. 1,500 DI SPINACI

GR. 200 DI FEGATINI DI POLLO

GR. 40 DI PARMIGIANO

½ LITRO DI LATTE MAGRO

½ BICCHIERE DI VINO BIANCO O DI MARSALA

4 CHIARE D'UOVO

1 TAZZA DI BRODO

FARINA

1 CUCCHIAINO DI CIPOLLA TRITATA

NOCE MOSCATA

SALE E PEPE

Mondate e lavate gli spinaci come di consueto, lessateli senz'acqua ma con una presa di sale e appena pronti scolateli, strizzateli e tritateli finemente. In una casseruola mettete gr. 50 di farina e il parmigiano; mescolando con un cucchiaio di legno aggiungete poco alla volta il latte tiepido e il sale e cuocete lentamente finché otterrete un composto cremoso e omogeneo. Qualora si fossero formati dei grumi, passatelo al setaccio, quindi incorporatevi gli spinaci, la cipolla tritata finemente, la noce moscata e le chiare montate a neve. Versate il composto in uno stampo liscio, unto di burro o di margarina e cosparso di farina. Cuocete nel forno per circa 30 minuti a fuoco basso finché il composto si sarà consolidato. Intanto pulite, lavate e asciugate i fegatini di pollo, tagliateli a fettine, cuoceteli per circa 5 minuti in una padella unta d'olio, passateli poi al setaccio, mettete di nuovo il passato nel medesimo recipiente e mescolando con un cucchiaio di legno, unitevi il vino e il brodo tiepido nel quale avrete sciolto un cucchiaino di farina. Condite con il sale e il pepe, lasciate sobbollire qualche minuto e tenete al caldo fuori dal fuoco. Sformate il budino sul piatto da portata, versatevi sopra l'intingolo di fegatini e servitelo come contorno a qualsiasi genere di carne o come *entrée* o, secondo le vostre necessità, come piatto di mezzo preceduto da gr. 250 di riso cotto nel latte magro.

64. *Carciofi ripieni*

Calorie
per persona
185

Dosi per 4 persone:

12 CARCIOFI
GR. 50 DI LINGUA SALMISTRATA
GR. 40 DI FARINA
2 CUCCHIAI DI PARMIGIANO
LATTE MAGRO
1 PICCOLA CIPOLLA
2 SPICCHI D'AGLIO
2 CUCCHIAI DI PREZZEMOLO TRITATO
BRODO
NOCE MOSCATA
SALE E PEPE

Prendete dei grossi carciofi senza spine, levate le foglie dure, togliete il torsolo e tornite il fondo affinché possano stare diritti. Slargate con le dita le foglie, asportate la parte centrale più tenera e condite il centro di ogni carciofo con un pizzico di sale. Fate bollire per 5 minuti nell'acqua salata, alla quale avrete aggiunto il succo di ½ limone, i centri dei carciofi asportati, quindi scolateli, tritateli bene e insaporiteli in una casseruola unta d'olio dove la cipolla tritata starà soffriggendo. Unite qualche cucchiaiata di latte, la lingua, l'aglio e il prezzemolo tritati, il parmigiano, la noce moscata e la besciamella che avrete preparato cuocendo a fuoco basso la farina stemperata in circa ½ litro di latte insieme al sale. Riempite con il composto i carciofi che metterete diritti uno accanto all'altro in una casseruola dal bordo piuttosto alto. Aggiungete 2 tazze di brodo in modo che il liquido arrivi alla metà dei carciofi, condite con il sale e il pepe e cuocete a fuoco molto basso con il recipiente coperto. Quando sono cotti, aggiustate i carciofi sul piatto da portata, versatevi sopra il fondo di cottura e serviteli caldi, tiepidi o freddi.

65. Carote alla paesana

Calorie
per persona
125

Dosi per 4 persone:

GR. 800 DI CAROTE
GR. 50 DI LINGUA TAGLIATA A FETTE
1 GROSSA CIPOLLA
LATTE MAGRO
BRODO PREPARATO CON L'ESTRATTO VEGETALE
½ BICCHIERE DI VINO BIANCO
1 CUCCHIAINO DI PREZZEMOLO TRITATO
1 FOGLIA D'ALLORO
SALE E PEPE

Pulite, raschiate le carote come di consueto, tagliatele a metà nel senso della lunghezza, quindi a pezzetti lunghi 2 o 3 cm. In una casseruola fate sobbollire la cipolla tagliata a fettine sottili con ½ bicchiere di latte; quando questo sarà tutto evaporato, mescolando continuamente, aggiungete le carote; bagnatele con il vino, conditele con sale e pepe, unite l'alloro, ricopritele con il brodo e cuocetele lentamente. Quando sono pronte, aggiungetevi la lingua tagliata a dadini e il prezzemolo; lasciatele insaporire qualche minuto, togliete l'alloro e servitele come contorno a carne lessa e a pesce lesso. Potete aggiungere all'ultimo momento un cucchiaio di zucchero, il cui sapore non stonerà affatto con quello della lingua; in questo caso però scartate il prezzemolo.

66. Carote alla provenzale

Calorie
per persona
165

Dosi per 4 persone:

KG. 1 DI CAROTE
GR. 50 DI FONTINA
1 CUCCHIAIO DI MAIZENA
LATTE MAGRO
4 SPICCHI D'AGLIO
1 FOGLIA D'ALLORO
NOCE MOSCATA
SALE

Raschiate le carote come di consueto, lavatele, tagliatele a pezzi, raccoglietele in una casseruola, unitevi l'alloro, l'aglio, ricopritele con poca acqua leggermente salata e cuocetele a calore moderato. Appena sono pronte, fate evaporare tutto il liquido, poi passatele al setaccio insieme all'aglio, mettete il passato di nuovo sul fuoco e, mescolando, incorporatevi la maizena diluita in una tazza di latte. Cuocete per 5 o 6 minuti, ottenendo un puré piuttosto sodo, quindi aggiungetevi la fontina grattugiata, la noce moscata e servite il puré con fettine di pane in cassetta tostate nel forno. Se volete dare a questo piatto un aspetto elegante, con una siringa da pasticciere, munita di bocchetta rigata, strizzate il composto sulla placca del forno imburrata, formando tanti grossi bigné a spirale. Dorateli con una chiara d'uovo e cuoceteli nel forno caldo finché saranno leggermente coloriti. Si intende che le fettine di pane in cassetta dovranno sostituire la vostra razione stabilita per il pasto.

67. Cavolfiore alla barese

Calorie
per persona
140

Dosi per 4 persone:

1 BEL CAVOLFIORE BIANCO DI CIRCA KG. 1
1 GROSSA CIPOLLA
LATTE MAGRO
BRODO PREPARATO CON L'ESTRATTO VEGETALE
4 CUCCHIAI DI MARSALA
2 CUCCHIAI DI PECORINO
1 FOGLIA D'ALLORO
1 CUCCHIAINO DI PREZZEMOLO TRITATO
SUCCO DI LIMONE
SALE

Suddividete il cavolfiore in cimette, spellatene i gambi e metteteli 10 minuti nell'acqua acidulata al limone. Intanto in una teglia riunite la cipolla tagliata a fettine, l'alloro e un bicchiere di latte. Fate sobbollire finché questo si sarà consumato della metà, quindi unitevi le cimette ben scolate, insaporitele per qualche minuto, mescolando continuamente e, quando il latte avrà lasciato sul fondo della teglia un leggero strato color nocciola, conditele con il sale e bagnatele di marsala che lascerete evaporare. Ricopritele con il brodo e cuocete lentamente, aggiungendo, se occorre, qualche cucchiaiata di latte. Prima di togliere il recipiente dal fuoco finite di condire, cospargendo con il pecorino e con il prezzemolo tritato mescolati insieme. Con il medesimo procedimento potete preparare il cavolo nero, sostituendo però la cipolla con due spicchi d'aglio pestati (che scioglierete del tutto comprimendoli con un cucchiaio di legno) e il marsala con vino bianco secco.

68. Crostata di patate e spinaci

Calorie
per persona
315

Dosi per 4 persone:

KG. 1,500 DI SPINACI
GR. 600 DI PATATE
GR. 50 DI LINGUA SALMISTRATA
4 CUCCHIAI DI PARMIGIANO
LATTE MAGRO
½ CIPOLLA
1 SPICCHIO D'AGLIO
1 CHIARA D'UOVO
NOCE MOSCATA
SALE E PEPE

Cuocete le patate in acqua salata senza farle rompere; appena pronte, scolatele, spellatele, passatele allo schiacciapatate, unitevi qualche cucchiaiata di latte, la metà del parmigiano, la noce moscata e cuocete in una casseruola finché il composto sarà sufficientemente asciutto. Intanto gli spinaci che avrete messo a cuocere senz'acqua, ma con una presa di sale, saranno pronti; strizzateli bene, metteteli in una casseruola dove l'aglio e la cipolla tritati avranno sobbollito per circa 10 minuti con mezzo bicchiere di latte; lasciateli insaporire, fate evaporare tutto il liquido e prima di toglierli dal fuoco incorporatevi il resto del parmigiano. In una teglia imburrata versate i due terzi del puré di patate, cospargete con la lingua tritata e ricoprite con gli spinaci. Ponete il resto del puré in una tasca da pasticciere munita di una grossa bocchetta rotonda e strizzatela sopra gli spinaci formando una specie di gratella che "luciderete" con la chiara d'uovo. Mettete nel forno a fuoco moderato per circa 20 minuti e cioè finché la gratella avrà preso un bel colore dorato. Gli spinaci possono essere sostituiti dalle erbette (piccole bietole) o da cavolfiori o da cime di rape che però triterete grossolanamente. La crostata può essere servita in sostituzione del primo piatto o della pietanza.

69. Cuori di lattuga

Calorie
per persona
135

Dosi per 4 persone:

8 CUORI DI LATTUGA ROMANA (CIRCA KG. 1,200)
GR. 750 DI POMODORI PELATI IN SCATOLA
2 CUCCHIAI DI PARMIGIANO O DI PECORINO
1 CUCCHIAIO DI CAPPERI
1 CUCCHIAINO D'ESTRATTO VEGETALE
BRODO
PREZZEMOLO TRITATO
2 SPICCHI D'AGLIO
1 CETRIOLINO SOTTACETO
1 FOGLIA D'ALLORO
LATTE MAGRO
½ CUCCHIAINO DI ZUCCHERO
SALE E PEPE

Passate i pomodori al setaccio, raccogliete il passato in una casseruola, unitevi l'aglio tritato o il succo ricavato con l'apposita macchinetta, l'alloro, l'estratto, qualche cucchiaiata di latte, il sale, il pepe, lo zucchero e cuocete lentamente per 10 minuti. Prendete le lattughe che avrete già lavato, lasciandole intere; apritele delicatamente, conditele nell'interno con il sale e il prezzemolo tritato, legatele con del filo bianco e aggiustatele una accanto all'altra nel sugo che deve ricoprirle bene, quindi, se occorre, aggiungete del brodo. Chiudete la casseruola e portatele lentamente a cottura: 5 minuti prima di toglierle dal fuoco, fate evaporare il sugo qualora fosse abbondante, unitevi i capperi, il cetriolino tagliato a fettine e cospargetele con il parmigiano. Servite nel recipiente di cottura questo appetitoso contorno che può accompagnare sia carne, sia pesce, lessi o arrostiti.

70. Fagiolini in salsa

Calorie
per persona
145

Dosi per 4 persone:

KG. 1 DI FAGIOLINI
CIRCA ½ LITRO DI LATTE MAGRO
2 CUCCHIAI DI PECORINO O CACIOCAVALLO
2 CUCCHIAI DI FARINA
1 CUCCHIAINO DI KETCHUP
½ CUCCHIAINO DI CURRY
1 CUCCHIAIO DI PREZZEMOLO TRITATO
SALE

Prendete dei fagiolini freschi, teneri e senza filo, mondateli, lavateli, cuoceteli per circa 10 minuti in abbondante acqua salata, lasciando il recipiente scoperto (altrimenti perdono il colore verde). Intanto in una casseruola stemperate la farina con il latte freddo e, sempre mescolando, cuocete lentamente finché otterrete una specie di besciamella fluida e omogenea. Incorporatevi il curry, la metà del formaggio, un pizzico di sale, il Ketchup e toglietela dal fuoco. Scolate i fagiolini, conditeli con il resto del formaggio, con il prezzemolo tritato, con la metà della salsa, mescolateli bene, versateli in una teglia da portata imburrata che possa andare al fuoco e ricopriteli con il resto della salsa. Mettete nel forno per circa 15 minuti, quindi servite questo appetitoso piatto come contorno a qualsiasi genere di carne o di pesce, insieme a fettine di pane in cassetta tostate nel forno che potrete strofinare con uno spicchio d'aglio, specie se i fagiolini accompagnano del pesce bollito. Non dimenticate che il pane in cassetta deve sostituire la razione di pane che abitualmente consumate durante i pasti.

71. *Funghi alla crema*

Calorie
per persona
240

Dosi per 4 persone:

GR. 500 DI FUNGHI PORCINI
LATTE MAGRO
4 CUCCHIAI DI PARMIGIANO
3 CUCCHIAI DI CREMA DI RISO
1 TAZZA DI BRODO PREPARATO CON L'ESTRATTO VEGETALE
1 CUCCHIAIO DI PREZZEMOLO TRITATO
2 O 3 CUCCHIAI DI VINO BIANCO
2 SPICCHI D'AGLIO
PANE GRATTUGIATO
SALE E PEPE

Pulite, lavate i funghi come di consueto, disponeteli sopra un tovagliolo per farli asciugare, quindi tagliateli a fettine sottili, raccoglieteli in una teglia, unitevi l'aglio tritato molto fine, il vino, il brodo, il sale, il pepe e cuocete lentamente per 30 minuti, facendo evaporare quasi tutto il liquido. Prima di toglierli dal fuoco finiteli di condire con il prezzemolo. Intanto in una casseruola mettete circa 3/4 di litro di latte nel quale avrete stemperato la crema di riso. Salate e cuocete mescolando finché otterrete una crema fluida, incorporatevi il parmigiano (di cui tratterrete un cucchiaio) e toglietela dal fuoco. Imburrate una teglia da tavola che possa andare al forno, versatevi la terza parte della crema, su questa aggiustate i funghi e ricoprite con la crema rimasta. Cospargete con il resto del parmigiano mescolato ad altrettanto pane grattugiato e mettete il tutto nel forno a colorire. I funghi così preparati possono essere serviti come contorno o come primo piatto. Potete sostituire i funghi freschi con gr. 50 di funghi secchi.

72. Insalata mista

Calorie
per persona
160

Dosi per 4 persone:

GR. 150 DI FUNGHI (OVULI O BOLETI O PRATAIOLI)
GR. 80 DI RISO
GR. 50 DI GROVIERA
3 RAPE NOVELLE (CIRCA GR. 200)
1 BARBABIETOLA (CIRCA GR. 100)
2 GAMBI DI SEDANO
1 PICCOLA CIPOLLA
1 CUCCHIAIO DI PREZZEMOLO TRITATO
1 CUCCHIAIO DI WORCESTERSHIRE SAUCE
1 PIZZICO DI ZAFFERANO
IL SUCCO DI 1/2 LIMONE
SALE E PEPE

In una terrina riunite i funghi, le rape e la barbabietola tagliati a fettine, i gambi di sedano a listerelle, il groviera a dadini, la cipolla tritata, il prezzemolo, il succo del limone, la worcestershire, il sale e il pepe; mescolate bene e lasciate riposare per circa un'ora. Intanto cuocete il riso in acqua salata alla quale avrete aggiunto lo zafferano; scolatelo al dente e, lasciandolo nel colapasta, passatelo sotto l'acqua corrente. Incorporate il riso all'insalata che servirete come contorno o come primo piatto. Il riso può essere sostituito da una patata lessa di uguale peso che unirete al resto dell'insalata ben raffreddata e tagliata a dadini.

73. *Involtini alla siciliana*

Calorie
per persona
345

Dosi per 4 persone:

1 GROSSA VERZA DI CIRCA GR. 800
GR. 200 DI MOLLICA DI PANE
2 CUCCHIAI DI PARMIGIANO
GR. 50 DI FUNGHI SECCHI
1 CUCCHIAIO D'UVETTA SULTANINA
1 CUCCHIAIO DI PINOLI
1 CIPOLLA
BRODO PREPARATO CON L'ESTRATTO VEGETALE
LATTE MAGRO
1 CHIARA D'UOVO
NOCE MOSCATA
SALE E PEPE

Dopo aver tenuto i funghi a bagno nell'acqua per circa 2 ore, sco-lateli, tritateli grossolanamente, raccoglieteli in una casseruola, uni-tevi la cipolla tritata, una tazza di brodo, 3 o 4 cucchiai di latte, il sale, il pepe e cuocete lentamente per 40 minuti. Intanto mondate la verza, scegliendo le foglie più grandi e completamente sane di cui assottiglierete la costa centrale qualora fosse troppo spessa. Cuo-cete le foglie poche alla volta nell'acqua bollente salata per uno o due minuti e via via che sono pronte scolatele con un mestolo forato e mettetele ad asciugare sopra un tovagliolo. Cuocete invece più a lungo le foglie più piccole, quindi scolatele, strizzatele, tritatele e mettetele da parte. In una terrina riunite la mollica del pane, bagnatela con tanto latte bollente quanto occorre per ottenere un impasto piuttosto sodo; aggiungetevi i funghi, la metà del parmi-giano, l'uvetta sultanina, i pinoli, la chiara sbattuta leggermente, le foglie tritate messe da parte, il sale, il pepe, la noce moscata e mescolate energicamente finché gli ingredienti saranno ben amal-gamati. Distribuite l'impasto sulle foglie, arrotolatele su se stesse e legatele con del filo bianco. Prendete una teglia sufficientemente grande dove gli involtini possano stare uno accanto all'altro in uno strato solo, ricopriteli di brodo bollente e cuoceteli a fuoco basso finché si sarà ben ristretto. Scartate il filo, disponeteli sul piatto da portata precedentemente riscaldato, cospargeteli con il resto del parmigiano e versatevi sopra il sugo di cottura. Serviteli come con-torno a carne lessa o come primo piatto insieme a fettine di pane tostate nel forno e spalmate leggermente di senape.

74. Pasticcio semplice di patate

Calorie
per persona
285

Dosi per 4 persone:

GR. 800 DI PATATE
GR. 50 DI FONTINA
GR. 50 DI MOZZARELLA
½ LITRO DI LATTE MAGRO
2 CUCCHIAI DI PARMIGIANO
PANE GRATTUGIATO
NOCE MOSCATA
SALE E PEPE

In una terrina riunite il parmigiano, il sale, il pepe, la noce moscata e il latte. Sbucciate le patate e, dopo averle lavate, asciugatele bene, tagliatele a fettine sottilissime e suddividetele in 5 mucchi press'a poco uguali. Prendete una teglia spalmata di burro o di margarina, quindi sul fondo fatevi uno strato con un mucchio delle patate. Cospargetelo con la metà della fontina tagliata a fettine sottili, bagnatelo con qualche cucchiaiata del composto di latte e fatevi sopra un nuovo strato di patate (con un secondo mucchio), conditelo come il primo, sostituendo la fontina con la metà della mozzarella e proseguite, formando ancora due strati di patate ricoperti rispettivamente con il resto della fontina e della mozzarella; terminate con un quinto ed ultimo strato di patate sul quale verserete il resto del composto di latte. Spolverizzate di pane grattugiato, mettete il recipiente nel forno a fuoco basso e toglietelo quando la superficie del pasticcio avrà preso un bel colore dorato. Appena pronto, lasciatelo riposare qualche minuto e servitelo come contorno a carne in umido. Volete trasformarlo in un piatto di mezzo? Prendete circa gr. 300 di fegatini di pollo, tagliateli a pezzetti molto piccoli, cuoceteli nel latte al quale avrete aggiunto una fogliolina di salvia e quando il latte sarà evaporato, bagnateli con del marsala, conditeli con sale e pepe e toglieteli dal fuoco. Disponeteli insieme al formaggio sugli strati di patate.

75. *Polpette di spinaci*

Calorie
per persona
405

Dosi per 4 persone:

KG. 1,500 DI SPINACI
GR. 50 DI LINGUA SALMISTRATA
2 CUCCHIAI DI PARMIGIANO
NOCE MOSCATA
PANE GRATTUGIATO
FARINA
1 CUCCHIAIO DI CIPOLLA TRITATA
1 CHIARA D'UOVO
SALE

Mondate, lavate gli spinaci come di consueto, cuoceteli senz'acqua, ma con una presa di sale e appena sono pronti, scolateli, strizzateli molto bene e tritateli. Raccoglieteli in una terrina, unitevi la cipolla e la lingua tritate, il parmigiano, la noce moscata, la chiara d'uovo e tanto pane grattugiato quanto occorre affinché l'impasto sia abbastanza sodo e con le mani bagnate ricavatene 12 polpette, che passerete nella farina. Spalmate di burro o di margarina una teglia da tavola che possa andare al fuoco, riscaldatela, disponetevi le polpette l'una accanto all'altra e mettetele nel forno a far colorire a calore moderato. Servitele come contorno a carne arrostita o in umido o come piatto di mezzo, aumentando la dose della lingua. Per chi ama i sapori contrastanti si può unire all'impasto un cucchiaio d'uvetta sultanina o semplicemente un pizzico di cannella.

76. *Scodelline di patate*

Calorie
per persona
305

Dosi per 4 persone:

GR. 800 DI PATATE
GR. 25 DI FUNGHI SECCHI
GR. 150 DI PISELLINI IN SCATOLA
2 CUCCHIAI DI PARMIGIANO
1 CIPOLLA
½ BICCHIERE DI VINO BIANCO
BRODO PREPARATO CON L'ESTRATTO VEGETALE
2 CHIARE D'UOVO
LATTE MAGRO
FARINA O MAIZENA
NOCE MOSCATA
SALE E PEPE

Mettete i funghi a bagno nell'acqua tiepida per circa 2 ore, quindi scolateli, raccoglieteli in una casseruola, aggiungetevi la cipolla tritata, 2 o 3 cucchiai di latte, il sale, il pepe e cuoceteli mescolando per qualche minuto. Bagnateli con il vino e quando questo è evaporato, ricopriteli con il brodo e proseguite la cottura per circa 40 minuti. Intanto lavate bene le patate con tutta la buccia, mettetele in una casseruola con l'acqua fredda salata e cuocetele a fuoco moderato senza farle rompere. A cottura ultimata, scolatele, spellatele, passatele allo schiacciapatate, raccoglietele in una terrina, incorporatevi due cucchiai di farina, il parmigiano, la noce moscata e una chiara sbattuta leggermente. Con le mani fatene tante palle grandi press'a poco come un mandarino, schiacciatele poi nel mezzo, rialzate il bordo tutto intorno e ricavatene delle scodelline. Spennellatele con l'altra chiara e disponetele, una accanto all'altra, in una grande teglia imburrata che metterete nel forno a calore moderato. Quando i funghi sono quasi pronti, unitevi i piselli ben scolati dal loro liquido e prima di togliere il tutto dal fuoco, incorporatevi un cucchiaino di farina, diluito con un poco di brodo e cuocete per qualche minuto. Appena le scodelline avranno preso un bel colore dorato, riempitele con il composto di funghi ben caldo e servitele subito come contorno a qualsiasi genere di carne arrostita o in umido o come *entrée*.

DOLCI

77. "Arancine" di prugne

Calorie
per persona
415

Dosi per 4 persone:

GR. 700 DI PATATE DI PASTA GIALLA
GR. 250 DI GROSSE PRUGNE SECCHE
GR. 80 DI ZUCCHERO
FARINA
1 CHIARA D'UOVO
1 CUCCHIAINO DI LIEVITO IN POLVERE
2 CUCCHIAI DI BRANDY
½ BUSTINA DI VANIGLIA
1 PIZZICO DI CANNELLA
BUCCIA DI LIMONE
1 CUCCHIAIO DI ZUCCHERO A VELO
SALE

In una casseruola riunite le prugne, aggiungetevi la metà dello zucchero, un pizzico di cannella, la buccia del limone, il brandy e tanta acqua quanto basta per ricoprirle. Cuocetele lentamente, facendo evaporare tutto il liquido prima di toglierle dal fuoco. Intanto le patate che avrete messo a cuocere in acqua leggermente salata, saranno pronte. Scolatele, spellatele, passatele allo schiacciapatate, raccoglietele in una terrina, unitevi 2 o 3 cucchiai di farina setacciata insieme al lievito, il resto dello zucchero, la vaniglia e la chiara d'uovo. Fate raffreddare, quindi con le mani bagnate ricavatene tante crocchette rotonde grandi come delle grossi noci in ciascuna delle quali introdurrete una prugna snocciolata, lisciando poi bene la superficie della crocchetta. Disponetele una accanto all'altra sulla placca del forno spalmata di burro o di margarina e cuocete a fuoco moderato finché le "arancine" avranno preso un bel colore dorato. Aggiustatele sul piatto da portata e spolverizzatele di zucchero a velo vanigliato. Servite tiepido questo semplice e delicato dessert che farà anche la delizia dei bambini, per i quali sarà bene scartare il brandy. Potete sostituire le prugne con uvetta sultanina mescolata a pezzettini d'arancia candita.

78. "Bonbons" a sorpresa

Calorie
per persona
620

Dosi per 4 persone:

GR. 500 DI CASTAGNE
GR. 100 DI ZUCCHERO
GR. 200 DI BISCOTTI SECCHI
GR. 50 D'UVETTA SULTANINA
2 CUCCHIAI DI CACAO AMARO
1 BUSTINA DI VANIGLIA
3 CUCCHIAI DI RUM
½ CUCCHIAINO DI CANNELLA
CILIEGIE SOTTO SPIRITO
PINOLI
SALE

Sbucciate le castagne, mettetele a cuocere in acqua leggermente salata e appena pronte (che non siano disfatte), colatele, spellatele e ancora calde passatele al setaccio. Raccogliete il passato in una terrina, aggiungetevi la metà dello zucchero, i biscotti pestati finemente e setacciati, la vaniglia, la cannella, il liquore e infine l'uvetta fatta prima rinvenire per 10 minuti nell'acqua calda (poi ben asciugata). Mescolate e quando tutto sarà amalgamato, con le mani bagnate fatene tante palline grandi press'a poco come delle grosse noci nelle quali introdurrete una ciliegia sotto spirito, privata del nocciolo; richiudetele bene e passatele ripetutamente nel cacao che avrete mescolato con il resto dello zucchero. Mettetele per circa un'ora in ghiaccio e al momento di servirle passatele ancora nel cacao e zucchero rimasto e aggiustatele negli appositi cestelli di carta pieghettata. Servite i "bonbons" all'ora del tè o a fine tavola e se volete prepararli per i bambini, sostituite il liquore con il latte, la ciliegia sotto spirito con una ciliegia candita e dopo averli messi nei cestelli di carta, guarniteli con 4 pinoli in modo da formare gli occhi, il naso e la bocca: prenderanno un aspetto assai buffo che piacerà ai bambini. Con il medesimo impasto dei "bonbons" potete riempire uno stampo liscio, foderato di carta oleata, unta di burro. Mettete poi il recipiente in ghiaccio e al momento di servire sformate il dolce sul piatto da portata che guarnirete con ciliegie sotto spirito.

79. ”Boulettes” di ricotta

Calorie
per persona
705

Dosi per 4 persone:

GR. 600 DI RICOTTA ROMANA
GR. 80 DI ZUCCHERO A VELO
GR. 50 DI AMARETTI
2 CUCCHIAI DI CURAÇAO
½ BUSTINA DI VANIGLIA
½ CUCCHIAINO DI CANNELLA
CILIEGIE SCIROPPATE
ZUCCHERO SEMOLATO

Passate la ricotta al setaccio, raccoglietela in una terrina, mescolando incorporatevi gli amaretti pestati finemente, lo zucchero a velo, il liquore, la cannella e la vaniglia. Mettete il recipiente sul ghiaccio e quando il composto si sarà consolidato, prendetene una cucchiaiata alla volta e con le mani bagnate d'acqua ricavatene tante piccole crocchette rotonde nelle quali introdurrete una ciliegia snocciolata, lisciando bene la superficie delle crocchette. Rotolatele nello zucchero semolato che avrete disteso su di un foglio di carta oleata, quindi aggiustatele sul piatto da portata che metterete in ghiaccio sino al momento di servire. Una variante: potete mescolare allo zucchero semolato del cacao amaro (⅓ di cacao, ⅔ di zucchero) come pure in mancanza di ciliegie, potete farcire le crocchette con candito d'arancia tagliato a pezzetti e con uva sultanina, il tutto messo prima a bagno in ½ bicchierino di rum per circa un'ora.

Budino ai lamponi
(ricetta n. 80)

80. *Budino ai lamponi*

Calorie
per persona
305

Dosi per 4 persone:

GR. 500 DI LAMPONI FRESCHI O SURGELATI
GR. 50 DI ZUCCHERO
VINO ROSSO NON TROPPO ALCOLICO
GR. 100 DI FECOLA DI PATATE
GR. 50 DI ZUCCHERO A VELO
1 CHIARA D'UOVO
LATTE MAGRO

Passate i lamponi al setaccio (di crine), unitevi il medesimo volume di vino, la fecola stemperata in un poco di latte freddo e lo zucchero. Qualora i lamponi fossero surgelati, dopo averli sgelati, procedete come per quelli freschi, unendovi però la metà dello zucchero perché generalmente sono già dolcificati. Fate sobbollire in una casseruola, mescolando continuamente finché otterrete un composto piuttosto spesso. Bagnate l'interno di uno stampo liscio di vino e senza asciugarlo versatevi il composto che metterete in ghiaccio per 2 o 3 ore. Trascorso questo tempo, battete a neve la chiara d'uovo, unendovi lo zucchero a velo, quindi sformate il budino sul piatto da portata, mettete la chiara in una tasca da pasticciere munita di bocchetta rotonda e strizzatela sul budino, formando a vostro gusto una decorazione che completerete con qualche lampone che avrete lasciato intero o con gelatine di frutta di diverse qualità e quindi di diversi colori.

81. Budino alla tedesca

Calorie
per persona
355

Dosi per 4 persone:

GR. 800 DI PATATE
GR. 80 DI ZUCCHERO
GR. 500 DI MELE
4 CHIARE D'UOVO
1 PEZZETTO DI CANNELLA
1 CHIODO DI GAROFANO
BUCCIA GRATTUGIATA DI 1 LIMONE
½ BICCHIERE DI VINO BIANCO
4 CUCCHIAI DI MARMELLATA DI PRUGNE
1 BICCHIERINO DI PRUNELLA
FARINA
SALE

Lavate bene le patate e lessatele in acqua bollente leggermente salata, facendo attenzione che non si rompano. Intanto sbucciate e affettate le mele, riunitele in una casseruola, aggiungetevi la cannella, il chiodo di garofano, il vino, la metà dello zucchero e 2-3 cucchiai d'acqua. Cuocetele lentamente e toglietele dal fuoco quando le mele si saranno completamente disfatte. Appena le patate sono cotte, scolatele, spellatele, passatele poche alla volta allo schiacciapatate, raccoglietele in una terrina e, mescolando, incorporatevi il resto dello zucchero, le chiare e la buccia del limone. Imburrate una teglia, cospargetela di farina, versatevi la metà del puré, fate sulla sua superficie una specie d'incavatura nella quale aggiusterete le mele. Ricoprite con il resto del puré, spolverizzate con un cucchiaio di zucchero lasciato da parte e cuocete nel forno ben caldo finché la superficie del dolce avrà preso un bel colore dorato. Togliete il recipiente dal forno, lasciate intiepidire e intanto preparate la salsa. In una piccola casseruola riunite la marmellata con 4 cucchiai di acqua e quando si sarà sciolta aggiungete il liquore, versate il composto in una salsiera e servitelo caldo insieme al budino che lascerete nella teglia di cottura.

82. *Coppe al cioccolato*

Calorie
per persona
360

Dosi per 4 persone:

GR. 60 DI ZUCCHERO
GR. 30 DI CACAO AMARO
3 CUCCHIAI DI MAIZENA
¾ DI LITRO DI LATTE MAGRO
4 CUCCHIAI DI BRANDY
4 MEZZE PERE SCIROPPATE
20 BISCOTTI SECCHI
½ BUSTINA DI VANIGLIA

In una casseruola riunite il cacao, la maizena, lo zucchero e la vaniglia: stemperate il tutto con il latte tiepido quindi, sempre mescolando, cuocete lentamente per circa 10 minuti. Togliete il recipiente dal fuoco, aggiungete la metà del brandy e suddividete il composto nelle coppe in ciascuna delle quali avrete messo 2 biscotti sbriciolati e bagnati con il resto del brandy. Lasciate le coppe in ghiaccio per qualche ora e al momento di servirle guarnitele con le pere tagliate a dadini: accompagnatele con il resto dei biscotti secchi. Potete sostituire le pere con l'ananas sciroppato il cui gusto armonizza anch'esso con quello del cioccolato. Prima di mettere le coppe in ghiaccio non dimenticate di coprirle bene affinché la crema di cioccolato non perda il suo delicato profumo. Questo dolce non è controindicato per chi non vuole ingrassare perché il cacao in esso contenuto è magro a differenza del cioccolato a pezzi che contiene grassi. Le pere come le pesche si possono usare, per praticità, sciroppate anziché fresche, perché hanno press'a poco il medesimo valore calorico.

83. Coppe arlecchino

Calorie
per persona
340

Dosi per 4 persone:

GR. 200 CIRCA DI GELATO DI FRUTTA
GR. 50 DI ZUCCHERO SEMOLATO
4 GROSSE PERE MATURE
4 CUCCHIAI DI BRANDY
2 CUCCHIAI DI ZUCCHERO A VELO
GR. 30 DI CACAO
¼ DI LITRO DI LATTE MAGRO
1 CUCCHIAINO COLMO DI MAIZENA
½ BUSTINA DI VANIGLIA

Sbucciate le pere, tagliatele a fettine, raccoglietele in una terrina, unitevi lo zucchero a velo (passato prima al setaccio) e il brandy e mettetele in ghiaccio per circa un'ora. Dieci minuti prima di servire, preparate la crema di cioccolato: in una casseruola riunite la maizena, il cacao, la vaniglia e lo zucchero, mescolando versatevi il latte tiepido, quindi cuocete a fuoco molto basso finché otterrete una crema fluida e omogenea; togliete il recipiente dal fuoco, ma tenetelo al caldo. Suddividete le pere nelle coppe e in ognuna di queste aggiustate una palla di gelato che prenderete con il dosatore (l'apposito cucchiaio) e ricoprite il gelato con la crema ben calda. Servite subito.

84. *Crema alle nocciole*

Calorie
per persona
255

Dosi per 4 persone:

GR. 50 DI NOCCIOLE GIÀ SGUSCIATE
GR. 80 DI ZUCCHERO
3 CUCCHIAI DI MAIZENA
¾ DI LITRO DI LATTE MAGRO
1 BUSTINA DI VANIGLIA

In una casseruola riunite lo zucchero, la maizena e la vaniglia; mescolando con un cucchiaio di legno stemperate il tutto con il latte tiepido, quindi cuocete lentamente per 5 o 6 minuti, ottenendo un composto cremoso e omogeneo. Fuori dal fuoco incorporatevi le nocciole che avrete tostato nel forno, spellato e pestato finemente. Versate la crema nelle tazze e servitela con biscotti secchi. È una merenda gradita, di facile digestione adatta per grandi e piccoli. Con la crema alle nocciole potete ricoprire delle torte, ma se desiderate farcirle, aumentate la dose della maizena per ottenere un composto più sodo. Inoltre, secondo il vostro gusto, potete aggiungere alla crema qualche cucchiaiata di liquore o la buccia grattugiata di mezza arancia il cui sapore è in perfetta armonia con quello delle nocciole.

85. *Crema di banane*

Calorie
per persona
575

Dosi per 4 persone:

4 BANANE
GR. 100 DI AMARETTI
GR. 100 DI BISCOTTI SECCHI
GR. 30 DI ZUCCHERO SEMOLATO
GR. 50 DI MANDORLE PRALINATE O TOSTATE
1 ARANCIA
4 CUCCHIAI DI SCIROPPO DI LAMPONE
1 CUCCHIAIO DI ZUCCHERO A VELO
1 CHIARA D'UOVO
4 CUCCHIAI DI LIQUORE
1 PIZZICO DI CANNELLA

Prendete delle belle banane mature (ma non troppo), tagliatele a fettine, passatele al setaccio di crine, unitevi subito il succo dell'arancia per evitare che scuriscano, quindi aggiungete lo zucchero, la cannella, gli amaretti e i biscotti pestati finemente e passati al setaccio, il liquore e la chiara montata molto bene a neve alla quale avrete incorporato lo zucchero a velo. Suddividete il composto in 4 coppe e mettetele nella parte più fredda del frigorifero (o sul ghiaccio) per circa un quarto d'ora. Al momento di servire, guarnite ogni coppa con ½ cucchiaiata di sciroppo e spolverizzate con mandorle pralinate o tostate che avrete pestato grossolanamente.

86. Gelato alla pesca

Calorie
per persona
385

Dosi per 4 persone:

8 MEZZE PESCHE SCIROPPATE
4 PORZIONI DI GELATO AL LIMONE
2 CUCCHIAI DI BRANDY
GR. 30 DI ZUCCHERO
1 CUCCHIAIO DI MAIZENA
4 DECILITRI DI LATTE MAGRO

In una casseruola riunite lo zucchero, la vaniglia e la maizena. Stemperate il tutto con il latte freddo e cuocete a fuoco basso, sempre mescolando, finché otterrete una crema omogenea, ma piuttosto fluida. Toglietela dal fuoco, unitevi il brandy e lasciatela raffreddare, mescolandola spesso, affinché non faccia la "pelle". Dopo aver scolato le pesche dallo sciroppo, passatene 4 al setaccio (di crine) e delicatamente incorporate il passato al gelato che metterete subito nella parte più fredda del frigorifero per circa un'ora. Prendete quindi 4 coppe piuttosto larghe, ponete in ognuna 2 mezze pesche una accanto all'altra con la parte concava in alto, aggiustate in ogni mezza pesca una palla di gelato che prenderete con il dosatore e versatevi sopra la crema completamente raffreddata. Servite le coppe insieme a biscottini secchi. Se è di vostro gusto potete unire alla crema qualche goccia di estratto di mandorle.

87. Meringa di amaretti

Calorie
per persona
465

Dosi per 4 persone:

GR. 300 D'AMARETTI
GR. 50 DI ZUCCHERO A VELO
5 CHIARE D'UOVO
3 CUCCHIAI DI MARMELLATA D'ALBICOCCHE
4 CUCCHIAI DI "AMARETTO DI SARONNO"
1 BUSTINA DI VANIGLIA
1 CUCCHIAIO DI ZUCCHERO A VELO VANIGLIATO
1 CUCCHIAINO RASO DI MAIZENA
UN PIZZICO DI SALE

In una terrina sbattete molto bene a neve le chiare alle quali avrete aggiunto un pizzico di sale. Incorporatevi delicatamente la vaniglia, gli amaretti (ben pestati) e lo zucchero passati insieme al setaccio; versate il composto in una tortiera imburrata e cosparsa di farina e cuocete nel forno a calore moderato per circa 20 minuti. Intanto in una casseruola riunite la marmellata, il liquore e 2 bicchierini d'acqua, nella quale avrete sciolto la maizena. Mettete il recipiente a bagno-maria (l'acqua non deve bollire) e mescolate con un cucchiaio di legno finché otterrete un composto omogeneo. Appena la meringa avrà preso il colore dorato, copritene la superficie con un foglio di carta oleata leggermente bagnato d'acqua e proseguite la cottura ancora per qualche minuto. Sfornatela quando sarà raffreddata, fuori dal forno cospargetela con lo zucchero a velo vanigliato e servitela insieme al composto di marmellata. La meringa nell'interno deve rimanere piuttosto morbida, quindi introducendovi uno stecchino questo non ne uscirà asciutto.

88. *Pere vestite*

Calorie
per persona
340

Dosi per 4 persone:

4 GROSSE PERE
GR. 300 DI CASTAGNE
GR. 80 DI ZUCCHERO
8 VIOLETTE CANDITE
RUM
VINO BIANCO
LATTE MAGRO
½ BUSTINA DI VANIGLIA
SALE

Dopo aver tolto la buccia alle castagne, mettetele a cuocere a fuoco moderato nell'acqua leggermente salata. Sbucciate le pere, lasciandole intere, raccoglietele in una casseruola dove possano stare una accanto all'altra, ricopritele sino a due terzi d'acqua, aggiungete la metà dello zucchero e cuocete finché il liquido si sarà evaporato della metà. A questo punto unite un bicchiere di vino, proseguite la cottura a fuoco più vivo, ricoprendo spesso le pere con il loro sugo che prenderete con un cucchiaio. Toglietele dal fuoco quando lo sciroppo sarà ridotto a pochi cucchiai. Intanto le castagne saranno pronte; scolatele poche alla volta, spellatele, via via passatele al setaccio, raccogliete il passato in una terrina e mescolando energicamente, unitevi il resto dello zucchero, la vaniglia, 2 cucchiai di rum e 2-3 di latte. Disponete le pere diritte su 4 piatti da dessert, quindi ricopritele con il composto di castagne che, messo in una tasca da pasticciere, munita di bocchetta rigata, strizzerete sulle pere dall'alto verso il basso: aggiustate infine le violette candite sulla sommità di ciascuna. Potete sostituire le pere con le mele che bagnerete però con il marsala e che guarnirete con una ciliegina candita.

89. "Plum cake" casalingo

Calorie
per persona
500

Dosi per 4 persone:

GR. 200 DI FARINA
GR. 50 DI FECOLA DI PATATE
GR. 80 DI ZUCCHERO
GR. 50 D'UVETTA SULTANINA
GR. 50 DI CANDITO D'ARANCIA
GR. 50 DI CEDRO CANDITO
4 CHIARE D'UOVO
1 BUSTINA DI LIEVITO IN POLVERE
LA BUCCIA GRATTUGIATA DI 1 LIMONE
LATTE MAGRO
1 PRESA DI SALE
MARMELLATA D'ARANCIA
CURAÇAO

Dopo aver tenuto l'uvetta a bagno nell'acqua calda per circa un quarto d'ora, scolatela, distendetela sopra un tovagliolo perché possa asciugare, quindi infarinatela. In una terrina riunite la farina, la fecola e il lievito in polvere, passati insieme al setaccio. Aggiungetevi lo zucchero, i canditi tagliati a pezzetti, la buccia grattugiata del limone, un pizzico di sale e l'uvetta. Mescolate e aggiungete tanto latte (circa un bicchiere scarso) quanto occorre per ottenere un composto piuttosto sodo. Quando gli ingredienti saranno amalgamati, incorporate delicatamente le chiare montate a neve molto bene e versate il tutto in uno stampo liscio, rettangolare, imburrato e infarinato. Cuocete nel forno a fuoco moderato per circa 40 minuti senza aprire il forno nei primi 20 minuti di cottura. Lasciate raffreddare il "plum-cake" prima di sformarlo sul piatto da portata, tagliatelo poi a fette non troppo sottili e servitelo con una salsetta dolce che preparerete, diluendo 2 cucchiai di marmellata d'arancia con 4 cucchiai d'acqua tiepida e con 2 cucchiai di curaçao. Secondo il vostro gusto potete aggiungere all'impasto gr. 50 di pinoli tritati.

90. *Riso mascherato*

Calorie
per persona
530

Dosi per 4 persone:

2 LITRI DI LATTE MAGRO
GR. 250 DI RISO
GR. 80 DI ZUCCHERO
GR. 20 DI CACAO AMARO
1 CUCCHIAINO DI MAIZENA
2 O 3 CUCCHIAI DI RUM
1 STECCA DI VANIGLIA
SALE

In una casseruola mettete 1 litro e ½ di latte con la stecca di vaniglia e un pizzico di sale; appena il latte prende il bollore, unitevi il riso che cuocerete lentamente, aggiungendo, se occorre, ancora un poco di latte. Prima di togliere il recipiente dal fuoco, incorporate la metà dello zucchero e il liquore, mescolando bene, quindi versate il riso in uno stampo liscio, rettangolare, bagnato nell'interno leggermente di latte o d'acqua o di liquore. Battete lo stampo sul piano del tavolo di cucina perché non si formino dei vuoti, comprimete con le mani bagnate la superficie del riso, capovolgetelo sul piatto da portata e lasciatelo raffreddare. In una casseruola riunite il cacao, la maizena, il resto dello zucchero e del latte fate sobbollire a fuoco molto basso per qualche minuto, ottenendo un composto cremoso ed omogeneo. Tagliate il riso a fette che aggiusterete sul piatto da portata, versatevi sopra la cioccolata bollente e servite subito. Potete sostituire la cioccolata con una salsa alla marmellata d'albicocche: in una piccola casseruola messa a bagnomaria riunite quattro cucchiaiate di marmellata, la maizena, un bicchierino abbondante di curaçao, altrettanto succo d'arancia, ½ cucchiaino di cannella, mescolate bene, fate addensare e versate il composto caldo sul riso.

91. *Sformato di carote*

Calorie
per persona
545

Dosi per 4 persone:

GR. 800 DI CAROTE
GR. 80 DI ZUCCHERO
GR. 200 DI FARINA
GR. 50 DI UVETTA SULTANINA
6 DATTERI
GR. 100 BISCOTTI SECCHI
4 CHIARE D'UOVO
VINO BIANCO
1 CUCCHIAINO DI CANNELLA
1 PIZZICO DI SPEZIE
SUCCO DI ½ LIMONE
1 CUCCHIAIO DI LIQUORE

Raschiate, lavate gr. 700 di carote, asciugatele, grattugiatele con la apposita grattugia (per verdure), raccoglietele in una fondina, spruzzatele con il succo del limone e mettetele da parte. Lessate il resto delle carote e scolatele a metà cottura, lasciatele raffreddare, tagliatele a fettine rotonde piuttosto sottili, finitele di cuocere lentamente in una teglia dove avrete sciolto in poca acqua gr. 20 di zucchero (circa 1 cucchiaio colmo) e toglietele dal fuoco quando saranno cotte e avranno assorbito tutto lo sciroppo. In una terrina riunite il resto dello zucchero, i biscotti pestati finemente, la farina ben setacciata, l'uvetta sultanina fatta prima rinvenire nell'acqua tiepida (poi ben asciugata), i datteri snocciolati e tritati, le carote grattugiate, la cannella e le spezie. Mescolando con un cucchiaio di legno unite tanto vino quanto occorre per ottenere un impasto di giusta consistenza. Amalgamate bene gli ingredienti, quindi incorporate le chiare montate a neve. Versate l'impasto in uno stampo rotondo, forato nel centro, spalmato di burro o di margarina e cosparso di farina. Cuocete nel forno per circa un'ora. Lasciate intiepidire lo sformato nello stampo, aggiustatelo sul piatto da portata e prima di servirlo mettete sulla parte superiore del dolce le fettine di carote sciroppate una accanto all'altra e su di ognuna disponete 2 o 3 uvette scelte fra le più grosse che avrete lasciato a bagno nel liquore. Questo dolce piuttosto insolito è nutriente, di graditissimo sapore, adatto anche ai bambini per i quali sostituirete il vino e il liquore con latte non scremato.

92. *Torta di noci*

Calorie
per persona
575

Dosi per 4 persone:

GR. 300 DI FARINA
GR. 80 DI ZUCCHERO
GR. 100 DI NOCI GIÀ SGUSCIATE
GR. 30 DI CACAO AMARO
3 CHIARE D'UOVO
½ BICCHIERE DI LATTE MAGRO (CIRCA 6 CUCCHIAI)
1 BUSTINA DI LIEVITO
1 BUSTINA DI VANIGLIA
ZUCCHERO A VELO
1 PIZZICO DI SALE

In una terrina riunite il cacao, lo zucchero e la vaniglia, mescolando stemperate con il latte tiepido, quindi aggiungete le noci tritate finemente, un pizzico di sale e la farina passata al setaccio insieme al lievito. Quando gli ingredienti saranno amalgamati, incorporate le chiare montate molto bene a neve e versate il composto in uno stampo possibilmente rettangolare, imburrato e infarinato e cuocete nel forno a fuoco moderato per circa 35 minuti; fate raffreddare la torta nello stampo, sformatela sul piatto da portata e spolverizzatela di zucchero a velo. Tagliate il dolce a fette piuttosto spesse e servitele all'ora del tè o a fine tavola, spalmate di marmellata d'arancia o bagnate leggermente di curaçao.

93. *Torta di riso*

Calorie
per persona
660

Dosi per 4 persone:

1 LITRO E ¼ DI LATTE MAGRO
GR. 300 DI RISO
GR. 80 DI ZUCCHERO
GR. 50 D'UVETTA SULTANINA
GR. 50 DI PINOLI
4 CHIARE D'UOVO
2 GROSSE MELE DELIZIA
2 CUCCHIAI DI BRANDY
BUCCIA DI 1 LIMONE
1 CUCCHIAINO DI CANNELLA
1 PIZZICO DI SALE
BISCOTTI SECCHI
ZUCCHERO A VELO VANIGLIATO

Cuocete il riso 2 minuti nell'acqua leggermente salata, quindi sco-latelo e proseguite la cottura in un'altra casseruola con latte bollente al quale avrete aggiunto la terza parte dello zucchero e la buccia grattugiata del limone. Appena il riso è pronto (non dev'essere trop-po asciutto), toglietelo dal fuoco e quando si sarà raffreddato, incor-poratevi le chiare montate a neve. Ungete di burro o di margarina uno stampo liscio, cospargetelo di farina e fatevi uno strato con la terza parte del riso. Su questo disponete una mela tagliata a fettine sottili, la metà dei pinoli e la metà dell'uvetta sultanina che avrete fatto rinvenire nell'acqua calda; cospargete il tutto con la metà dello zucchero rimasto e con un pizzico di cannella. Fate un secondo strato con la metà del riso rimasto, conditelo come il primo, (mela, uvetta, pinoli, zucchero) e ricopritelo con il resto del riso. Spolverizzate con uno o due biscotti secchi pestati finemente e met-tete il recipiente nel forno a fuoco moderato finché la superficie della torta sarà ben colorita. Lasciatela intiepidire nello stampo, quindi sformatela sul piatto da portata e cospargetela abbondante-mente di zucchero a velo vanigliato.

94. *Tortino di pere*

Calorie
per persona
455

Dosi per 4 persone:

KG 1,500 DI PERE
GR. 80 DI ZUCCHERO
GR. 80 DI BISCOTTI SECCHI
1 BICCHIERINO DI VINO BIANCO
1 BICCHIERINO DI LATTE MAGRO
2 CUCCHIAI DI BRANDY
3 CHIARE D'UOVO
3 CUCCHIAI DI ZUCCHERO A VELO
CILIEGINE CANDITE
MARMELLATA D'ALBICOCCHE
BUCCIA DI LIMONE
1 PEZZETTO DI CANNELLA

Sbucciate le pere e dopo aver scartato i torsoli, tagliatele a fettine e raccoglietele in una casseruola. Unitevi lo zucchero, la cannella, la buccia del limone, il vino, altrettanta acqua e cuocete lentamente, mescolando spesso. Quando le pere saranno completamente disfatte, fate condensare il composto, togliete il recipiente dal fuoco, scartate la buccia del limone e la cannella. In una teglia imburrata disponete in uno strato i biscotti secchi, versatevi sopra il brandy mescolato al latte e ricopriteli con il composto di pere. In una terrina sbattete le chiare d'uovo e quando saranno ben montate, incorporatevi lo zucchero a velo passato al setaccio e distendetele sopra le pere. Ponete il recipiente nel forno a fuoco moderato finché le chiare avranno preso un bel colore dorato. Mettete la marmellata in una siringa da pasticciere con la bocchetta rotonda e strizzatela sulla superficie della meringa, formando dei trifogli nel centro dei quali disporrete le ciliegine candite.

95. *Zuppa inglese*

Calorie
per persona
690

Dosi per 4 persone:

GR. 250 DI BISCOTTI SECCHI
GR. 90 DI ZUCCHERO
GR. 80 DI FARINA
5 BICCHIERI DI LATTE MAGRO
GR. 50 DI CANDITO D'ARANCIA
GR. 30 DI CACAO
4 CUCCHIAI DI RUM O ALTRO LIQUORE
MARMELLATA D'ALBICOCCHE
1 BUSTINA DI VANIGLIA
BUCCIA DI 1/2 LIMONE
1 PIZZICO DI SALE
CILIEGINE CANDITE

In una casseruola riunite la metà della farina, gr. 40 di zucchero e mescolando stemperate con 2 bicchieri di latte freddo; aggiungete il candito d'arancia tritato, la buccia grattugiata del limone, un pizzico di sale e cuocete lentamente per 5 o 6 minuti. In un'altra casseruola mettete il cacao, il resto della farina, gr. 40 di zucchero e la bustina di vaniglia; stemperate il tutto con 2 bicchieri di latte tiepido e cuocete, mescolando per 5 o 6 minuti. Quando le due creme sono pronte, in una terrina versate il latte tiepido rimasto, unitevi il liquore, il resto dello zucchero, mescolate bene quindi immergetevi, uno alla volta, la terza parte dei biscotti con i quali ricoprirete il fondo di uno stampo liscio, rettangolare, imburrato (della lunghezza di circa 20 cm.). Sopra i biscotti versate la crema bianca, su questa disponete uno strato di biscotti inzuppati (nel latte, zucchero e liquore), ricoprite con la crema al cioccolato, quindi fate un ultimo strato di biscotti sempre inzuppati. Con un foglio di carta oleata comprimete bene e mettete in ghiaccio per molte ore, anzi sarebbe meglio preparare la zuppa inglese la sera per il giorno dopo. Prima di servire immergete lo stampo un momento nell'acqua calda, asciugatelo bene e capovolgetelo sul piatto da portata. Ricoprite la superficie del dolce con un sottile strato di marmellata e mettete qua e là qualche ciliegina candita o disponete sopra 2 chiare montate a neve in cui avrete incorporato un cucchiaio di zucchero a velo e fate dorare la zuppa, aggiustata sul piatto da portata (che vada al fuoco), per 5 minuti nel forno caldissimo, guarnendola poi con pezzetti di canditi e con ciliegie sotto spirito.

CONDIMENTI

96. *Condimento al tacchino*

Calorie
per persona
185

Dosi per 4 persone:

1 PETTO DI TACCHINO (1 SOLO PEZZO, CIRCA GR. 200)
2 DECILITRI DI LATTE MAGRO
4 CUCCHIAI DI FONTINA
1 PEZZETTO DI CIPOLLA
1 FOGLIA D'ALLORO
1 CUCCHIAINO DI SAVORA O DI WORCESTERSHIRE
PAPRICA
SALE

Battete bene il petto del tacchino, friggetelo per 2-3 minuti a fuoco basso con una foglia d'alloro in una padella spalmata di burro o di margarina, senza farlo colorire; salatelo, ancora caldo tritatelo finemente insieme alle cipolle, quindi pestatelo nel mortaio, aggiungendo di tanto in tanto un cucchiaino di latte. Quando avrete ottenuto un impasto omogeneo incorporatevi il formaggio, la Savora, la paprica e diluite con il latte tiepido. Riscaldate il tutto a fuoco molto basso e servite la salsa calda con riso, con qualsiasi genere di carne lessa e con verdure cotte. Secondo il vostro gusto potete aggiungere gr. 50 di piselli surgelati o in scatola che dopo aver cotto, i primi per 10 minuti in acqua salata, o sbollentati i secondi, passerete al setaccio. Secondo i gusti potete sostituire la Savora o la Worcestershire e la paprica con una manciata di prezzemolo e con qualche fogliolina di rosmarino prima tritati e poi pestati nel mortaio insieme al petto di tacchino.

97. Ragù di carne

Calorie
per persona
105

Dosi per 4 persone:

GR. 200 DI CARNE MAGRA
1 CUCCHIAIO COLMO DI SALSA DI POMODORO
½ BICCHIERE DI VINO BIANCO
1 CIPOLLA
1 CAROTA
1 GAMBO DI SEDANO
1 MAZZETTO DI AROMI (SALVIA, ROSMARINO, ALLORO)
LATTE MAGRO
NOCE MOSCATA
SALE

Fate riscaldare una padella spalmata di burro o di margarina, disponetevi la carne tagliata a fettine sottili, fatela colorire leggermente da tutte e due le parti, toglietela dal fuoco e tritatela passandola alla macchina. In una casseruola riunite la cipolla, la carota e il sedano tritati e ½ bicchiere di latte. Cuocete mescolando e quando il latte sarà quasi tutto evaporato, aggiungete la carne, lasciatela insaporire, bagnate con il vino e dopo qualche minuto unite la salsa sciolta in una tazza d'acqua calda, gli aromi, il sale, la noce moscata e cuocete lentamente per circa 45 minuti, aggiungendo, quando occorre, qualche cucchiaiata di latte. A questo ragù potete aggiungere fegatini di pollo e funghi secchi che, cotti a parte, unirete 10 minuti prima di toglierlo dal fuoco. Potete tritare la carne quando è ancora cruda e farla insaporire direttamente nel latte insieme alle verdure: il ragù sarà meno saporito, ma di più facile digestione. Questo condimento è adatto per pasta, riso e gnocchi.

98. *Salsa al curry*

Calorie
per persona
100

Dosi per 4 persone:

GR. 100 DI CIPOLLA

GR. 30 DI FARINA

¾ DI LITRO DI LATTE MAGRO

1 CUCCHIAINO COLMO DI CURRY

NOCE MOSCATA

BUCCIA DI LIMONE

SALE

Tritate finemente la cipolla, fatela sobbollire con un bicchiere di latte in una casseruola e quando il latte si sarà consumato per la metà, incorporatevi la farina e il curry, il resto del latte tiepido, la buccia del limone e, sempre mescolando, cuocete finché otterrete una crema fluida ed omogenea. Finite di condire con il sale, con la noce moscata e passate il tutto al setaccio. Mettete la salsa ancora un momento sul fuoco e servitela calda con pesci, carni e verdure lesse. Con il medesimo procedimento potete sostituire il curry con un pezzetto di radice di rafano grattugiata (radice piccante che si trova presso gli ortolani) o con ½ cucchiaino d'origano in polvere e con un cucchiaino di salsa di pomodoro che farete sobbollire insieme alla cipolla.

99. Salsa "charcutier"

Calorie
per persona
135

Dosi per 4 persone:

GR. 80 DI LINGUA SALMISTRATA TAGLIATA IN 2 FETTE
¼ DI LITRO DI VINO BIANCO
BRODO
1 PICCOLA CIPOLLA
1 CUCCHIAIO DI FARINA
1 CUCCHIAIO DI PREZZEMOLO TRITATO
1 FOGLIA DI SALVIA
1 FOGLIA D'ALLORO
1 RAMETTO DI TIMO
1 CUCCHIAINO DI RUBRA
SALE E PEPE

In una teglia spalmata di margarina o d'olio di semi fate soffriggere a fuoco molto basso per qualche minuto la cipolla tritata finemente. Aggiungete la salvia, l'alloro e il timo legati con filo bianco, la lingua tagliata a dadini molto piccoli e il vino; lasciate sobbollire e quando questo sarà evaporato della metà, unite la farina stemperata in una tazza di brodo e mescolando cuocete finché la salsa avrà la densità di una crema. A questo punto finite di condire con il sale, il pepe, il prezzemolo tritato e fuori dal fuoco con un cucchiaino di Rubra. Scartate gli aromi e servite la salsa calda con riso, carni, pesci e verdure. Si può diminuire della metà la dose del vino, sostituendola con il brodo.

100. Salsa di fegatini

Calorie
per persona
205

Dosi per 4 persone:

8 FEGATINI DI POLLO
3 DECILITRI DI LATTE MAGRO
1 CUCCHIAIO DI FARINA
½ CIPOLLA
2 O 3 CUCCHIAI DI MARSALA O DI BRANDY
NOCE MOSCATA
PREZZEMOLO TRITATO
1 FOGLIA D'ALLORO
SALE E PEPE

In una casseruola spalmata di burro o di margarina fate insaporire a fuoco molto basso i fegatini e la cipolla tagliati a fettine; condite con il sale, il pepe, passate tutto al setaccio, mettete il passato di nuovo nel recipiente di cottura, unitevi l'alloro, una tazza di latte nel quale avrete stemperato la farina e mescolate finché otterrete una crema densa ed omogenea. Se occorre, diluite con del brodo caldo e prima di togliere il recipiente dal fuoco, aggiungete un cucchiaino di prezzemolo tritato, un pizzico di noce moscata e il marsala. Scartate l'alloro e servite la salsa calda con riso o con verdure lesse.

Per dimagrire

Nessuna dieta dimagrante può essere iniziata senza controllo medico. Le calorie vanno da 1.200 a 1.800 giornaliere (aumentabili in caso di notevole attività fisica). Nelle ricette di questa dieta il sale compare fra gli ingredienti, ma si raccomanda di diminuirlo al massimo o meglio di abolirlo, sostituendolo con quello a basso contenuto di cloruri (si trova presso le farmacie) e insaporendo i cibi con una maggiore quantità di aromi. È proibito bere qualsiasi bevanda durante i pasti e durante l'ora che precede e che segue i pasti stessi. Per ciò che riguarda i dolci inseriti in questa dieta, non si deve pensare ad un'indulgente concessione: per taluni organismi lo zucchero diventa talvolta una necessità che è bene soddisfare, quindi si potrà « gustare » tranquillamente un dolce, detraendone però il valore calorico dal resto degli alimenti.

ENTRÉES

101. Canapè alla russa

Calorie
per persona
105

Dosi per 4 persone:

4 FETTINE DI PANE IN CASSETTA
GR. 800 DI SPINACI
1 CUCCHIAIO DI CIPOLLA TRITATA
1 SPICCHIO D'AGLIO
2 CUCCHIAI DI PARMIGIANO
2 CUCCHIAINI DI SENAPE
1 VASETTO DI YOGURT MAGRO
SALE

Mondate, lavate bene gli spinaci, cuoceteli senz'acqua, ma con una presa di sale. Appena pronti scolateli dall'acqua emessa durante la cottura, strizzateli e passateli al setaccio. Raccoglieteli in una teglia, unitevi l'aglio e la cipolla tritati, il parmigiano, mescolando continuamente, fateli condensare al massimo, quindi toglieteli dal fuoco. Intanto ricavate dal pane in cassetta delle fettine di circa un centimetro di spessore, scartate la crosta, tostatele leggermente sulla placca del forno, spalmatele di senape, disponetele sul piatto da portata e ricopritele con gli spinaci ai quali (completamente raffreddati) avrete incorporato lo yogurt. Servite subito. Potete aggiustare su ogni canapè una fettina di lingua della medesima grandezza, quindi ricoprire con gli spinaci. In questo caso completerete il menù con un'insalata verde e frutta fresca. L'acqua di cottura degli spinaci ricca di sali minerali, non va gettata via, ma adoperata per minestre, sughi, intingoli, ecc. Ricordate di detrarre dalla vostra dose giornaliera la quantità di pane adoperata per i canapè.

102. *Delizie al pomodoro*

Calorie
per persona
160

Dosi per 4 persone:

GR. 450 DI POMODORI PELATI IN SCATOLA
GR. 40 DI PARMIGIANO
PANE GRATTUGIATO
2 CHIARE D'UOVO
1 SPICCHIO D'AGLIO
1 FOGLIA D'ALLORO
LATTE MAGRO
VINO BIANCO
ESTRATTO VEGETALE O DI CARNE
1 PIZZICO DI ZUCCHERO
NOCE MOSCATA
SALE

In una casseruola mettete l'aglio schiacciato e ½ bicchiere di latte, con un cucchiaio di legno comprimete l'aglio e quando sarà completamente dissolto, unitevi i pomodori passati al setaccio, ½ cucchiaino d'estratto, 2 o 3 cucchiaiate di vino, il sale, lo zucchero e l'alloro. Cuocete lentamente per circa 40 minuti, ottenendo un sugo piuttosto denso. Intanto in una fondina raccogliete il parmigiano grattugiato, unitevi le chiare sbattute leggermente, ½ decilitro di latte, il sale, la noce moscata e tanto pane grattugiato quanto occorre per ottenere un impasto piuttosto sodo. Con le mani bagnate ricavatene tante palline grandi come delle grosse nocciole, versatele in una casseruola bassa e larga quasi piena d'acqua salata bollente alla quale avrete aggiunto ½ cucchiaino d'estratto. Cuocete per circa 2 o 3 minuti, quindi scolate le "nocciole", aggiustatele sul piatto da portata, precedentemente riscaldato e ricopritele con il sugo di pomodoro. Il parmigiano può essere sostituito da lingua salmistrata tritata finemente o da resti di carne lessa o arrostita. In questo caso potete completare il menù con verdure cotte e frutta fresca.

103. *Fette di melone vestite*

Calorie
per persona
140

Dosi per 4 persone:

2 MELONI DI CIRCA GR. 500 CIASCUNO
8 FETTINE DI LINGUA SALMISTRATA
8 CETRIOLINI
8 RAVANELLI

Asportate ai meloni orizzontalmente la calotta superiore e quella inferiore, tagliateli ricavandone 8 spicchi, scartate la buccia e avvolgete ogni spicchio in una sottile fettina di lingua. Prendete un piatto da tavola rettangolare, ponetevi sopra un tovagliolo sulla cui metà metterete uno strato piuttosto spesso di ghiaccio tritato molto fine e ripiegate su questo l'altra metà del tovagliolo, ricoprendo così interamente il ghiaccio. Aggiustatevi sopra una accanto all'altra ordinatamente le fette di melone "vestite", guarnitele con un cetriolino tagliato a ventaglio e tra una fetta e l'altra ponete un ravanello tagliato "a fiore". Raddoppiando la dose del melone e della lingua (che è magra) questo *entrée* può trasformarsi in un piatto di mezzo gradito nelle giornate calde, concludendo il menù con verdure cotte.

104. *Insalata di funghi*

Calorie
per persona
60

Dosi per 4 persone:

GR. 400 DI FUNGHI FRANCESI
1 CUCCHIAINO DI CIPOLLA TRITATA
1 CUCCHIAIO DI PREZZEMOLO TRITATO
1 MAZZETTO DI AROMI (ALLORO, SALVA, TIMO)
1 CUCCHIAIO DI SAVORA
4 O 5 CUCCHIAI DI LATTE MAGRO
ACETO
SALE

Prendete dei funghi possibilmente tutti della medesima grandezza; puliteli e lavateli come di consueto, asciugateli bene, tagliateli a fettine e raccoglieteli in una casseruola. Unitevi il mazzetto degli aromi, il sale, ricopriteli d'aceto e cuoceteli lentamente per 10 minuti a partire dal momento dell'ebollizione. Togliete il recipiente dal fuoco e lasciateli raffreddare. Intanto tritate finemente la cipolla e il prezzemolo, riuniteli in una tazza, aggiungetevi la Savora e diluite con il latte. Scolate i funghi (scartate gli aromi), metteteli in una terrina, insieme all'intingolo, mescolateli bene, coprite il recipiente e fateli riposare circa un'ora prima di servirli come antipasto insieme a fettine di pane tostate nel forno o come contorno a carne o a pesce lessi. La Savora può essere sostituita dalla Rubra e il pane tostato può essere rimpiazzato dalle fette biscottate senza sale per dieta aclorurata che si trovano in commercio presso i migliori panettieri. Comunque entrambi sia l'uno, sia le altre escludono la razione del pane o dei grissini da consumare in ogni pasto e non devono superare il peso di questi.

105. *Piccoli pâté di fegato*

Calorie
per persona
220

Dosi per 4 persone:

GR. 400 DI FEGATO DI VITELLO
GR. 40 DI MOLLICA DI PANE
4 FEGATINI DI POLLO
LATTE MAGRO
1 CUCCHIAIO DI PARMIGIANO
1 CUCCHIAIO DI BRANDY
1 CUCCHIAIO DI MARSALA
2 CUCCHIAINI DI CIPOLLA TRITATA
NOCE MOSCATA
SPEZIE
1 FOGLIA D'ALLORO
LA DOSE IN POLVERE PER $\frac{1}{2}$ LITRO DI GELATINA
SALE

Dopo aver tagliato i fegatini e il fegato a fettine, metteteli in una casseruola con l'acqua bollente salata alla quale avrete aggiunto l'alloro. L'acqua dovrà appena ricoprirli. Dopo circa 6 o 8 minuti, scolateli, tritateli e passateli al setaccio insieme alla mollica del pane cotta per alcuni minuti nel latte, ottenendo un composto piuttosto spesso. Raccogliete il passato in una terrina, unitevi il parmigiano, la cipolla tritata finemente, la noce moscata, il sale, le spezie, il brandy e mescolate energicamente finché gli ingredienti saranno incorporati. Imburrate delle formine (8-12) rotonde, lisce, dal bordo basso (da tartellette), riempitele con il composto, pareggiandone bene la superficie con la lama di un coltello e mettetele in ghiaccio per quasi due ore. Trascorso questo tempo, immergete le formine (una alla volta) nell'acqua bollente messa in una fondina, facendo attenzione che il pâté non si bagni, quindi asciugate le formine e capovolgetele sul piatto da portata, leggermente profondo. Seguendo le istruzioni accluse, preparate la gelatina, aromatizzatela con 2 cucchiai di marsala (diminuite di 2 cucchiai la quantità del liquido stabilito) e versatela fredda, ma ancora liquida, sopra i pâté che metterete di nuovo in ghiaccio finché la gelatina si sarà condensata. Potete servire i pâté insieme o separati uno dall'altro, tagliandoli con un tagliapasta rotondo; sollevateli poi delicatamente con la lama di un coltello e aggiustateli sul piatto da portata. Contornateli con cetriolini tagliati a "ventaglio", alternati a cipolline sottaceto. Se volete evitare la gelatina, serviteli con fettine di pane tostate nel forno che consumerete in sostituzione dell'abituale dose di grissini.

106. *Pomodori ripieni di riso*

Calorie
per persona
180

Dosi per 4 persone:

8 GROSSI POMODORI
8 CUCCHIAI DI RISO
1 GROSSA MANCIATA DI PREZZEMOLO
E DI BASILICO TRITATI
1 CUCCHIAINO D'ESTRATTO VEGETALE
2-3 SPICCHI D'AGLIO
SALE

Prendete dei grossi pomodori di forma piuttosto regolare e ben maturi, lavateli, asciugateli, tagliateli orizzontalmente in modo che la parte superiore risulti come un coperchio e cioè molto più piccola della parte inferiore che svuoterete interamente senza romperla. Raccogliete la polpa in una casseruola, fatela cuocere per alcuni minuti poi passatela al setaccio, rimettetela sul fuoco, aggiungetevi il prezzemolo, il basilico, l'estratto, l'aglio intero (o tritato secondo il vostro gusto), il sale e cuocete per 5 minuti; aggiungete il riso, fate riprendere il bollore e dopo un minuto togliete il recipiente dal fuoco. Aggiustate i pomodori uno accanto all'altro in una teglia spalmata d'olio, spolverizzate il loro interno di sale, riempiteli con il riso, con il suo sugo di cottura e ricoprite ciascun pomodoro con il proprio coperchio. Cospargete di sale e cuocete nel forno a fuoco moderato per circa 40 minuti. Servite i pomodori ripieni nella teglia di cottura tiepidi o freddi, oltre che come *entrée*, anche come primo piatto o come contorno a carne lessa. Poiché il riso messo quasi crudo in ogni pomodoro deve cuocere con il sugo in esso contenuto, qualora questo fosse insufficiente, aggiungete dei pomodori pelati in scatola passati al setaccio.

107. *Rotoli di lingua farcita*

Calorie
per persona
170

Dosi per 4 persone:

8 FETTE DI LINGUA SALMISTRATA
GR. 200 DI CARNE GIÀ COTTA DI VITELLO O DI POLLO
GR. 250 DI POMODORI PELATI IN SCATOLA
½ CIPOLLA
1 GAMBO DI SEDANO
1 FOGLIA D'ALLORO
1 PEZZETTO DI BUCCIA DI LIMONE
½ CUCCHIAINO D'ESTRATTO VEGETALE
NOCE MOSCATA
SALE

Per la salsa:

1 VASETTO DI YOGURT MAGRO
1 CUCCHIAIATA DI PREZZEMOLO
½ CUCCHIAINO DI PAPRICA UNGHERESE
1 CUCCHIAIO DI BRANDY OPPURE GELATINA IN POLVERE
PER ½ L. DI BRODO

In una casseruola riunite i pomodori passati al setaccio, la cipolla, il sedano finemente tritato, l'alloro, la buccia del limone, l'estratto, il sale e cuocete a fuoco basso per circa 30 minuti. Prima di togliere il recipiente dal fuoco, fate condensare il composto che deve avere la densità di una crema. Appena pronto, scartate l'alloro e la buccia del limone, quindi fuori dal fuoco incorporatevi la carne tritata finemente e la noce moscata. Distendete sul tagliere le fette di lingua (dovranno essere piuttosto spesse), su di ognuna ponete una grossa cucchiaiata d'impasto, arrotolatele su se stesse, aggiustatele sul piatto da portata, una accanto all'altra, quindi preparate la salsa. In una terrina riunite il prezzemolo tritato, la paprica, il brandy e mescolando incorporatevi poco alla volta lo yogurt. Servite la salsa a parte o, se preferite, versatela sopra ai rotoli. Questa insolita e nutrientissima *entrée* oltre a sostituire il primo piatto, può rimpiazzare la pietanza: completeranno poi il pasto verdura cruda o cotta e frutta fresca. Se voleste fare la gelatina attenetevi alle istruzioni scritte nella confezione, aggiungendo, se di vostro gusto, un cucchiaio di marsala.

108. *Tortino di zucchine*

Calorie
per persona
108

Dosi per 4 persone:

KG. 1 DI ZUCCHINE
GR. 400 DI POMODORI PELATI IN SCATOLA
1 GROSSA CIPOLLA
LATTE MAGRO
1 CUCCHIAIO DI PARMIGIANO
4 CHIARE D'UOVO
1 CUCCHIAIO DI BASILICO TRITATO
1 FOGLIA D'ALLORO
1 CUCCHIAIO DI KETCHUP
NOCE MOSCATA
PANE GRATTUGIATO
SALE

Mondate le zucchine, lavatele, asciugatele, tagliatele a fettine rotonde sottili e mettetele in una casseruola dove la cipolla tritata avrà già sobbollito per qualche minuto con mezzo bicchiere di latte. A fuoco piuttosto vivo fatele insaporire, salatele leggermente e quando saranno bene asciutte, unitevi i pomodori passati al setaccio, il basilico tritato, l'alloro e finitele di cuocere, facendo evaporare tutto il liquido prima di toglierle dal fuoco. Lasciatele intiepidire, scartate l'alloro, incorporatevi la noce moscata, 2 chiare d'uovo e versate il tutto in una teglia spalmata di margarina e cosparsa di pane grattugiato. Sbattete le chiare rimaste a neve, poi unitevi il parmigiano, il Ketchup, 3 o 4 cucchiai di latte e con il composto ricoprite le zucchine. Mettete nel forno a colorire e servite tiepido questo delicato tortino, come *entrée* o come contorno a carne arrostita o bollita. Potete sostituire le zucchine con i fagiolini che cuocerete per metà nell'acqua bollente salata, terminando poi la cottura (ben scolati dall'acqua e tritati) nel sugo di pomodoro.

Rotoli di lingua farcita
(ricetta n. 107)

PRIMI PIATTI

109. *Chenelle alla tedesca*

Calorie
per persona
205

Dosi per 4 persone:

GR. 300 DI CERVELLO DI VITELLO
GR. 50 DI MOLLICA DI PANE
1 CHIARA D'UOVO
1 CUCCHIAIO DI LINGUA
SALMISTRATA TRITATA
1 CUCCHIAIO DI PREZZEMOLO
TRITATO
1 CUCCHIAINO DI CIPOLLA
TRITATA
LATTE MAGRO
PANE GRATTUGIATO (CIRCA 2 CUCCHIAI)
PAPRICA UNGHERESE DOLCE
SALE

Per il brodo:

1 CIPOLLA
1 CAROTA
1 GAMBO DI SEDANO
1 FOGLIA D'ALLORO
1 SPICCHIO D'AGLIO
1 CHIODO DI GAROFANO
PEPE IN GRANI
1 CUCCHIAINO
D'ESTRATTO VEGETALE

In una casseruola mettete circa 2 litri d'acqua salata, aggiungetevi la carota, il sedano, l'aglio, la foglia d'alloro, la cipolla nella quale avrete conficcato il chiodo di garofano e completate con 2/3 grani di pepe. Fate bollire per circa mezz'ora poi passate il brodo al colino, mettetelo di nuovo sul fuoco molto basso, regolatene la quantità sufficiente per 4 minestre e unitevi l'estratto. Immergete il cervello nell'acqua fredda e dopo averlo spellato, cuocetelo per 2 minuti in acqua salata, finitelo di pulire, tritatelo e raccoglietelo in una terrina. Sempre mescolando unitevi la mollica del pane bagnata nel latte (poi ben strizzata), la lingua, il prezzemolo, la cipolla, la chiara d'uovo, la paprica, il sale e tanto pane grattugiato quanto occorre per ottenere un impasto piuttosto sodo. Con le mani bagnate ricavatene tante palle grandi come delle grosse noci, lisciatene bene la superficie, mettetele una alla volta sopra un cucchiaio, immergete questo nel brodo bollente ed attendete che la chenella si stacchi da sola. Quando le chenelle saranno tutte nel brodo, fatele sobbollire per pochi minuti, quindi servitele ben calde suddivise nelle fondine. Questo primo piatto è una raffinata espressione della gastronomia germanica. Potete trasformare le chenelle in piatto di mezzo, aumentando la dose del cervello e accompagnandole, dopo averle colate dal brodo, con sugo di pomodoro. Il cervello può essere sostituito dal fegato di vitello che, essendo privo di grassi e ricco di proteine, è adatto per una dieta dimagrante.

110. *Crema di cavolfiore*

Calorie
per persona
100

Dosi per 4 persone:

1 BEL CAVOLFIORE DI CIRCA KG. 1
1 CUCCHIAIO DI FARINA
1 CUCCHIAIO DI PREZZEMOLO TRITATO
LATTE MAGRO
1 CUCCHIAINO D'ESTRATTO VEGETALE O DI CARNE
2 SPICCHI D'AGLIO
1 FOGLIA D'ALLORO
NOCE MOSCATA
SALE

Mondate e lavate il cavolfiore, dividetelo in cimette, spellatene i gambi e cuocetelo in 1 litro e ½ d'acqua salata bollente alla quale avrete aggiunto l'aglio e l'alloro; quando le cimette sono ancora al dente, scolatene circa la metà che metterete da parte e terminate di cuocere le altre che passerete poi al setaccio con tutta l'acqua di cottura. In una casseruola raccogliete la farina, stemperatela con un decilitro di latte freddo e, mescolando, cuocete finché otterrete un composto omogeneo al quale unirete il passato di cavolfiore, il sale, l'estratto, le cimette messe da parte e la noce moscata. Regolate il liquido aggiungendo acqua o latte, cuocete ancora per qualche minuto, quindi incorporate il prezzemolo e versate la crema nella zuppiera che servirete subito.

111. *Crema di lenticchie*

Calorie
per persona
210

Dosi per 4 persone:

GR. 200 DI LENTICCHIE
1 CIPOLLA
1 CAROTA
1 GAMBO DI SEDANO
1 BICCHIERE DI LATTE
BRODO PREPARATO CON L'ESTRATTO VEGETALE O DI CARNE
2 FETTINE DI LINGUA SALMISTRATA
1 CUCCHIAIO DI PREZZEMOLO TRITATO
SALE

Mettete a bagno nell'acqua le lenticchie la sera per la mattina e al momento di cucinarle scolatele bene e raccoglietele in una casseruola dove la cipolla, la carota e il sedano tritati avranno già sobbollito per qualche minuto con un bicchiere di latte. Mescolatele bene, salatele leggermente, ricopritele di brodo e fatele cuocere lentamente. Quando sono cotte passatele al setaccio con tutto il brodo di cottura, mettete il passato di nuovo sul fuoco e diluite con la quantità di brodo sufficiente per 4 minestre. Lasciate sobbollire per qualche minuto, quindi versate la crema direttamente nelle fondine, guarnite ogni piatto con un pizzico di lingua tritata insieme al prezzemolo e servite subito. È facoltativo aggiungere alla crema, prima di toglierla dal fuoco, qualche cucchiaiata di sugo di pomodoro. Le lenticchie ricche di proteine vegetali e di sali minerali, come abbiamo già detto, possono entrare in una dieta dimagrante. Fate seguire la crema da un'insalata verde (condita senz'olio) e da frutta fresca.

112. *Crema di riso agli asparagi*

Calorie
per persona
160

Dosi per 4 persone:

GR. 800 DI ASPARAGI
GR. 120 DI RISO
1 CIPOLLA
1 GAMBO DI SEDANO
1 FOGLIA D'ALLORO
BRODO PREPARATO CON L'ESTRATTO VEGETALE
1 CUCCHIAIO DI PREZZEMOLO TRITATO
PAPRICA UNGHERESE O NOCE MOSCATA
SALE

Pulite, lavate gli asparagi, scartate la parte bianca, tagliate quella verde a pezzetti di circa 2 o 3 cm. e metteteli da parte. In una casseruola piena d'acqua calda salata riunite la cipolla, il sedano, l'alloro e il riso; mescolate bene, lasciate cuocere a fuoco moderato per un'ora quindi passate tutto al setaccio. Mettete di nuovo il passato sul fuoco, diluite con del brodo, aggiungete le punte di asparagi e proseguite la cottura lentamente per circa 30 minuti. Il composto deve avere la densità di una crema piuttosto fluida quindi, se occorre, aggiungete ancora del brodo. Togliete la minestra dal fuoco, finite di condire con il prezzemolo e, secondo il vostro gusto, potete aggiungere o un pizzico di paprica ungherese che è piuttosto dolce, o di noce moscata. È una minestra di facile digestione, nutriente ed energetica molto indicata per una dieta dimagrante.

113. *Crema di spinaci*

Calorie
per persona
190

Dosi per 4 persone:

KG. 1 DI SPINACI
GR. 40 DI SEMOLINO DI RISO
2 BICCHIERI DI LATTE MAGRO
GR. 40 DI CRESCENZA
1 CIPOLLA
BRODO PREPARATO CON L'ESTRATTO VEGETALE
NOCE MOSCATA
SALE

Mondate, lavate gli spinaci, metteteli a cuocere in una pentola senza acqua, ma con una presa di sale e, appena pronti, scolateli e tritateli. In una casseruola riunite la cipolla tagliata a fettine, aggiungetevi un bicchiere di latte e quando questo sarà evaporato per metà, sempre mescolando, incorporatevi il semolino, diluite con il resto del latte, cuocete per 5 minuti poi unite gli spinaci. Salate leggermente, fate insaporire, quindi passate tutto al setaccio. Mettete di nuovo il passato sul fuoco, aggiungetevi la noce moscata, la crescenza tagliata a dadini e diluite con il brodo caldo sino a raggiungere la densità voluta; fate prendere il bollore e versate la crema nella zuppiera. Per rendere la crema più nutriente potete sostituire il brodo con il latte. Il semolino di riso è meno ingrassante di quello di grano: comunque potete abolire i dadini di pane.

114. *Crema di tapioca*

Calorie
per persona
100

Dosi per 4 persone:

4 CUCCHIAI DI TAPIOCA
½ LITRO DI LATTE MAGRO
½ LITRO DI BRODO PREPARATO CON L'ESTRATTO
VEGETALE
2 GAMBI DI SEDANO
1 CAROTA
1 RAPA
1 CUCCHIAIO DI PREZZEMOLO TRITATO
SALE

In una casseruola piuttosto grande mettete a cuocere nell'acqua leggermente salata il sedano, la carota e la rapa; aggiungetevi l'estratto e appena le verdure sono pronte passatele al setaccio insieme al brodo. Mettete di nuovo il passato sul fuoco, unitevi il latte e quando il composto comincia a bollire versatevi a pioggia la tapioca che, mescolando spesso, cuocerete per circa 15 minuti. Regolate la quantità del sale, versate la crema direttamente nelle fondine e cospargetela di prezzemolo tritato che, aggiunto crudo, mantiene intatte tutte le vitamine di cui è molto ricco. La tapioca, sostanza farinosa che si estrae dalle radici di una pianta tropicale, la manioca, è molto nutriente, non ingrassante e di facile digestione.

115. *Crema d'orzo con piselli*

Calorie
per persona
130

Dosi per 4 persone:

4 CUCCHIAI DI CREMA D'ORZO
½ LITRO DI LATTE MAGRO
CIRCA GR. 150 DI PISELLI FRESCHI SBUCCIATI
O SURGELATI
BRODO PREPARATO CON L'ESTRATTO VEGETALE
1 CUORE DI LATTUGA
1 PICCOLA CIPOLLA
1 CUCCHIAINO DI PREZZEMOLO TRITATO
SALE

In una casseruola, sufficientemente grande per 4 minestre, mettete la crema d'orzo, stemperatela con il latte freddo, facendo attenzione di non formare dei grumi; salate e cuocete lentamente. Intanto in una teglia raccogliete i piselli con la cipolla tritata, aggiungete circa una tazza di brodo, un pizzico di sale e lasciate sobbollire finché il liquido si sarà quasi tutto evaporato. A questo punto unite i piselli alla crema e proseguite la cottura ancora per 10 minuti. Prima di togliere il recipiente dal fuoco, regolate la densità della crema che dev'essere molto fluida, quindi diluite con del brodo poi aggiungete la lattuga trinciata e il prezzemolo. L'orzo, molto nutriente perché assai ricco di sali minerali, d'albumina e d'amido, è di facile digestione e ha sapore delicatissimo. Da noi è poco usato mentre dovremmo prendere esempio dai paesi nordici nel dare a questo prezioso cereale largo posto nella nostra alimentazione.

116. *Minestra del buongustaio*

Calorie
per persona
125

Dosi per 4 persone:

GR. 80 DI RISO
GR. 80 DI CARNE MAGRA DI VITELLO
GR. 20 DI FUNGHI SECCHI
1 CIPOLLA
1 CAROTA
1 SPICCHIO D'AGLIO
1 GAMBO DI SEDANO
1 FOGLIOLINA DI SALVIA
LATTE MAGRO
BRODO PREPARATO CON L'ESTRATTO VEGETALE
1 CUCCHIAINO DI PREZZEMOLO TRITATO
SALE

Dopo aver tenuto i funghi a bagno nell'acqua tiepida per circa 2 ore, scolateli, sminuzzateli con le forbici, raccoglieteli in una casseruola, unitevi la cipolla tritata, 2 o 3 cucchiai di latte, una tazza di brodo, il sale e cuocete lentamente per 40 minuti. In un'altra casseruola mettete il sedano, la carota, l'aglio e la carne tritati finemente, la salvia, 1 decilitro di latte e cuocete a fuoco moderato sempre mescolando finché il latte sarà tutto evaporato. Salate leggermente, versate nel recipiente circa 1 litro di brodo, fate bollire per circa 20 minuti quindi aggiungete il riso. A cottura ultimata, prima di togliere il recipiente dal fuoco, unite i funghi già pronti ai quali avrete incorporato, all'ultimo momento, il prezzemolo tritato. Versate il tutto in una zuppiera e servite. Questa minestra saporitissima e raffinata è adatta per essere servita anche a degli ospiti. Potete sostituire la carne cruda con carne avanzata sia lessa sia arrostita, come pure potete aggiungere ai funghi, quando sono quasi cotti, qualche cucchiaiata di pisellini in scatola che siano però molto dolci.

117. Minestra di animelle

Calorie
per persona
155

Dosi per 4 persone:

GR. 250 DI ANIMELLE
GR. 250 DI PATATE
1 CIPOLLA
1 CAROTA
1 GAMBO DI SEDANO
2 CUCCHIAI DI MARSALA
1 CUCCHIAIO DI PREZZEMOLO TRITATO
1 CUCCHIAINO DI ESTRATTO VEGETALE
NOCE MOSCATA
SALE

In una casseruola abbastanza grande per 4 minestre riunite le patate, la cipolla, il sedano, la carota tagliata a pezzi, 1 litro e ½ d'acqua calda salata e cuocete a fuoco moderato per circa un'ora, passando poi tutto al setaccio. Raccogliete il passato nella casseruola di cottura, aggiungete l'estratto e mettete il recipiente in caldo sul fuoco molto basso. Dopo aver tenuto le animelle a bagno nell'acqua acidulata al limone, per circa mezz'ora, scottatele nell'acqua salata quindi spellatele e fatele raffreddare, ponendovi sopra un piatto con un peso. Quando saranno pronte, tagliatele a dadini che farete rosolare in una teglia spalmata di burro o di margarina finché avranno preso un leggero colore, bagnatele con il marsala, coprite il recipiente e finitele di cuocere lentamente: se occorre, aggiungete qualche cucchiaiata di latte. Appena pronte, unitele al passato di verdure, regolate la densità, fate prendere il bollore e prima di togliere il recipiente dal fuoco condite con il prezzemolo e con la noce moscata. La minestra è sostanziosa, quindi potete farla seguire da verdura cotta e da frutta fresca.

118. *Minestra di riso e corata*

Calorie
per persona
145

Dosi per 4 persone:

GR. 150 DI CORATA DI VITELLO
GR. 80 DI RISO
1 CIPOLLA
1 CUCCHIAIO COLMO DI PREZZEMOLO TRITATO
1 BICCHIERE DI LATTE MAGRO
1 CUCCHIAINO D'ESTRATTO VEGETALE
1 CUCCHIAINO DI ROSMARINO TRITATO
SALE

Lavate molto bene la corata, lessatela in acqua leggermente salata, scolatela e, quando sarà completamente raffreddata, tagliatela a dadini. In una casseruola mettete la cipolla tritata insieme al latte, fatela sobbollire per qualche minuto poi unitevi la corata; salate leggermente, lasciate insaporire a fuoco lento per circa 10 minuti e, sempre mescolando, unite l'acqua calda, nella quale avete cotto la corata, e il brodo preparato con l'estratto: il tutto non dovrà superare il litro e 1/4. Fate prendere il bollore, versate nel recipiente il riso e portatelo a cottura. Qualche minuto prima di togliere la minestra dal fuoco, incorporatevi il prezzemolo e il rosmarino.

119. *Minestra di riso e fegatini*

Calorie
per persona
210

Dosi per 4 persone:

GR. 80 DI RISO
8 FEGATINI DI POLLO
2 PATATE DI MEDIA GRANDEZZA
1 CIPOLLA
1 CAROTA
1 GAMBO DI SEDANO
1 FOGLIA D'ALLORO
1 FOGLIA DI SALVIA
1 CUCCHIAIO DI PREZZEMOLO TRITATO
1 CUCCHIAINO D'ESTRATTO VEGETALE
2 CUCCHIAI DI VINO BIANCO
½ BICCHIERE DI LATTE MAGRO
SALE

In una piccola teglia riunite i fegatini tagliati a pezzetti, la salvia e mezzo bicchiere di latte. Cuocete lentamente e quando il latte sarà tutto evaporato, salate, bagnate con il vino e dopo un minuto togliete il recipiente dal fuoco e scartate la salvia. In una casseruola mettete circa 1 litro e ½ d'acqua leggermente salata e l'alloro; aggiungetevi la cipolla, la carota, le patate e il gambo di sedano tagliati a pezzi. Fate bollire lentamente e quando le verdure sono cotte, passatele al setaccio con tutto il brodo. Raccogliete il passato di nuovo nella casseruola, scioglietevi l'estratto, regolate la quantità del liquido necessario per 4 minestre, lasciate prendere il bollore quindi unite il riso e i fegatini con tutto il sugo di cottura. Quando il riso è pronto finite di condire con il prezzemolo tritato e lasciate riposare un momento prima di versare la minestra nella zuppiera da tavola.

Calorie
per persona
200

Dosi per 4 persone:

GR. 500 DI SPINACI

GR. 80 DI RISO

GR. 50 DI RICOTTA (FACOLTATIVA)

1 PATATA

1 CIPOLLA

1 CAROTA

1 GAMBO DI SEDANO

BRODO PREPARATO CON L'ESTRATTO VEGETALE

SALE

In una casseruola riunite tagliati a pezzi la patata sbucciata, la carota raschiata, la cipolla, il gambo di sedano; ricopriteli d'acqua salata, aggiungete un cucchiaino d'estratto, cuocete per 40 minuti, quindi passate tutto al setaccio, compreso il brodo. Mettete di nuovo il passato sul fuoco, unitevi gli spinaci ben lavati, scolati, tritati grossolanamente e tanto brodo quanto occorre per 4 minestre: fate prendere il bollore e aggiungete il riso. A cottura ultimata condite con la ricotta stemperata in una tazzina di brodo, versate nella zuppiera e servite subito. A vostro piacere potete raddoppiare la dose degli spinaci lasciando inalterata quella del riso che, consumato in quantità limitata, non è ingrassante.

121. *Minestra di riso e verza*

Calorie
per persona
120

Dosi per 4 persone:

1 PICCOLO CAVOLO VERZA DI CIRCA GR. 600
GR. 80 DI RISO
½ BICCHIERE DI LATTE MAGRO
1 CUCCHIAIO DI PREZZEMOLO TRITATO
1 CIPOLLA
BRODO PREPARATO CON L'ESTRATTO VEGETALE
SALE

Dopo aver scartato le foglie dure e il torsolo del cavolo, lavatelo bene, scolatelo e tagliatelo a listerelle larghe circa 2 cm. In una casseruola fate sobbollire per qualche minuto la cipolla tritata nel latte, aggiungete poi la verza, salate leggermente, bagnate con il brodo, proseguite la cottura e prima ancora che la verza sia completamente cotta, regolate la quantità del liquido e unite il riso. Togliete il recipiente dal fuoco, incorporate il prezzemolo, lasciate riposare la minestra qualche minuto, quindi versatela nella zuppiera da tavola. Si può rendere questa minestra più sostanziosa e più saporita, aggiungendo insieme al prezzemolo due fettine di lingua salmistrata, tritata finemente.

Calorie
per persona
150

Dosi per 4 persone:

6 ZUCCHINE DI MEDIA GRANDEZZA
GR. 80 DI RISO
GR. 150 DI POMODORI PELATI IN SCATOLA
½ BICCHIERE DI LATTE MAGRO
1 CIPOLLA
1 FOGLIA D'ALLORO
2 CUCCHIAINI DI BASILICO TRITATO
2 CUCCHIAINI DI PREZZEMOLO TRITATO
BRODO PREPARATO CON L'ESTRATTO VEGETALE
2 O 3 CUCCHIAI DI VINO BIANCO
SALE

In una casseruola che abbia la capacità sufficiente per 4 minestre mettete la cipolla tritata, l'alloro, il latte e fate sobbollire finché questo sarà quasi tutto evaporato. Intanto spuntate le due estremità alle zucchine, lavatele bene, tagliatele in 4 per il lungo poi ritagliate ogni parte a tocchetti lunghi circa 1 cm. Unitele alla cipolla, lasciatele insaporire, salatele leggermente, bagnatele con 2 o 3 cucchiai di vino e appena questo è evaporato, aggiungete il pomodoro passato al setaccio e l'estratto. Coprite il recipiente, proseguite la cottura molto lentamente e quando le zucchine avranno assorbito tutto il pomodoro e saranno cotte, versate nella casseruola la quantità di brodo sufficiente per 4 minestre; fate prendere il bollore e unite il riso. A cottura ultimata, scartate l'alloro e finite di condire con il prezzemolo e il basilico tritati. Potete trasformare questa minestra in zuppa: aumentate la dose delle zucchine e invece di aggiungere il riso, versate la minestra sopra a 4 fettine di pane in cassetta (suddivise nelle fondine) che avrete prima tostato nel forno e poi strofinato da tutte e due le parti con uno spicchio d'aglio. Spolverizzate ogni zuppa di prezzemolo e basilico tritati.

123. *Minestra d'orzo*

Calorie
per persona
110

Dosi per 4 persone:

GR 80 D'ORZO
4 CAROTE
1 GAMBO DI SEDANO
1 PICCOLA CIPOLLA
1 CUCCHIAINO DI PREZZEMOLO TRITATO
1 BICCHIERE DI LATTE MAGRO
1 CUCCHIAINO D'ESTRATTO VEGETALE
1 FOGLIA D'ALLORO
SALE

Prendete dell'orzo piuttosto piccolo perché cuoce in minor tempo, qualora però fosse grande è preferibile metterlo a bagno la sera per la mattina. In una pentola mettete l'orzo, ricopritelo d'acqua leggermente salata nella quale avrete sciolto l'estratto, cuocete lentamente per circa un'ora, quindi aggiungete le carote tagliate a tocchetti, la cipolla e il sedano tritati e l'alloro, regolate il liquido, salate e proseguite la cottura per circa 40 minuti. Prima di togliere il recipiente dal fuoco, scartate l'alloro e finite di condire con il latte e con il prezzemolo tritato. Servite subito. L'orzo, ricco di sali minerali tanto necessari al nostro organismo, è un cibo integrativo, assai importante per chi voglia seguire una dieta dimagrante.

124. *Passato di porri*

Calorie
per persona
180

Dosi per 4 persone:

8 GROSSI PORRI
2 PATATE (GR. 200)
1 TAZZA DI PISELLI FRESCHI SBUCCIATI
1 CUCCHIAINO D'ESTRATTO VEGETALE
1 CUCCHIAIO DI PREZZEMOLO TRITATO
1 BICCHIERE DI LATTE MAGRO
SALE

In una casseruola riunite i porri (scartate la parte verde) e le patate tagliati a pezzi. Ricopriteli d'acqua salata, cuoceteli a fuoco moderato e appena sono cotti, passateli al setaccio con tutta l'acqua di cottura, mettete il passato sul fuoco, aggiungete i piselli, l'estratto diluito in una tazza abbondante d'acqua calda, il sale e cuocete molto lentamente per circa 30 minuti. Prima di togliere il recipiente dal fuoco regolate la quantità del liquido sufficiente per 4 minestre e finite di condire con il prezzemolo tritato e con il latte. Servite il passato con qualche quadratino di caciotta o di fontina. I porri sono un buon coefficiente nella dieta dimagrante per le loro proprietà diuretiche. Potranno completare la vostra cena un pesce magro lesso e frutta fresca.

125. Peperoni ripieni

Calorie
per persona
230

Dosi per 4 persone:

KG. 1 DI POMODORI
8 PEPERONI
8 CUCCHIAI DI RISO
4 FILETTI D'ACCIUGA
1 MANCIATA DI PREZZEMOLO E BASILICO TRITATI
1 CUCCHIAINO D'ESTRATTO VEGETALE
1 CUCCHIAIO DI CAPPERI
2 SPICCHI D'AGLIO
1 PIZZICO D'ORIGANO
SALE

Prendete i peperoni di forma regolare e tutti della medesima grandezza, lavateli, asciugateli bene, tagliateli in due nel senso della lunghezza e dopo averli svuotati dei semi, disponetene solo la metà in una teglia spalmata d'olio, uno accanto all'altro, con la parte convessa in basso e cospargeteli nell'interno di sale. In una casseruola riunite i pomodori spellati, privati dei semi e tagliati a pezzi, l'aglio tritato finemente (o meglio il succo che spremerete con l'apposito utensile), l'estratto e il sale. Fate sobbollire per pochi minuti poi unitevi il riso, dategli un bollo, quindi toglietelo dal fuoco, aggiungetevi il basilico, il prezzemolo e l'origano. Se il riso fosse troppo asciutto diluite con un poco di brodo o di latte magro. Riempite di riso e di sugo i peperoni già pronti nella teglia, distribuendo in ognuno i capperi e mezzo filetto d'acciuga. Ricoprite ciascun peperone con la metà che è stata tolta, spolverizzate leggermente di sale e mettete nel forno a fuoco moderato per circa 45 minuti. I peperoni ripieni possono essere serviti caldi o freddi come primo piatto o come contorno sia al bollito sia all'arrosto.

126. "Ratatouille" nizzarda

Calorie
per persona
250

Dosi per 4 persone:

KG. 1 DI PISELLI FRESCHI
GR. 40 DI FUNGHI SECCHI
4 POMODORI
4 ZUCCHINE
2 GROSSE CIPOLLE
2 CAROTE
4 GAMBI DI SEDANO
1 SPICCHIO D'AGLIO
PREZZEMOLO
BASILICO
ESTRATTO VEGETALE
1 BICCHIERE DI LATTE MAGRO
SALE

In una casseruola fate sobbollire le cipolle tagliate a fettine con il latte finché questo sarà quasi tutto evaporato. Aggiungete le zucchine, le carote e il sedano tagliati a tocchetti, i piselli, un cucchiaino d'estratto sciolto in una tazzina d'acqua e lasciate insaporire a fuoco piuttosto vivo per qualche minuto. Unite i pomodori spellati, privati dei semi e tagliati a pezzi, salate e proseguite la cottura lentamente per circa un'ora. Intanto in un'altra casseruola riunite i funghi fatti prima rinvenire nell'acqua tiepida, l'aglio schiacciato, mezzo cucchiaino d'estratto e una tazza d'acqua. Salate e cuocete per 40 minuti, quindi aggiungete i funghi con tutto il loro intingolo alle verdure che saranno quasi pronte e che lascerete sobbollire sino alla loro completa cottura. Prima di togliere il recipiente dal fuoco finite di condire con il prezzemolo e il basilico tritati. Potete servire queste saporite verdure come primo piatto o come pietanza seguite da formaggio magro.

127. *Risotto con piselli*

Calorie
per persona
390

Dosi per 4 persone:

KG. 1 DI PISELLI FRESCHI
GR. 250 DI RISO
½ CUCCHIAINO DI CURRY
1 GROSSA CIPOLLA
½ BICCHIERE DI LATTE MAGRO
BRODO PREPARATO CON L'ESTRATTO VEGETALE
½ BICCHIERE DI VINO BIANCO
SALE

Sgranate i piselli, raccoglieteli in una casseruola, unitevi la cipolla tagliata a fettine sottili, 1 tazza d'acqua e cuocete lentamente per circa 20 minuti. Aggiungete il riso, bagnatelo con il vino e quando questo sarà tutto evaporato condite con il sale e portate il riso a cottura, unendovi di tanto in tanto qualche cucchiaiata di brodo bollente (circa ¾ di litro). Verso la fine della cottura incorporate il latte e il curry. Appena il riso è pronto, toglietelo dal fuoco e lasciatelo riposare per 2 minuti prima di versarlo sul piatto da portata. Una fetta di roast-beef magro e frutta fresca potranno completare il vostro menù.

128. Risotto con polipi

Calorie
per persona
355

Dosi per 4 persone:

GR. 250 DI RISO
GR. 600 DI POLIPI
½ BICCHIERE DI VINO BIANCO
BRODO PREPARATO CON L'ESTRATTO VEGETALE
1 CUCCHIAIO DI PREZZEMOLO TRITATO
2 SPICCHI D'AGLIO
1 PIZZICO DI ORIGANO

Prendete dei polipi molto piccoli, puliteli, scartando la piccola ve-
scica della tinta, gli occhi e la pelle; lavateli molto bene sotto l'acqua
corrente finché saranno bianchissimi, quindi raccoglieteli in una
casseruola, unitevi il vino, l'aglio tritato e tanto brodo quanto occorre per ricoprirli. Cuocete a fuoco basso finché i polipi saranno
teneri e, se occorre, aggiungete ancora del brodo. Mettete il riso,
portatelo a cottura, bagnandolo di tanto in tanto con qualche cucchiaiata di brodo caldo e quando è pronto incorporatevi il prezzemolo e l'origano, lasciandolo poi riposare coperto per qualche minuto
prima di aggiustarlo sul piatto da portata. I polipi possono essere
sostituiti da gamberetti, da scampi, da seppie, ecc. e secondo il vostro
gusto potete aggiungere 2 o 3 pomodori maturi spellati, privati dei
semi e tritati. Questo risotto può costituire un "piatto unico", quindi
potrete farlo seguire da verdura cotta e da frutta fresca.

129. *Spaghetti alla crudele*

Calorie
per persona
300

Dosi per 4 persone:

GR. 250 DI SPAGHETTI
GR. 40 DI PECORINO
4 CUCCHIAIATE COLME DI PREZZEMOLO TRITATO
2 O 3 SPICCHI D'AGLIO
LATTE MAGRO
NOCE MOSCATA O MAGGIORANA
SALE

In una teglia piuttosto grande riunite la metà del formaggio grattugiato, il prezzemolo e l'aglio tritati. Mettete il recipiente sul fuoco molto basso e, mescolando con un cucchiaio di legno, incorporate poco alla volta tanto latte tiepido quanto occorre per ottenere un composto cremoso; a questo punto, togliete subito la teglia dal fuoco. Intanto gli spaghetti che avrete messo a cuocere in abbondante acqua salata, saranno quasi pronti, scolateli al dente, versateli nella teglia, mettete questa sul fuoco e, mescolando, fateli insaporire bene. Qualora fossero troppo asciutti, aggiungetevi qualche cucchiaiata di latte caldo. Cospargeteli con il resto del formaggio al quale avrete mescolato un pizzico di noce moscata e serviteli subito nella teglia di cottura. Se il pecorino è troppo piccante per il vostro gusto, sostituitelo con caciotta fresca o con caprini: gli spaghetti saranno lo stesso saporiti e appetitosi. Poiché gli spaghetti hanno press'a poco le stesse calorie del riso, possono sostituirlo ogni qualvolta lo desideriate.

130. *Zuppa di cipolle*

Calorie
per persona
250

Dosi per 4 persone:

GR. 500 DI CIPOLLE
GR. 100 DI CRESCENZA
2 FETTINE DI PANE IN CASSETTA PER PERSONA
2 CUCCHIAI COLMI DI FARINA
LATTE MAGRO
BRODO PREPARATO CON L'ESTRATTO VEGETALE
SALE

In una casseruola mettete una tazza di latte (circa gr. 250), aggiungetevi le cipolle tagliate a fettine e cuocetele lentamente, mescolando, finché tutto il latte sarà evaporato. A questo punto cospargete le cipolle di farina, che farete assorbire, quindi diluite con il brodo, salate leggermente e cuocete a fuoco basso per circa un'ora. Intanto tostate il pane nel forno e tagliate la crescenza a fettine sottili. Prendete una terrina che possa andare al fuoco, ungetela di burro e fatevi uno strato con 4 fettine di pane e con la metà del formaggio; versatevi poco alla volta la zuppa e su questa disponete il resto delle fettine di pane e della crescenza. Mettete il recipiente nel forno caldissimo finché il formaggio comincerà a sciogliersi. Questa minestra (cucinata con il burro) è una specialità della gastronomia francese e generalmente viene servita molto calda nei ristoranti parigini dopo teatro: sembra sia disintossicante e un antidoto per i "fumi" dell'alcool. Noi consumeremo questa zuppa sana e nutriente per iniziare la cena, ricordando che la cipolla è adatta alla dieta dimagrante per le sue proprietà diuretiche e leggermente energetiche.

PIATTI
DI MEZZO

Zuppa di cipolle
(ricetta n. 130)

131. "Aspic" di coniglio

Calorie
per persona
325

Dosi per 4 persone:

1 BEL CONIGLIO GIOVANE DI CIRCA KG. 1,200
GR. 50 DI LINGUA SALMISTRATA
1 CIPOLLA
1 GAMBO DI SEDANO
2 CHIODI DI GAROFANO
1 FOGLIA D'ALLORO
1 GROSSA CAROTA
1 CUCCHIAIO DI KETCHUP
1 CUCCHIAINO D'ESTRATTO VEGETALE
GELATINA PRONTA PER $\frac{3}{4}$ DI LIQUIDO
NOCE MOSCATA
1 CUCCHIAIO DI MARSALA
SALE

Dopo aver pulito e lavato il coniglio come di consueto, tagliatelo
in 4 o 5 pezzi, asciugateli bene, disponeteli in una casseruola spalmata di burro o di margarina e fateli colorire leggermente. Conditeli
con il sale e con la noce moscata, aggiungetevi circa 1 litro e ½
d'acqua salata, la cipolla, la carota, l'alloro, i chiodi di garofano,
il sedano e l'estratto. Cuocete lentamente e quando il coniglio è
pronto, toglietelo dal brodo, disossatelo, fatelo raffreddare, tagliatelo
insieme alla lingua a dadini il più possibile uguali che raccoglierete
in una terrina. Scolate il brodo di cottura del coniglio che non
deve superare i ¾ di litro, aggiungetevi, secondo le istruzioni accluse, la gelatina, il Ketchup e il marsala. Prendete uno stampo
rotondo, liscio, che avrete già tenuto per circa un'ora sul ghiaccio,
disponetevi sul fondo la carota tagliata a fettine o a stelle, formando
una specie di bordo, versatevi sopra una tazzina di gelatina fredda,
ma ancora liquida e mettete il recipiente in ghiaccio. Quando il
composto si sarà condensato, unite il coniglio e la lingua al resto
della gelatina (ancora liquida) e versate il tutto nello stampo che
lascerete in ghiaccio per 5 o 6 ore. Al momento di sformare, ricoprite lo stampo con un tovagliolo inzuppato d'acqua bollente, asciugatelo bene e capovolgetelo sul piatto da portata. Servite l'"aspic"
contornato da cipolline e da cetriolini sottaceto.

153

132. *Baccalà e peperoni*

Calorie
per persona
350

Dosi per 4 persone:

GR. 800 DI BACCALÀ GIÀ AMMOLLATO
GR. 500 DI POMODORI PELATI IN SCATOLA
4-6 PEPERONI DOLCI
1 CIPOLLA
1 SPICCHIO D'AGLIO
1 FOGLIA D'ALLORO
1 CUCCHIAIO DI PREZZEMOLO TRITATO
1 CUCCHIAINO D'ESTRATTO VEGETALE
½ CUCCHIAINO DI ZUCCHERO
LATTE MAGRO
FARINA
SALE

In una casseruola mettete il baccalà con l'acqua fredda e prima ancora che questa cominci a bollire, togliete il recipiente dal fuoco, quindi con un mestolo forato scolate il baccalà, spellatelo, spinatelo, tagliatelo a pezzi non troppo piccoli, che, infarinati, pochi alla volta, farete soffriggere per qualche minuto a fuoco molto basso in una padella spalmata d'olio. Appena avranno preso un leggero colore dorato, metteteli da parte, ungete di nuovo la padella e proseguite finché avrete esaurito il baccalà. In una teglia piuttosto larga riunite i pomodori passati al setaccio, la cipolla tritata, l'alloro, l'estratto, lo zucchero, 3 o 4 cucchiai di latte, il sale e cuocete lentamente per circa 15 minuti. Arrostite i peperoni sulla fiamma o sulla placca del forno e dopo averne scartato il torsolo e i semi, spellateli, lavateli, tagliateli a strisce e uniteli al pomodoro. Lasciateli insaporire qualche minuto poi sistemate nel recipiente anche il baccalà e fate sobbollire finché il fondo di cottura sarà divenuto denso. Cospargete d'aglio e di prezzemolo tritati e fate riposare 5 minuti con il recipiente coperto prima di servire sul piatto da portata. Il baccalà, ricco di proteine ma privo di grassi, e i peperoni, che contengono una forte percentuale di vitamina C, costituiscono un piatto nutriente e prezioso per una dieta dimagrante.

133. *Bordura di carne e funghi*

Calorie
per persona
300

Dosi per 4 persone:

GR. 500 DI CARNE MAGRA DI VITELLO O DI MANZO
GR. 400 DI FUNGHI PORCINI
GR. 50 DI LINGUA SALMISTRATA
4 CHIARE D'UOVO
4 CUCCHIAI DI MARSALA
4 ZWIEBACH
1 CIPOLLA
½ CAROTA
1 GAMBO DI SEDANO
2 SPICCHI D'AGLIO
1 CUCCHIAIO DI PREZZEMOLO TRITATO
NOCE MOSCATA
LATTE MAGRO
BRODO PREPARATO CON L'ESTRATTO VEGETALE
PANE GRATTUGIATO
SALE

In una casseruola riunite la cipolla, la carota, il sedano tritati con un bicchiere di latte, fate sobbollire e quando il latte sarà quasi tutto evaporato, aggiungete la carne tagliata in grossi dadi, salate leggermente, mescolate e appena il fondo del recipiente sarà asciutto, unite il marsala, coprite la casseruola e proseguite la cottura per circa 20 minuti, bagnando quando occorre con qualche cucchiaiata di brodo. Intanto in un'altra casseruola mettete i funghi che avrete pulito e lavato come di consueto e tagliato a fettine molto sottili. Unitevi l'aglio tritato, una tazza di brodo, il sale, e cuocete per circa 30 minuti; a cottura ultimata finite di condire con il prezzemolo tritato. Quando la carne è cotta, tritatela finemente, raccoglietela in una terrina, incorporatevi il fondo di cottura, ricuperato con qualche cucchiaiata di brodo, le chiare d'uovo, la lingua tritata, la noce moscata e gli Zwiebach pestati finemente. Mescolate bene e versate il tutto in uno stampo liscio, rotondo, forato nel centro, spalmato di burro o di margarina e cosparso di pane grattugiato. Cuocete nel forno a calore moderato finché la superficie della bordura avrà fatto una leggera crostina. Sformate sul piatto da portata, disponete i funghi nel centro e servite il tutto con cetriolini e cipolline sottaceto. Con questa pietanza potete abolire il primo piatto e completare il pasto con frutta fresca. Vi ricordiamo che ogni Zwiebach pesa circa 10 grammi e che tale peso va detratto da quello giornaliero del pane o dei grissini o delle fette biscottate.

134. *Budino di pollo*

Calorie
per persona
510

Dosi per 4 persone:

1 POLLO DI CIRCA KG. 1,250
4 CHIARE D'UOVO
4 ZWIEBACH
LATTE MAGRO
UN PO' DI BUCCIA DI LIMONE GRATTUGIATA
AROMI PER IL BRODO
SALE

Lessate il pollo in acqua salata bollente alla quale avrete aggiunto la cipolla, la carota e il sedano, scartate la pelle, disossatelo, tritate finemente la carne, raccoglietela in una terrina e, sempre mescolando unitevi gli Zwiebach bagnati nel latte, la buccia grattugiata del limone e le chiare sbattute a neve e versate il composto in uno stampo spalmato leggermente di margarina e spolverizzato di farina; e cuocete nel forno a bagnomaria per circa 40 minuti e sformate il budino quando è tiepido. Secondo il vostro gusto potete accompagnarlo con verdure o con uno dei condimenti indicati per questa dieta.

Baccalà e peperoni
(ricetta n. 132)

135. Carpa all'israeliana

Calorie
per persona
370

Dosi per 4 persone:

1 CARPA DI CIRCA KG. 1,200
GR. 500 DI CIPOLLE
8 MANDORLE
2 SPICCHI D'AGLIO
LATTE MAGRO
1 CUCCHIAIO D'UVETTA SULTANINA
TIMO, ALLORO, PREZZEMOLO
SALE
PEPE

Pulite la carpa come di consueto, ma mettete da parte le uova o il latte in essa contenuti, quindi tagliatela a grosse fette, lasciando tutte le parti gelatinose e conservando il sangue che vi sarà facile raccogliere durante questa operazione. In una casseruola mettete le cipolle tritate, un bicchiere di latte e lasciate cuocere molto lentamente per qualche minuto senza far colorire, quindi unite l'aglio schiacciato, le mandorle spellate e tagliate a filetti, l'uvetta, l'alloro e il timo; su tutto disponete la carpa con il sangue e con le uova (o il latte), versatevi sopra dell'acqua che dovrà arrivare al livello delle fette senza sorpassarle. Condite con il sale, con il pepe e cuocete per circa mezz'ora a fuoco molto basso in modo che l'acqua sia leggermente increspata. Con un mestolo forato scolate il pesce e aggiustatelo sul piatto da portata. Passate il fondo di cottura al setaccio, prima il liquido che metterete di nuovo sul fuoco affinché si riduca al volume di un bicchiere, poi il resto che è rimasto sul setaccio, ricavandone una specie di puré che distenderete sopra alla carpa. Tutt'intorno versate il liquido e lasciate in ghiaccio fino a quando si sarà formata una specie di gelatina: cospargete di prezzemolo e servite.

136. Coniglio ai funghi

Calorie
per persona
370

Dosi per 4 persone:

1 BEL CONIGLIO GIOVANE DI CIRCA KG. 1,200
GR. 50 DI FUNGHI SECCHI O GR. 400 DI FUNGHI FRESCHI
½ BICCHIERE DI VINO BIANCO
1 CIPOLLA
2 SPICCHI D'AGLIO
1 GAMBO DI SEDANO
1 CUCCHIAIO DI PREZZEMOLO TRITATO
BRODO PREPARATO CON L'ESTRATTO VEGETALE
LATTE MAGRO
SALE

In una casseruola piuttosto grande raccogliete i funghi ben lavati
che avrete fatto rinvenire per circa 2 ore nell'acqua tiepida. Aggiungetevi la cipolla e il sedano tritati, una tazza abbondante di brodo,
il sale e cuocete lentamente per 20 minuti. Intanto prendete il coniglio che avrete già lavato, asciugato e tagliato a pezzi; mettetelo a
colorire leggermente in una teglia spalmata di burro o di margarina,
bagnatelo di vino, unitevi i funghi e proseguite la cottura, aggiungendo di tanto in tanto un poco di latte. Quando il coniglio è pronto,
cospargetelo d'aglio e di prezzemolo tritati, mescolate bene, lasciatelo
insaporire qualche minuto, quindi disponetelo con tutto l'intingolo
sul piatto da portata; servitelo contornato da 4 fettine di pane in cassetta, ritagliate a "triangolo", tostate nel forno o da 4 patate di media grandezza che costituiranno la vostra razione di grissini o di pane.

137. *Involtini di verza*

Calorie
per persona
300

Dosi per 4 persone:

2 GROSSE VERZE COMPLESSIVAMENTE DI KG. 1,200
GR. 600 DI POMODORI PELATI IN SCATOLA
GR. 400 DI CARNE MAGRA DI VITELLO O DI MANZO
GR. 50 DI LINGUA SALMISTRATA
1 CUCCHIAIO DI MOLLICA DI PANE
LATTE MAGRO
2 CHIARE D'UOVO
½ BICCHIERE DI VINO BIANCO
BRODO PREPARATO CON L'ESTRATTO VEGETALE
1 CIPOLLA
1 FOGLIA D'ALLORO
NOCE MOSCATA
SALE

In una teglia mettete un bicchiere di latte, mezza cipolla tritata, la carne tagliata a pezzetti, salate e cuocete lentamente. Quando il latte sarà tutto consumato e avrà lasciato sul fondo del recipiente uno strato color nocciola, versatevi il vino. Fatelo evaporare, quindi ricuperando il fondo di cottura passate la carne alla macchina insieme alla lingua e raccogliete il tutto in una terrina. Sempre mescolando unitevi le chiare dell'uovo, la noce moscata e la mollica del pane bagnata nel latte (poi ben strizzata). Scegliete le foglie sane delle verze, assottigliate qualche costa dura, lavatele, cuocetele 2 o 3 alla volta in una casseruola con abbondante acqua salata per circa un minuto. Colatele, disponetele sopra un tovagliolo perché asciughino, quindi ponete in ognuna una grossa cucchiaiata di carne e richiudetele, fermandole poi con uno stecchino. In una teglia piuttosto larga mettete i pelati passati al setaccio, il resto della cipolla tritata, l'alloro, una tazzina di latte e il sale. Cuocete a fuoco piuttosto vivo per 5 minuti, quindi aggiustatevi gli involtini (uno accanto all'altro in uno strato solo) aggiungete una tazza abbondante di brodo bollente, coprite il recipiente e cuocete lentamente per 40 minuti, rivoltando gli involtini una volta durante la cottura. Quando saranno pronti, disponeteli sul piatto da portata e serviteli insieme a qualche cucchiaiata di riso in bianco o a una fettina di polenta tostata nel forno, ricordando di non consumare durante questo pasto né pane, né grissini.

138. *Lingua guarnita*

Calorie
per persona
300

Dosi per 4 persone:

8 FETTE DI LINGUA SALMISTRATA TAGLIATE SPESSE
KG. 1 DI SPINACI
½ BICCHIERE DI VINO BIANCO
1 CUCCHIAIO DI PARMIGIANO
2 SPICCHI D'AGLIO
LATTE MAGRO
SALE

Pulite, lavate gli spinaci come di consueto, cuoceteli senz'acqua, ma con una presa di sale, quindi scolateli, strizzateli e metteteli in una teglia dove gli spicchi d'aglio schiacciati staranno sobbollendo con un bicchiere di latte. Fateli insaporire, sempre mescolando, finché il latte sarà tutto assorbito. In una teglia da tavola, unta leggermente di burro o di margarina, aggiustate nel centro, un poco accavallate, le fette di lingua, bagnatele con il vino, disponetevi tutto intorno gli spinaci che cospargerete con il parmigiano e mettete il recipiente per 5 minuti nel forno bollente. La lingua, priva di grassi, è di facile digestione e molto nutriente; gli spinaci poi, ricchi di vitamina A e C e soprattutto di ferro (che combatte l'anemia), dovrebbero in una dieta dimagrante comparire in abbondanza per integrare più razionalmente la dieta stessa.

139. Ombrina all'americana

Calorie
per persona
360

Dosi per 4 persone:

4 OMBRINE DI CIRCA GR. 250 CIASCUNA
1 CAROTA
1 CIPOLLA
2 FOGLIE DI SALVIA
1 CUCCHIAIO DI SALSA DI POMODORO
$\frac{1}{3}$ DI CUCCHIAINO DI ZAFFERANO
2 CUCCHIAI DI BRANDY
IL SUCCO DI $\frac{1}{2}$ LIMONE
LATTE MAGRO
BRODO PREPARATO CON L'ESTRATTO VEGETALE
SALE

Tritate finemente la carota e la cipolla e mettetele in una teglia con un bicchiere di latte. Lasciate sobbollire, mescolando spesso, finché il latte sarà quasi tutto assorbito, versate nel recipiente una tazza abbondante d'acqua calda nella quale avrete sciolto la salsa e lo zafferano e il sale. Fate prendere il bollore e aggiustatevi i pesci che avrete pulito e lavato come di consueto e che dovranno essere appena ricoperti di liquido. Cuocete lentamente per circa un quarto d'ora. Cinque minuti prima di togliere il recipiente dal fuoco, unite la salvia tritata e il brandy. A cottura ultimata aggiustate i pesci sul piatto da portata, ricuperate il fondo di cottura con 2 o 3 cucchiai di brodo, passatelo al setaccio, finitelo di condire con il succo di limone e versatelo sui pesci che potrete contornare con qualche patatina lessata a parte (senza buccia) nel brodo. Con il medesimo procedimento si possono cuocere naselli, sogliole, paraghi, branzini, ecc. Qualora sostituiste i due pesci con uno solo (di circa il doppio del peso), prolungate la cottura sino a 20 minuti. Se contornerete il pesce con le patate lesse, abolirete il pane o i grissini.

140. *Ombrina del pescatore*

Calorie
per persona
360

Dosi per 4 persone:

1 OMBRINA (O DENTICE O BRANZINO) DI CIRCA KG. 1,200
1 CAVOLFIORE DI CIRCA GR. 600
½ BICCHIERE DI VINO ROSSO
2 GROSSI POMODORI
1 CIPOLLA
1 CAROTA
1 GAMBO DI SEDANO
1 SPICCHIO D'AGLIO
1 FOGLIA D'ALLORO
2 CHIODI DI GAROFANO
PREZZEMOLO TRITATO
1 PEZZETTO DI CREN
1 LIMONE
SALE
PEPE IN GRANI

Suddividete il cavolfiore in cimette, spellatene bene i gambi e cuocetelo in acqua salata. Intanto in una pesciaiuola fate sobbollire per
circa mezz'ora un litro d'acqua salata alla quale avrete aggiunto la
cipolla, la carota e il sedano tagliati a pezzi, l'aglio, l'alloro, i chiodi
di garofano e qualche grano di pepe. Togliete tutte le verdure dal
brodo, unitevi il vino, il pesce che avrete pulito come di consueto
e cuocete lentamente per circa 20 minuti. Appena il cavolfiore è
pronto, scolatelo, tritatelo grossolanamente, aggiungetevi un cucchiaio
di prezzemolo, il cren grattugiato, il succo del limone e mescolatelo
bene. Quando il pesce è cotto, aggiustatelo sul piatto da portata,
guarnitelo sul dorso con mezze fettine di limone e tutto intorno
con il composto di cavolfiore che alternerete a spicchi di pomodori.
Questi ultimi possono essere sostituiti da cipolline e da funghetti
sottaceto o, se preferite, da carote in agrodolce.

141. "Omelettes" agli spinaci

Calorie
per persona
230

Dosi per 4 persone:

KG. 1 DI SPINACI
4 CHIARE D'UOVO
5 CUCCHIAI DI FARINA
LATTE MAGRO
½ CIPOLLA
4 CUCCHIAINI DI GROVIERA GRATTUGIATO
NOCE MOSCATA
SALE

Dopo aver mondato e lavato gli spinaci, cuoceteli senz'acqua, ma con una presa di sale. Appena pronti, scolateli, strizzateli, tritateli grossolanamente e metteteli a insaporire in una teglia dove la cipolla tritata finemente starà sobbollendo con un mezzo bicchiere di latte. Mescolando fate insaporire e quando tutto il liquido sarà evaporato, incorporate un cucchiaio di farina diluita in mezzo bicchiere di latte, cuocete ancora per qualche minuto e cioè finché il composto sarà ben denso; finite di condire con la noce moscata e togliete il recipiente dal fuoco. In una fondina mettete un cucchiaio di farina, un cucchiaino di groviera e due cucchiai di latte; incorporate una chiara, un pizzico di sale, sbattete leggermente e seguendo le istruzioni per le "OMELETTES" AI CARCIOFI (*vedi* ricetta n. 243) preparate una frittatina alla volta. Suddividetevi sopra (lungo il diametro) il composto di spinaci, ripiegate le frittatine su se stesse, disponetele in una teglia unta di burro o di margarina, bagnatele con 2-3 cucchiaiate di latte, cospargetele con la paprica e mettete il recipiente per qualche minuto nel forno già caldo. Servite le "omelettes" con un sugo di pomodoro che raccoglierete in una salsiera.

142. "Omelettes" ai funghi

Calorie
per persona
135

Dosi per 4 persone:

GR. 50 DI FUNGHI SECCHI
4 CHIARE D'UOVO
4 CUCCHIAINI DI PARMIGIANO
4 CUCCHIAI DI FARINA + 1 CUCCHIAINO
LATTE MAGRO
1 CIPOLLA TRITATA
BRODO PREPARATO CON L'ESTRATTO VEGETALE
1 FOGLIA D'ALLORO
1 CUCCHIAIO DI PREZZEMOLO TRITATO
SALE

Dopo aver lasciato i funghi a bagno nell'acqua tiepida per circa due ore, scolateli, tritateli grossolanamente, raccoglieteli in una casseruola, aggiungetevi la cipolla, una tazza di brodo, l'alloro, il sale, e cuoceteli lentamente per 40 minuti. Quando i funghi sono cotti, fate evaporare tutto il liquido, unitevi un cucchiaino di farina diluita in 4 o 5 cucchiai di latte, cuocete ancora per qualche minuto, mescolando finché il composto si sarà addensato e prima di togliere il recipiente dal fuoco, aggiungete il prezzemolo. In una fondina mettete un cucchiaio di farina, un cucchiaino di parmigiano, diluite con 2 cucchiai di latte, unite una chiara sbattuta leggermente, un pizzico di sale e seguendo le istruzioni per le "OMELETTES" AI CARCIOFI (*vedi* ricetta n. 243), preparate una frittatina. Ripetete l'operazione per le altre tre chiare e quando le frittatine sono pronte, ponete nel centro di ognuna (lungo il diametro) il composto di funghi. Ripiegatele su se stesse, disponetele in una teglia, bagnatele con qualche cucchiaiata di latte e mettete il recipiente per qualche minuto nel forno già caldo. I funghi secchi possono essere sostituiti da gr. 200 di funghi francesi che, tagliati a fettine sottili, farete insaporire nella cipolla tritata che avrà sobbollito per qualche minuto con un bicchiere di vino bianco, quindi proseguite la cottura come per quelli secchi. Se poi volete rendere le "omelettes" più sostanziose, potete unire al composto di funghi gr. 150 di mozzarella tagliata a dadini, senza per questo rendere la pietanza ingrassante.

143. *Orata al forno*

Calorie
per persona
340

Dosi per 4 persone:

4 ORATE DI CIRCA GR. 250 CIASCUNA
4 POMODORI
½ BICCHIERE DI VINO BIANCO
1 PICCOLA CIPOLLA
2 SPICCHI D'AGLIO
BRODO PREPARATO CON L'ESTRATTO VEGETALE
½ LIMONE
1 CUCCHIAIO DI PREZZEMOLO TRITATO
4 FETTINE DI PANE IN CASSETTA
SALE

In una casseruola dal bordo non troppo alto riunite i pomodori spellati, privati dei semi e tritati, la cipolla e l'aglio tritati, il vino, una tazza di brodo e il sale. Lasciate sobbollire qualche minuto, poi disponete nel recipiente le orate (alternando la coda con la testa) che dovranno essere ricoperte di liquido, quindi se occorre aggiungete ancora del brodo caldo. Mettete il recipiente nel forno e cuocete a fuoco moderato per circa 20 minuti. A cottura ultimata il sugo dovrà essersi ridotto della metà. Prima di togliere il pesce dalla casseruola, finitelo di condire con il succo del limone e il prezzemolo tritato. Aggiustatelo sul piatto da portata, versatevi sopra il sugo di cottura. Contornatelo con le fettine di pane in cassetta, ritagliate a triangolini, che avrete tostato nel forno. Anziché servire le orate in un piatto da portata, suddividetele in 4 piatti da tavola; si presenteranno meglio perché vi sarà più facile contornarle con il pane tostato che potrete alternare con 3 o 4 funghetti sottaceto. Le fettine di pane (debbono essere comprese nella vostra dose giornaliera di pane o di grissini) in questo caso avranno il ruolo di contorno.

144. *Peperoni ripieni alla slava*

Calorie
per persona
260

Dosi per 4 persone:

8 GROSSI PEPERONI (CIRCA KG. 1,500)
GR. 400 DI CARNE MAGRA DI VITELLO O DI MANZO
GR. 450 DI POMODORI PELATI IN SCATOLA
2 CHIARE D'UOVO
½ CUCCHIAINO D'ESTRATTO VEGETALE
4 ZWIEBACH
LATTE MAGRO
YOGURT MAGRO (FACOLTATIVO)
1 CIPOLLA
1 FOGLIA D'ALLORO
1 SPICCHIO D'AGLIO
PREZZEMOLO
PAPRICA UNGHERESE DOLCE
ROSMARINO
MAGGIORANA
SALE

Prendete dei grossi peperoni carnosi di forma piuttosto regolare e tutti della medesima grandezza. Lavateli, asportate la calotta superiore (dalla parte del picciuolo) scartando tutti i semi senza rompere i peperoni. Suddividete nell'interno dei peperoni un trito di rosmarino e di maggiorana fresca o di timo. In una terrina riunite la carne, la cipolla, il prezzemolo e l'aglio tritati, gli Zwiebach che, ben pestati, avrete fatto bollire nel latte (formando una specie di besciamella), la paprica, le chiare d'uovo, il sale e mescolate finché gli ingredienti saranno amalgamati. Riempite con l'impasto i peperoni che aggiusterete diritti, uno accanto all'altro, in una casseruola dal bordo piuttosto alto: unitevi l'alloro, i pomodori passati al setaccio, il cui sugo li deve ricoprire fino a due terzi, quindi se occorre diluite con acqua. Salate, aggiungete l'estratto, qualche cucchiaiata di latte, chiudete il recipiente e cuocete a fuoco basso per circa 40 minuti, aumentando il calore alla fine della cottura per fare evaporare il liquido eccedente. Scartate l'alloro e mettete su ogni peperone una grossa cucchiaiata di yogurt. Servite nella teglia di cottura. Essendo questa pietanza adatta ad essere consumata durante la stagione calda, approfittatene per abolire il primo piatto e concludere il pasto con frutta fresca.

145. *Pesce persico alla menta*

Calorie
per persona
220

Dosi per 4 persone:

12 FILETTI DI PESCE PERSICO (CIRCA GR. 800)
GR. 50 DI MENTA FRESCA
1 BICCHIERE ABBONDANTE D'ACETO
1 CIPOLLA
1 CAROTA
1 CIUFFETTO DI PREZZEMOLO
1 CHIODO DI GAROFANO
SALVIA
ALLORO
TIMO
1 CUCCHIAINO DI ZUCCHERO
1 FETTINA DI LIMONE
SALE

In una casseruola riunite la carota e la cipolla tagliate a pezzi, il prezzemolo, il chiodo di garofano, la salvia, il timo e l'aceto; fate sobbollire per circa 10 minuti, quindi togliete il recipiente dal fuoco. Lessate i filetti in poca acqua salata alla quale avrete aggiunto la fettina di limone e l'alloro. Intanto in una piccola casseruola raccogliete la menta tritata, versatevi sopra l'aceto passato al colino, condite con il sale e con lo zucchero, fate prendere il calore mescolando bene e versate il composto nella salsiera. Appena i filetti sono pronti, scolateli, disponeteli sul piatto da portata, precedentemente riscaldato, e serviteli con la salsa fredda. Potete contornare il pesce con 4 patate lesse caldissime, cosparse di prezzemolo e di capperi tritati. Se preferite versate sopra i filetti la salsa ben calda e servite quando questa sarà completamente raffreddata.

146. *Petti di tacchino ai funghi*

Calorie
per persona
310

Dosi per 4 persone:

2 PETTI DI TACCHINO (CIRCA GR. 600)
GR. 50 DI MOZZARELLA
GR. 25 DI FUNGHI SECCHI
LATTE MAGRO
BRODO PREPARATO CON L'ESTRATTO VEGETALE
1 CIPOLLA
1 CUCCHIAINO DI PREZZEMOLO TRITATO
PANE GRATTUGIATO
NOCE MOSCATA
SALE

Dopo aver fatto rinvenire i funghi per circa 2 ore nell'acqua tiepida, scolateli, riuniteli in una casseruola, aggiungetevi 3 o 4 cucchiai di latte, la cipolla tritata finemente, circa una tazza di brodo, il sale e cuoceteli lentamente per 40 minuti; prima di toglierli dal fuoco, unitevi il prezzemolo tritato. Prendete i petti di tacchino, batteteli, soffriggeteli in una padella unta di burro o di margarina a calore moderato, facendoli colorire leggermente; conditeli con il sale, contornateli con i funghi già pronti, bagnate il tutto con un bicchiere di latte e cuocete nel forno per 10 minuti. A questo punto ricoprite con la mozzarella tagliata a fettine, bagnate ancora con un poco di latte, cospargete con il pane grattugiato, con la noce moscata e lasciate la teglia ancora nel forno finché si sarà formata una leggera crostina dorata.

147. *Pollo alla cacciatora*

Calorie
per persona
600

Dosi per 4 persone:

1 POLLO DI CIRCA KG. 1,250
GR. 500 DI POMODORI PELATI IN SCATOLA
GR. 200 DI CAROTE
GR. 200 DI PISELLI IN SCATOLA
½ BICCHIERE DI VINO BIANCO
1 CUCCHIAIO DI CIPOLLA TRITATA
1 SPICCHIO D'AGLIO
1 MAZZETTO DI AROMI (SALVIA, ALLORO, ROSMARINO)
1 CUCCHIAIO DI PREZZEMOLO TRITATO
BRODO PREPARATO CON L'ESTRATTO VEGETALE
LATTE MAGRO
SALE

Pulite e lavate il pollo come di consueto, tagliatelo a pezzi, mettete questi in una casseruola unta d'olio a fuoco molto basso. Tenete il recipiente coperto in modo che più facilmente il pollo possa emettere tutto il suo grasso che aiuterà a colorirlo. A questo punto bagnate con il vino, fatelo evaporare per la metà, quindi aggiungete la cipolla e l'aglio tritati, il mazzetto degli aromi, i pomodori passati al setaccio, le carote tagliate a tocchetti, il sale e una tazza di brodo e cuocete lentamente per circa un'ora e mezzo. Dopo un'ora di cottura unite i piselli ben colati dal loro liquido e una tazza di latte e prima di togliere il recipiente dal fuoco, fate addensare il sugo di cottura, finite di condire con il prezzemolo tritato e scartate gli aromi. Accompagnate il pollo con qualche cucchiaiata di riso in bianco che avrete cotto in acqua salata alla quale avrete aggiunto una foglia di alloro e un pezzetto di cipolla, ricordando che la quantità dell'acqua deve essere tale da venire completamente assorbita a cottura ultimata del riso. S'intende che questa pietanza dev'essere considerata un "piatto unico" che farete seguire da frutta fresca.

148. *Pollo alla tedesca*

Calorie
per persona
600

Dosi per 4 persone:

1 POLLO DI CIRCA KG. 1,250
6 BELLE MELE RANETTE (CIRCA KG. 1)
1 GROSSA CIPOLLA
2 SPICCHI D'AGLIO
1 CAROTA
2 GAMBI DI SEDANO
1 CHIODO DI GAROFANO
1 FOGLIA D'ALLORO
1 RAMETTO DI TIMO
BRODO PREPARATO CON L'ESTRATTO VEGETALE
½ BICCHIERE DI VINO BIANCO
1 PIZZICO DI CANNELLA
SALE

Pulite il pollo, fategli un taglio lungo il dorso, apritelo, lavatelo, asciugatelo, appoggiatelo sul tavolo di cucina e schiacciategli il petto bene con le palme delle mani. Conditelo con il sale e aggiustatelo in una teglia unta di margarina o d'olio; coprite il recipiente con un coperchio sul quale sistemerete un peso e cuocete lentamente per circa mezz'ora, rivoltando il pollo per 2 o 3 volte e facendolo colorire leggermente da tutte e due le parti. Toglietelo dalla teglia, tagliatelo in 4 pezzi e mettetelo in un piatto. Ponete nel recipiente la cipolla, il sedano, la carota e l'aglio tritati, il chiodo di garofano, il timo, l'alloro, il fegato del pollo tagliato a pezzetti. Fate insaporire un momento nel grasso emesso dal pollo, quindi bagnate con vino e una tazza di brodo, e cuocete a fuoco basso per circa 20 minuti. Passate poi tutto al setaccio, mettete il passato nel recipiente, aggiustate di nuovo in questo i pezzi di pollo e proseguite la cottura molto lentamente, unendo di tanto in tanto qualche cucchiaiata di brodo. Sbucciate le mele, tagliatele a pezzi, scartate i torsoli, in una casseruola cuocetele lentamente con pochissima acqua, passatele al setaccio, mettete di nuovo il passato sul fuoco, lasciatelo condensare e conditelo con un pizzico di cannella. Servite il pollo sul piatto da portata, ricopritelo con la salsa di cottura e contornatelo con il puré di mele che darà al pollo un sapore assai gradevole.

149. *Pollo alla tahitiana*

Calorie
per persona
610

Dosi per 4 persone:

1 POLLO DI CIRCA KG. 1,250
½ BICCHIERE DI VINO BIANCO
1 BICCHIERE DI LATTE MAGRO
BRODO PREPARATO CON ESTRATTO VEGETALE
2 CUCCHIAINI DI CURRY
2 CUCCHIAI DI SUCCO D'ANANAS
4 FETTE D'ANANAS SCIROPPATE
1 CUCCHIAINO DI MAIZENA
1 MAZZETTO DI AROMI (SALVIA, ALLORO, ROSMARINO)
SALE E PEPE

Pulite, lavate ed asciugate il pollo come di consueto, ponete nel suo interno il sale, il pepe, il mazzetto degli aromi, quindi aggiustatelo in una casseruola unta leggermente d'olio, mettetelo nel forno e appena comincia a prendere il colore, bagnatelo con il vino piuttosto dolce e quando questo è evaporato, cospargetelo di sale e portatelo a cottura, aggiungendo di tanto in tanto qualche cucchiaiata di brodo. Appena è cotto, aggiustatelo a pezzi sul piatto da portata, tenetelo al caldo, quindi unite al fondo di cottura il curry, il succo e le fette d'ananas tagliate a pezzetti e il latte nel quale avrete stemperato la maizena. Cuocete qualche minuto a fuoco basso, quindi versate la salsa sul pollo che servirete subito contornato da qualche patatina lessa. Con il medesimo procedimento potete preparare coniglio, vitello, ecc. Perché possiate regolare la vostra alimentazione della giornata vi ricordiamo che la dose dell'ananas e dello sciroppo in questa ricetta fornisce circa 75 calorie per persona.

150. *Pollo alle olive*

Calorie
per persona
520

Dosi per 4 persone:

1 POLLO DI CIRCA KG. 1,250
GR. 80 DI OLIVE VERDI
1 GROSSA CIPOLLA
1 SPICCHIO D'AGLIO
1 CUCCHIAIO DI PREZZEMOLO TRITATO
BRODO PREPARATO CON L'ESTRATTO VEGETALE
½ BICCHIERE DI VINO BIANCO
2 O 3 CUCCHIAI DI SUCCO DI LIMONE
1 PIZZICO DI ZAFFERANO
SALE

In una casseruola unta di burro o di margarina riunite la cipolla tagliata a fettine sottili, l'aglio e il prezzemolo tritati. Disponetevi sopra il pollo che, pulito e lavato come di consueto, avrete tagliato in 4 pezzi. Salatelo (chiudete il recipiente), fatelo rosolare leggermente, quindi ricopritelo con il brodo nel quale avrete sciolto lo zafferano e mettetelo a cuocere nel forno a fuoco basso per circa un'ora. Quando il pollo è cotto, toglietelo dal recipiente e disponetelo sopra un piatto che terrete al caldo. Unite al brodo di cottura, che non dovrà essere più di una tazza, il vino, le olive snocciolate e il succo del limone. Mettete di nuovo i pezzi di pollo nella casseruola e lasciate insaporire lentamente per qualche minuto. Servite sul piatto da portata e contornate il pollo con carote lesse o con qualche cucchiaiata di riso in bianco. Farete seguire questa pietanza considerata "piatto unico" solamente da frutta fresca.

151. *Pollo marinato*

Calorie
per persona
500

Dosi per 4 persone:

1 POLLO DI CIRCA KG. 1,250
VINO BIANCO (CIRCA 1 BICCHIERE)
1 CIPOLLA
1 SPICCHIO D'AGLIO
1 FOGLIA D'ALLORO
1 RAMETTO DI ROSMARINO
3 CHIODI DI GAROFANO
SALE E PEPE

Dopo aver pulito, lavato ed asciugato il pollo come di consueto, tagliatelo a metà nel senso della lunghezza, mettetelo in una terrina, versatevi sopra il vino che dovrà ricoprirlo, aggiungetevi la cipolla tagliata a fettine, l'aglio schiacciato, l'alloro, il rosmarino, i chiodi di garofano e un pizzico di pepe. Fate marinare per circa 3 ore, quindi scolate bene il pollo, asciugatelo, aggiustatelo in una teglia spalmata di burro o di margarina, cospargetelo di sale e ponetelo nel forno a fuoco basso in modo che possa emettere completamente il suo grasso con il quale si cuocerà; appena avrà preso un bel colore dorato, bagnatelo con il vino della marinata che avrete fatto sobbollire per 5 minuti con gli aromi, passando poi tutto al setaccio. Servitelo con verdura cotta o contornato da patate lesse, ma in questo caso abolirete il primo piatto.

152. *Polpettine di baccalà*

Calorie
per persona
260

Dosi per 4 persone:

GR. 800 DI POMODORI
GR. 700 DI BACCALÀ BAGNATO
2 CUCCHIAI DI MOLLICA DI PANE
BAGNATA NEL LATTE MAGRO
1 CUCCHIAIO DI PREZZEMOLO TRITATO
BUCCIA GRATTUGIATA DI ½ LIMONE
1 CUCCHIAIO DI FARINA
2 CHIARE D'UOVO
1 GROSSA CIPOLLA
1 CAROTA
1 GAMBO DI SEDANO
1 FETTINA DI LIMONE
1 FOGLIA D'ALLORO
½ CUCCHIAINO D'ESTRATTO VEGETALE
1 PRESA DI ZUCCHERO
SALE

In una teglia riunite i pomodori spellati, privati dei semi e tritati, ½ cipolla tritata, l'estratto vegetale, il sale, lo zucchero, l'alloro e cuocete lentamente. Intanto mettete il baccalà in una casseruola con l'acqua fredda alla quale avrete aggiunto la fettina di limone, il resto della cipolla, la carota e il sedano; cuocete a fuoco lento per 10 minuti a partire dal momento dell'ebollizione, quindi scolate molto bene il baccalà, spinatelo, scartate la pelle, tritatelo finemente e raccoglietelo in una terrina. Aggiungetevi la mollica del pane bagnata nel latte, le chiare d'uovo, la farina, la buccia grattugiata del limone, il prezzemolo tritato. Mescolate il composto, fatene delle polpettine e via via che sono pronte aggiustatele una accanto all'altra nella teglia dove sta sobbollendo il sugo. Fatele insaporire lentamente e toglietele dal fuoco quando il sugo sarà quasi tutto assorbito. Servite nella teglia di cottura. Il baccalà per le ragioni che abbiamo già esposto è un piatto che dovrebbe comparire spesso nella dieta dimagrante.

153. *Polpettone bollito*

Calorie
per persona
230

Dosi per 4 persone:

GR. 600 DI CARNE MAGRA DI VITELLO
GR. 50 DI LINGUA SALMISTRATA
2 CUCCHIAI DI MOLLICA DI PANE
3 CHIARE D'UOVO
LATTE MAGRO
1 CUCCHIAINO D'ESTRATTO VEGETALE
1 PICCOLA CIPOLLA INTERA
1 CUCCHIAIO DI CIPOLLA TRITATA
1 GAMBO DI SEDANO
1 CAROTA
1 FOGLIA D'ALLORO
NOCE MOSCATA
SALE

In una casseruola larga e bassa mettete la cipolla, la carota, il sedano la foglia d'alloro e riempite il recipiente per due terzi d'acqua salata. Fate bollire lentamente per circa 20 minuti e intanto preparate il polpettone. Tritate la carne e la lingua passandole 2 volte alla macchina, raccogliete il tutto in una terrina, unitevi la cipolla tritata finemente, il sale, la noce moscata, le chiare d'uovo e la mollica del pane che avrete fatto cuocere nel latte, ricavandone una specie di besciamella piuttosto soda; mescolate energicamente con un cucchiaio di legno finché gli ingredienti saranno amalgamati. Togliete gli aromi dall'acqua, aggiungete l'estratto, quindi, con le mani bagnate, ricavate dall'impasto un polpettone ben compatto e dalla superficie levigata che metterete a bollire nel brodo. Cuocetelo a fuoco basso (per non farlo rompere) e dopo circa 40 minuti togliete il recipiente dal fornello e dopo 10 minuti colate bene il polpettone dal brodo con un mestolo forato e lasciatelo raffreddare completamente. Tagliatelo a fette non troppo sottili e servitelo tiepido, bagnando le fette con brodo bollente, oppure freddo con un buon sugo di pomodoro. Adoperate il brodo per una zuppa di verdura o per una minestra di riso alle quali aggiungerete gli aromi già cotti passati al setaccio.

154. Rane in stufato

Calorie
per persona
270

Dosi per 4 persone:

KG. 1,500 DI RANE
1 CIPOLLA
1 DECILITRO DI VINO BIANCO
1 CUCCHIAIO DI FARINA
LATTE MAGRO
1 FOGLIA D'ALLORO
1 CUCCHIAINO DI PREZZEMOLO TRITATO
SUCCO DI LIMONE
BRODO
SALE

Fate sobbollire in una teglia la cipolla tritata e l'alloro con un bicchiere di latte finché questo sarà quasi tutto evaporato. Aggiungete le rane spellate, lavate ed asciugate, salatele, lasciatele insaporire, quindi cospargetele con la farina e bagnatele con il vino che verserete poco alla volta, sempre mescolando. Quando il vino sarà evaporato, ricopritele di latte e finitele di cuocere lentamente. Appena pronte, disponetele sul piatto da portata che terrete al caldo, ricuperate il fondo di cottura con brodo bollente, passatelo al setaccio, unitevi il succo del limone, il prezzemolo tritato e versate la salsetta sopra le rane che servirete subito contornate da patatine lesse. La carne delle rane, di sapore delicato, è magra, tenera e di facile digestione.

155. Scaloppine alla caprese

Calorie
per persona
220

Dosi per 4 persone:

CIRCA GR. 600 DI FILETTO DI VITELLO
GR. 100 DI MOZZARELLA (FRESCA O AFFUMICATA)
2 GROSSI POMODORI MATURI, DI POLPA SODA
(CIRCA GR. 300)
BASILICO
ORIGANO
SALE

Dopo aver scartato tutto il grasso ricavate dal filetto 8-12 scaloppine tutte della medesima grandezza, spianatele, conservando loro una forma regolare e in una padella, spalmata di burro o di margarina, fatele colorire leggermente da tutte e due le parti, spolverizzatele di sale, quindi aggiustatele, una accanto all'altra, in una teglia da tavola sempre spalmata di burro o di margarina. Disponete su ogni scaloppina una fogliolina di basilico, una fettina di pomodoro, su questo una fetta di mozzarella e ancora una fettina di pomodoro; cospargete di sale e d'origano e mettete il recipiente nel forno ben caldo finché la mozzarella comincia a sciogliersi. Servite subito. Fate seguire le scaloppine da verdure cotte: la frutta fresca completerà il vostro menù. Le fettine di pomodoro possono essere sostituite da sugo di pomodoro che spalmerete sulla carne e sulla mozzarella.

156. *Scaloppine all'ungherese*

Calorie
per persona
225

Dosi per 4 persone:

CIRCA GR. 600 DI CARNE MAGRA DI VITELLO
2 GROSSE CIPOLLE
2 CUCCHIAI DI BRANDY
2 CUCCHIAINI DI MAIZENA
BRODO PREPARATO CON L'ESTRATTO VEGETALE
LATTE MAGRO
1/2 CUCCHIAINO DI PAPRICA UNGHERESE DOLCE
1 CUCCHIAIO DI SUCCO DI LIMONE
1 CUCCHIAINO DI PREZZEMOLO TRITATO
1 FOGLIA D'ALLORO
SALE

Tagliate le cipolle a fettine, raccoglietele in una casseruola insieme all'alloro, ricopritele di latte, cuocetele a calore moderato e quando si schiacceranno facilmente sotto la pressione della forchetta, fate evaporare tutto il liquido e scartate l'alloro. Bagnatele poi con il brandy, quindi incorporate la maizena sciolta in una tazza di brodo. Cuocete per 2 o 3 minuti e prima di togliere il recipiente dal fornello, regolate la densità del composto che deve risultare come una crema molto fluida. Finite di condire con la paprica, con il prezzemolo, con il succo del limone e mettete il tutto in caldo a bagnomaria fuori dal fuoco. Tagliate la carne a fettine, battetele bene e, poche alla volta, fatele colorire da tutte e due le parti in una padella che spalmerete, quando occorre, con una noce di burro o di margarina messa dentro un pezzetto di tela bianca che passerete velocemente sul fondo del recipiente. Via via che sono pronte, disponetele in una teglia da portata che vada al fuoco, cospargetele leggermente di sale, ricopritele con l'intingolo e mettetele 5 minuti nel forno a fuoco moderato. Potete accompagnarle con 4 patate di media grandezza (circa gr. 200), che avrete lessato con tutta la buccia.

157. Scaloppine al marsala

Calorie
per persona
190

Dosi per 4 persone:

CIRCA GR. 600 DI POLPA DI VITELLO
FARINA
BRODO PREPARATO CON L'ESTRATTO VEGETALE
4 CUCCHIAI DI MARSALA
1 CUCCHIAIO DI PREZZEMOLO TRITATO
SALE

Tagliate la carne a fettine non troppo grandi, battetele bene e cuocetele 3 o 4 alla volta a fuoco moderato in una padella spalmata di burro o di margarina, facendole colorire leggermente da entrambe le parti, come per le SCALOPPINE ALL'UNGHERESE (*vedi* ricetta n. 156). Conditele con il sale e via via che sono cotte aggiustatele in una teglia che terrete al caldo. Quando sono tutte pronte, versate nella padella una tazza di brodo nel quale avrete sciolto 2 cucchiaini di farina, mescolate con un cucchiaio di legno, e, appena il composto comincia ad addensarsi, unitevi il marsala e versate il tutto sulla carne. Spolverizzate di prezzemolo, mettete il recipiente un minuto sul fuoco e servite subito. Secondo il vostro gusto potete sostituire il marsala con il vino bianco, ma in questo caso è meglio cospargere la carne con un pizzico di origano anziché con il prezzemolo. Accompagnate il piatto con cipolle lesse tritate grossolanamente che aggiusterete tutto intorno alle scaloppine.

158. *Scampi alla basca*

Calorie
per persona
520

Dosi per 4 persone:

GR. 800 DI SCAMPI
GR. 400 DI PESCE MINUTO ASSORTITO
GR. 800 DI POMODORI
8 CUCCHIAI DI VINO BIANCO
1 PEPERONE ROSSO DOLCE
1 PICCOLA CIPOLLA
1 SPICCHIO D'AGLIO
1 GAMBO DI SEDANO
1 RAMETTO DI TIMO
1 CUCCHIAIO DI PREZZEMOLO TRITATO
1 CUCCHIAINO D'ESTRATTO VEGETALE
SALE, PAPRICA

Lavate gli scampi sotto l'acqua corrente, poi asciugateli, sgusciateli, raccoglieteli in una terrina, unitevi il timo, un pizzico di paprica e il vino. Mescolate bene, coprite il recipiente e lasciate riposare in fresco per circa un'ora. Intanto pulite e lavate il pesce minuto, fatelo bollire per 10 minuti in poca acqua nella quale avrete sciolto l'estratto, poi passate tutto al setaccio compreso il brodo di cottura e mettete da parte. Spellate i pomodori, privateli dei semi, tagliateli a pezzi, riuniteli in una casseruola, aggiungetevi la cipolla, l'aglio, il sedano e il peperone tritati finemente; salate e lasciate sobbollire per circa mezz'ora e, poiché il sugo deve avere la densità di una crema, fate evaporare, se occorre, il liquido eccedente. Incorporatevi il passato di pesce e quando il composto comincia a bollire, unitevi gli scampi con tutta la marinata; cuocete molto lentamente per un quarto d'ora e, prima di togliere il recipiente dal fuoco, aggiungete il prezzemolo tritato. A vostro piacere potete accompagnare il piatto con 250 grammi di riso: in questo caso il pasto potrà concludersi con la frutta fresca.

159. *Seppie con piselli*

Calorie
per persona
270

Dosi per 4 persone:

KG. 1 DI SEPPIE
KG. 1 DI PISELLI FRESCHI (O GR. 450 SURGELATI)
1 PICCOLA CIPOLLA
1 SPICCHIO D'AGLIO
1 CUCCHIAIO DI PREZZEMOLO TRITATO
½ PEPERONCINO PICCANTE
½ BICCHIERE DI VINO BIANCO
BRODO
SALE

Prendete delle seppie di media grandezza, pulitele bene, lavatele in abbondante acqua corrente, scolatele e tagliatele a listerelle. Mettete al fuoco una teglia spalmata d'olio con l'aglio schiacciato e con il peperoncino tritato; lasciate soffriggere un momento, quindi unite le seppie, lasciatele insaporire lentamente, conditele con poco sale e appena avranno abbassato la schiuma che fanno al principio di cottura, aggiungete il vino e finitele di cuocere, bagnandole, quando occorre, con del brodo bollente. In un altro recipiente riunite la cipolla tagliata a fettine, i piselli, mezza tazza di brodo e pochissimo sale; cuocete a fuoco moderato per circa 20 minuti, fate evaporare il liquido eccedente e versate i piselli nel recipiente delle seppie appena queste sono pronte. Lasciate insaporire per qualche minuto e finite di condire con il prezzemolo tritato. Con questa pietanza piuttosto nutriente, potete abolire il primo piatto e concludere il pasto con abbondante frutta fresca.

160. "Soufflé" di lingua

Calorie
per persona
370

Dosi per 4 persone:

GR. 350 DI LINGUA SALMISTRATA
GR. 75 DI MOLLICA DI PANE
LATTE MAGRO
1 CUCCHIAIO DI CIPOLLA TRITATA
6 CHIARE D'UOVO
NOCE MOSCATA

In una casseruola mettete la mollica, versatevi sopra il latte tiepido e, mescolando, cuocete a fuoco basso finché otterrete una specie di besciamella omogenea e molto densa. La dose del latte è approssimativa, quindi se il composto fosse troppo sodo, aggiungetene ancora un poco, in caso contrario aumentate la quantità della mollica o aggiungete del pane grattugiato. Unitevi la lingua e la cipolla finemente tritate, la noce moscata e infine le chiare montate a neve. Versate il tutto in un recipiente di pirofila spalmato di burro o di margarina dal bordo piuttosto alto e mettetelo nel forno già caldo per circa mezz'ora senza aprire il forno durante i primi 15 minuti di cottura. Appena il "soufflé" è pronto, servitelo subito da solo o accompagnato da un sugo di pomodoro. Poiché il sale, come abbiamo già detto, va diminuito al massimo nella dieta dimagrante, può essere tolto del tutto in questa preparazione, senza pregiudicarne il sapore, poiché la lingua è molto saporita.

161. *Spuma di salmone all'orientale*

Calorie
per persona
300

Dosi per 4 persone:

CIRCA GR. 500 DI SALMONE IN SCATOLA
GR. 400 DI PATATE
1 CUCCHIAIO DI CIPOLLA TRITATA
1 CUCCHIAINO DI SENAPE
SALE

Per la salsa:
1 DECILITRO DI LATTE MAGRO
2 CUCCHIAI DI KETCHUP
2 CUCCHIAI DI PREZZEMOLO TRITATO
1 CUCCHIAINO DI CAPPERI TRITATI
IL SUCCO DI UN LIMONE

Prendete il salmone in scatola "al naturale", scolatelo bene, scartate le spine e la pelle, tritatelo, passatelo al setaccio e raccoglietelo in una terrina. Cuocete le patate in acqua leggermente salata, facendo attenzione che non si rompano durante la cottura e appena sono pronte, scolatele, spellatele, passatele allo schiacciapatate, unitele al salmone mescolando bene, quindi incorporate la senape, la cipolla tritata finemente e un pizzico di sale. Spalmate d'olio uno stampo liscio, rettangolare, versatevi l'impasto, comprimendolo con un cucchiaio affinché aderisca bene alle pareti del recipiente e mettete in ghiaccio per 2 ore. Intanto preparate la salsa: in una salsiera riunite il prezzemolo e i capperi tritati, mescolando aggiungete il Ketchup e il latte. Al momento di servire, quando la spuma è già sul piatto di portata, finite di condire la salsa con il succo di limone. Ricordate che a parità di peso le patate sono meno ingrassanti del pane, delle fette biscottate e dei grissini.

162. *Timballo di carne e riso*

Calorie
per persona
405

Dosi per 4 persone:

GR. 200 DI RISO

GR. 450 DI CARNE MAGRA DI VITELLO O DI MANZO

GR. 400 DI POMODORI PELATI IN SCATOLA

1 MAZZETTO DI AROMI (SALVIA, ALLORO, ROSMARINO)

½ BICCHIERE DI VINO BIANCO

GR. 50 DI MOZZARELLA

LATTE MAGRO

GR. 20 DI FARINA

PANE GRATTUGIATO

1 CIPOLLA

1 GAMBO DI SEDANO

1 CAROTA

1 CUCCHIAIO DI PARMIGIANO

1 PIZZICO DI ZAFFERANO

NOCE MOSCATA

SALE

In una casseruola riunite i pomodori passati al setaccio, la cipolla, il sedano e la carota tritati, gli aromi, l'estratto, il sale. Fate prendere il bollore, quindi unitevi la carne tritata (passata due volte alla macchina), il vino e proseguite la cottura molto lentamente per circa un'ora e prima di togliere il recipiente dal fuoco, fate evaporare il liquido in modo che il ragù rimanga ben asciutto. Preparate la besciamella: in una casseruola stemperate la farina con il latte freddo (circa ½ litro), condite con un pizzico di sale, con la noce moscata e cuocete mescolando finché otterrete un composto omogeneo e molto fluido che terrete poi al caldo fuori dal fuoco. Versate il riso in una casseruola contenente tanta acqua salata, bollente, quanta occorre perché a cottura ultimata sia tutta assorbita (il riso rimane più nutriente e più saporito) unitevi lo zafferano e, appena il riso è al dente, conditelo con la besciamella e con il parmigiano, versatene la metà in uno stampo unto di burro o di margarina e spolverizzato di pane grattugiato; fate sulla sua superficie una specie d'incavatura nella quale aggiusterete il ragù e la mozzarella tagliata a dadini. Ricoprite con il resto del riso, bagnate con qualche cucchiaiata di latte, spolverizzate di pane grattugiato e mettete a cuocere nel forno finché la superficie del timballo avrà preso un bel colore dorato. Lasciatelo raffreddare qualche minuto, quindi sformatelo e servite questo piatto unico accompagnato da verdura cotta: la frutta fresca completerà il vostro menù.

163. *Tortino di bianchetti*

Calorie
per persona
250

Dosi per 4 persone:

GR. 800 DI BIANCHETTI
4 CHIARE D'UOVO
2 CUCCHIAI DI FARINA
LATTE MAGRO
2 SPICCHI D'AGLIO
1 CUCCHIAIO COLMO DI PREZZEMOLO TRITATO
SUCCO DI LIMONE
SALE

Liberate i bianchetti dai pezzetti d'alga o di medusa che si trovino eventualmente frammisti, lavateli affinché perdano tutta la terra e scolateli bene. In una terrina mettete la farina, mescolando aggiungetevi tanto latte quanto occorre per ottenere una pastella di giusta densità, incorporate il prezzemolo e l'aglio tritati, le chiare delle uova sbattute leggermente e infine i bianchetti. Condite con il sale e con qualche goccia di limone. Versate il tutto in una teglia spalmata d'olio e mettete il recipiente nel forno finché il tortino si sarà rassodato e la superficie avrà preso un leggero colore dorato. Servitelo accompagnato da cetriolini e cipolline sottaceto o da un buon sugo di pomodoro. Se possibile, consumate il tortino a cena seguito da frutta fresca.

164. Vitello alla russa

Dosi per 4 persone:

CIRCA GR. 800 DI CARNE MAGRA DI VITELLO (MAGATELLO)
GR. 800 DI PEPERONI GIALLI E ROSSI (NON PICCANTI)
1 GROSSA CIPOLLA
2 SPICCHI D'AGLIO
1 CAROTA
1 GAMBO DI SEDANO
4 POMODORI
1 PRESA DI PAPRICA UNGHERESE DOLCE
1 CUCCHIAINO DI CAPPERI
1 CUCCHIAINO DI PREZZEMOLO TRITATO
SALE

Legate la carne come un comune arrosto, mettetela in circa 2 litri d'acqua bollente salata alla quale avrete aggiunto la cipolla, l'aglio, la carota, il gambo di sedano e cuocetela lentamente per quasi un'ora e mezza. Intanto lavate, asciugate i pomodori e i peperoni, scartate a quest'ultimi il picciuolo e i semi e raccogliete il tutto in una terrina. Appena la carne è pronta (togliete il recipiente dal fuoco) lasciatela raffreddare lentamente nel brodo poi slegatela, tagliatela a fettine sottili che aggiusterete leggermente accavallate in un piatto ovale da portata. Nel brodo di cottura (che non dovrà superare il ½ litro) aggiungete i pomodori e i peperoni, fate sobbollire per circa 20 minuti, quindi passate tutto al setaccio, mettete di nuovo il passato sul fuoco, fatelo condensare finché avrà la densità di una crema, quindi unitevi la paprica, il prezzemolo tritato, i capperi e versate il composto sopra le fettine che farete riposare per circa un'ora prima di servirle. Potete aggiungere al composto, prima di versarlo sulla carne, qualche cucchiaiata di yogurt o di latte magro acido, ma in questo caso è bene scartare i capperi.

165. *Zucchine ripiene di carne*

Calorie
per persona
235

Dosi per 4 persone:

GR. 800 DI ZUCCHINE NON TROPPO PICCOLE
KG 1 DI POMODORI MATURI
GR. 400 DI CARNE DI VITELLO MAGRA
2 CUCCHIAI DI MOLLICA DI PANE
LATTE MAGRO
BRODO PREPARATO CON L'ESTRATTO VEGETALE
2 CHIARE D'UOVO
1 MAZZETTO D'AROMI (SALVIA, ALLORO, ROSMARINO)
1 CUCCHIAIO DI PREZZEMOLO E DI BASILICO TRITATI
1 CIPOLLA
1 GAMBO DI SEDANO
1 CAROTA
NOCE MOSCATA
SALE

In una casseruola riunite i pomodori spellati, privati dei semi e tagliati a pezzi, la cipolla, il sedano e la carota tritati finemente, il mazzetto degli aromi, qualche cucchiaiata di latte e il sale. Cuocete lentamente per 10 minuti poi unitevi la carne, lasciatela sobbollire per 20 minuti, quindi togliete il recipiente dal fuoco, scolate la carne dal sugo con un mestolo forato, tritatela finemente e raccoglietela in una terrina. Aggiungetevi la mollica del pane bagnata nel latte (poi ben strizzata), la noce moscata, un pizzico di sale e infine le chiare sbattute leggermente. Prendete le zucchine, tagliatele nel senso della larghezza a pezzi lunghi circa 8 cm., svuotatele delicatamente con l'apposito utensile quindi, aiutandovi con un cucchiaino, riempitele con l'impasto al quale aggiungerete qualche cucchiaiata di pane grattugiato qualora fosse troppo molle. Mettete di nuovo sul fuoco il sugo travasandolo in una teglia, disponetevi le zucchine una accanto all'altra e aggiungete tanto brodo quanto occorre per ricoprirle di liquido. Cuocetele a fuoco moderato per circa 45 minuti e, quando saranno pronte, il sugo dovrà essere ben condensato. Scartate gli aromi, finite di condire con il prezzemolo e il basilico tritati e a vostro piacere potete unire una cucchiaiata di capperi. Servite nel recipiente di cottura.

VERDURE

166. *Belghe e funghi al vino*

Calorie
per persona
140

Dosi per 4 persone:

8-12 BELGHE
GR. 25 DI FUNGHI SECCHI
1 BICCHIERE DI VINO BIANCO
GR. 50 DI MOZZARELLA
½ CIPOLLA
LATTE
BRODO
1 CUCCHIAINO DI PREZZEMOLO TRITATO
SALE

Togliete le prime foglie e una parte del torsolo alle belghe, sbollentatele in acqua salata, scolatele e asciugatele, distendendole sopra un tovagliolo. Ungete di burro o di margarina una teglia e a fuoco basso fatevi rosolare le belghe; bagnatele con la metà del vino e quando questo è evaporato, portatele lentamente a cottura, aggiungendovi, quando occorre, un poco di brodo bollente. Intanto in una casseruola riunite i funghi tenuti prima a bagno nell'acqua tiepida per circa due ore, la cipolla tritata, una tazza di brodo, qualche cucchiaiata di latte, il sale, e cuocete a calore moderato per circa 40 minuti; prima di toglierle dal fuoco, finite di condire con il prezzemolo tritato e con il resto del vino. Appena le belghe sono pronte, aggiungetevi i funghi, fate insaporire il tutto a fuoco basso, cospargete con la mozzarella tagliata a dadini, coprite il recipiente e lasciate sciogliere lentamente il formaggio. I funghi possono essere sostituiti da gr. 250 di piselli freschi (già sgusciati) o surgelati o in scatola, il cui sapore bene si unisce, in un delicato contrasto, a quello delle belghe.

167. Bietole alla piacentina

Calorie
per persona
165

Dosi per 4 persone:

KG. 1,500 DI BIETOLE
1 GROSSA CIPOLLA
2 CUCCHIAI DI PARMIGIANO
1 CUCCHIAIO DI SALSA DI POMODORO
BRODO PREPARATO CON ESTRATTO VEGETALE
LATTE MAGRO
NOCE MOSCATA
SALE

Mondate le bietole, separate il verde dai gambi e tagliate questi a pezzi lunghi circa 3 o 4 cm. Lessate le bietole in acqua salata e appena pronte, scolatele, lasciatele raffreddare e strizzatele con le mani. In una teglia fate cuocere la cipolla tagliata a fettine sottili con una tazza di brodo nel quale avrete stemperato la salsa e quando la cipolla sarà cotta e il brodo tutto consumato, aggiungete le bietole, un bicchiere di latte e la noce moscata; lasciate sobbollire per circa 10 minuti. Mescolate bene poi cospargete con il parmigiano. Questo contorno può essere trasformato in zuppa: a cottura ultimata, tritate finemente le bietole, unitevi la quantità di brodo necessaria per 4 porzioni, fate prendere il bollore, aggiungete il parmigiano e versate la zuppa nelle fondine dove avrete messo dei quadratini di pane in cassetta tostati nel forno. S'intende che la quantità del pane messa nella zuppa va detratta dalla dose giornaliera.

168. *Carciofi all'aretina*

Calorie
per persona
190

Dosi per 4 persone:

GR. 100 DI RESTI DI CARNE LESSA O ARROSTITA
8-12 CARCIOFI
GR. 25 DI FUNGHI SECCHI
1 CUCCHIAIO DI PANE GRATTUGIATO
½ BICCHIERE DI VINO BIANCO
1 CHIARA D'UOVO
1 PICCOLA CIPOLLA
1 SPICCHIO D'AGLIO
1 CUCCHIAIO DI PREZZEMOLO TRITATO
BRODO PREPARATO CON ESTRATTO VEGETALE
SALE

Dopo aver tenuto i funghi a bagno in acqua tiepida per circa un'ora, togliete loro tutte le parti dure, tritateli insieme all'aglio, metteteli in una casseruola, unitevi una tazza di brodo, il sale, e cuoceteli per 30 minuti. Intanto scartate ai carciofi tutte le foglie dure, asportate la parte superiore, il gambo e un po' di foglie del centro. Tritate finemente la parte asportata, la carne e la cipolla; riunite il tutto in una terrina, aggiungetevi il pane grattugiato, i funghi e la chiara, mescolando bene. Con l'impasto riempite i carciofi, aggiustateli in una casseruola, diritti, uno accanto all'altro, bagnateli con il vino, unitevi tanto brodo quanto occorre per ricoprirli sino a due terzi, spolverizzateli con il prezzemolo tritato e cuoceteli con il recipiente coperto, molto lentamente, per circa 40 minuti. Prima di toglierli dal fuoco fate evaporare il liquido eccedente e serviteli caldi o freddi come contorno o come primo piatto.

169. *Cavolfiore al pomodoro*

Calorie
per persona
125

Dosi per 4 persone:

1 BEL CAVOLFIORE DI CIRCA GR. 800
GR. 80 DI CRESCENZA
2 POMODORI
1 CUCCHIAIO DI CAPPERI
ORIGANO
SALE E PEPE

Mondate il cavolfiore come di consueto, tagliatelo a pezzi possibilmente tutti della medesima grandezza, lavatelo, cuocetelo nell'acqua salata, ma senza oltrepassare la cottura altrimenti prende un cattivo sapore; scolatelo, quindi, al dente, raccoglietelo in una teglia spalmata di burro (o margarina) e fatelo insaporire qualche minuto. Conditelo con il pepe, aggiungetevi i capperi, lisciatene bene la superficie e cospargetelo con la crescenza tagliata a fettine sottili. Su questa disponete i pomodori tagliati a fette con l'apposito coltellino dalla lama seghettata, spolverizzate d'origano e mettete la teglia nel forno finché la crescenza comincia a sciogliersi; servite il cavolfiore come primo piatto o come contorno. Potete sostituire i pomodori con sugo di pomodoro o con peperoni in scatola arrostiti o al naturale che taglierete a listerelle.

Cavolfiore al pomodoro
(ricetta n. 169)

170. *Erbette alla ligure*

Calorie
per persona
120

Dosi per 4 persone:

KG. 1,500 DI ERBETTE (PICCOLE BIETOLE)
GR. 450 DI POMODORI PELATI IN SCATOLA
4 CETRIOLINI SOTTACETO
2 SPICCHI D'AGLIO
ORIGANO O MAGGIORANA
SALE

Mondate le erbette, lavatele in acqua corrente, scolatele, lessatele, mettendole in una pentola con poca acqua. Salatele e appena cotte, scolatele e strizzatele. In una teglia leggermente unta di burro o di margarina a fuoco molto basso mettete gli spicchi d'aglio schiacciati e con un cucchiaio di legno comprimeteli finché saranno completamente dissolti; aggiungete i pomodori passati al setaccio e le erbette. Fate sobbollire per circa 20 minuti, mescolando spesso, quindi cospargete con i cetriolini che taglierete a fettine sottilissime; spolverizzate d'origano e lasciate cuocere finché il sugo si sarà completamente condensato. Servite caldo nella teglia di cottura. Potete sostituire i cetriolini con due filetti di acciuga e le erbette con gli spinaci o con le bietole di cui eliminerete le coste che, lessate a parte in acqua salata, condirete poi con succo di limone, aglio e prezzemolo tritati e Worcestershire.

171. *Fagiolini alla meringa*

Calorie
per persona
150

Dosi per 4 persone:

GR. 800 DI FAGIOLINI
GR. 50 DI MOZZARELLA
2 CHIARE D'UOVO
LATTE MAGRO
2 SPICCHI D'AGLIO
2 CUCCHIAINI DI PARMIGIANO
1 CUCCHIAIO DI BASILICO TRITATO
4 FETTINE DI PANE IN CASSETTA
SALE

Mondate i fagiolini e togliete bene i filamenti, ricordando che sono freschi quando si spezzano appena curvati e che rimangono verdi se fatti bollire nell'acqua salata con il recipiente scoperchiato. Lessateli in acqua bollente salata, scolateli, insaporiteli in una casseruola insieme all'aglio tritato e a qualche cucchiaiata di latte, quindi toglieteli dal fuoco. Ungete di burro o di margarina una teglia, fatevi uno strato con le fettine di pane inzuppate di latte alle quali avrete scartato la crosta, disponetevi sopra la mozzarella tagliata a dadini, ricoprite con i fagiolini e su tutto versate le chiare sbattute alle quali avrete aggiunto basilico, formaggio e una presa di sale. Mettete nel forno già caldo finché le chiare avranno preso un leggero colore dorato. La quantità del pane adoperata per questa preparazione sarà compresa nella dose giornaliera.

172. Coste alla francese

Calorie
per persona
185

Dosi per 4 persone:

KG. 2 DI BIETOLE
GR. 150 DI FUNGHI FRANCESI
½ BICCHIERE DI VINO BIANCO
1 TAZZA DI BRODO
LATTE
1 CIPOLLA
1 CUCCHIAIO DI PREZZEMOLO TRITATO
SUCCO DI LIMONE
SALE

Scartate il verde alle foglie delle bietole, mettetelo da parte e utilizzatelo per qualche altra preparazione. Sfilate le coste, tagliatele a pezzetti lunghi 5 o 6 cm., lavatele bene, quindi lessatele in acqua leggermente salata (le coste sono già saporite) e toglietele dal fuoco quando potrete bucarle facilmente con una forchetta. Intanto pulite i funghi come di consueto, tagliateli a fettine, raccoglieteli in una casseruola, unitevi la cipolla tritata, il sale, il vino e quando questo è evaporato, bagnate con qualche cucchiaiata di latte, con il brodo e cuocete per circa 30 minuti. Appena le coste sono pronte, scolatele, versatele in una teglia unta di burro o di margarina, lasciatele asciugare bene, unitevi i funghi ormai già cotti, fate insaporire per 10 minuti e prima di togliere il recipiente dal fuoco finite di condire con il prezzemolo tritato e con una spruzzata di succo di limone. Se volete dare a questo delicato piatto un aspetto più elegante, a cottura ultimata disponetevi sopra 4 piccoli medaglioni di lingua salmistrata, su ciascuno dei quali metterete un rapanello tagliato a fiore.

173. *Pasticcio di cipolle*

Calorie
per persona
370

Dosi per 4 persone:

KG. 1,500 DI CIPOLLE
KG. 1 DI PISELLI
GR. 50 DI MOZZARELLA
2 CUCCHIAI DI MADERA O DI MARSALA
BRODO
LATTE MAGRO
SALE

Sbucciate le cipolle e dopo averle tenute a bagno nell'acqua per circa mezz'ora, tagliatele a fettine sottili, lasciandone da parte una intera; raccoglietele in una casseruola unta d'olio e a fuoco molto basso mescolate continuamente con un mestolo di legno finché avranno preso un leggero colore dorato. Bagnatele con il madera, conditele con il sale, coprite il recipiente e proseguite la cottura, unendovi, quando occorre, un poco di brodo. Intanto in un'altra casseruola riunite i piselli, la cipolla rimasta tritata finemente, una tazza di brodo, qualche cucchiaiata di latte, il sale e cuocete a fuoco basso per circa un'ora, se i piselli sono freschi o per 20 minuti se sono surgelati. A cottura ultimata sia dei piselli sia delle cipolle, disponete queste ultime nel centro di una teglia leggermente unta di burro o di margarina, tutto intorno aggiustatevi i piselli che guarnirete con la mozzarella tagliata a dadini e mettete 5 minuti nel forno finché questa comincia a sciogliersi e servite nella teglia di cottura.

174. *Peperoni appetitosi*

Calorie
per persona
90

Dosi per 4 persone:

6 PEPERONI
GR. 800 DI POMODORI
6 FILETTI D'ACCIUGA
AGLIO
1 MANCIATA DI BASILICO
ORIGANO
PANE GRATTUGIATO
SALE

Prendete dei grossi peperoni gialli, lavateli, asciugateli, tagliateli a metà nel senso della lunghezza, scartate i semi e disponeteli con la parte convessa in basso, uno accanto all'altro, in una grande teglia possibilmente rettangolare, spalmata d'olio. In una terrina riunite i pomodori, spellati, privati dei semi e tagliati a pezzetti, aggiungetevi il sale, il basilico tritato e mescolate bene. Ponete in ogni mezzo peperone mezzo spicchio d'aglio tagliato a fettine sottili, mezzo filetto d'acciuga e ricoprire con i pomodori. Cospargete di pane grattugiato al quale avrete mescolato l'origano e mettete nel forno ben caldo per circa 40 minuti. Servite i peperoni tiepidi o freddi, come contorno a qualsiasi genere di carne o di pesce lessi o arrostiti o come antipasto.

175. *Piselli guarniti*

Calorie
per persona
390

Dosi per 4 persone:

KG. 1,500 DI PISELLI FRESCHI (O GR. 600 SURGELATI)
2 POMODORI MATURI
1 VASETTO DI YOGURT MAGRO
1 CIPOLLA
PREZZEMOLO TRITATO
LATTE MAGRO
BRODO
SALE

In una casseruola unta di burro o di margarina raccogliete la cipolla tagliata a fettine e, sempre mescolando con un cucchiaio di legno, fatela colorire leggermente. Unitevi i piselli, una tazza di brodo, qualche cucchiaiata di latte, il sale e cuocete lentamente per circa 40 minuti. Quando i piselli sono pronti, lasciate evaporare il liquido eccedente, ricopriteli con fettine di pomodori, mettete il recipiente nel forno finché i pomodori si saranno leggermente appassiti, lasciate quindi intiepidire o raffreddare, versatevi sopra lo yogurt e cospargete di prezzemolo tritato. È un piatto appetitoso che potrete servire come antipasto accompagnandolo con fettine di pane tostate nel forno o come contorno a carne fredda: lo yogurt, leggermente acidulo, conferisce al piatto un gradevole delicato sapore.

176. Stufato di patate, carciofi e funghi

Calorie
per persona
205

Dosi per 4 persone:

GR. 300 DI PATATE NOVELLE

GR. 200 DI FUNGHI FRANCESI

8 CARCIOFI

2 SPICCHI D'AGLIO

1 TAZZA DI LATTE MAGRO

BRODO PREPARATO CON L'ESTRATTO VEGETALE

1 BICCHIERE DI VINO BIANCO

1 CUCCHIAINO DI PREZZEMOLO TRITATO

TIMO O MAGGIORANA

SUCCO DI LIMONE

SALE

Prendete delle patate di media grandezza e dopo averle sbucciate dividetele a metà; scartate tutte le foglie dure ai carciofi, tagliateli a spicchi, lasciateli a bagno nell'acqua e succo di limone per circa 10 minuti, quindi pulite, lavate come di consueto i funghi, taglia- teli a fettine e immergeteli in acqua acidulata. In una casseruola mettete insieme al latte l'aglio schiacciato, comprimetelo con un cuc- chiaio di legno e quando sarà completamente dissolto unitevi le patate, i carciofi e i funghi. Lasciate insaporire, condite con il sale e il timo, bagnate con il vino, coprite il recipiente e cuocete a fuoco moderato, aggiungendo quando occorre del brodo caldo. A cottura ultimata, cospargete con il prezzemolo tritato. Potete servire questo saporito piatto come contorno o come piatto di mezzo se vi unirete, verso la fine della cottura, resti di carne lessa o arrostita, tagliata a pezzetti.

177. Tortino di carote e funghi

Calorie
per persona
260

Dosi per 4 persone:

KG. 1 DI CAROTE
GR. 80 DI FONTINA GRATTUGIATA
GR. 50 DI FUNGHI SECCHI
1 PICCOLA CIPOLLA
2 CUCCHIAI DI PREZZEMOLO TRITATO
BRODO PREPARATO CON L'ESTRATTO VEGETALE
LATTE MAGRO
1 CHIARA D'UOVO
NOCE MOSCATA
PAPRICA
1 FOGLIA D'ALLORO
PANE GRATTUGIATO
SALE

In una casseruola piena per metà d'acqua salata mettete le carote
che cuocerete senza farle rompere. Intanto scolate i funghi che avrete
lasciato a bagno nell'acqua tiepida per circa 2 ore, raccoglieteli in
una casseruola, unitevi la cipolla tritata, l'alloro, 1 tazza di brodo,
qualche cucchiaiata di latte e il sale; cuocete lentamente per 40 minuti e prima di togliere il recipiente dal fuoco scartate l'alloro e unite
un cucchiaio di prezzemolo tritato. A cottura ultimata, scolate le carote, lasciatele raffreddare, quindi tagliatele a fettine. In una teglia
spalmata di burro o di margarina fate uno strato sottile con la terza
parte delle carote, cospargete di fontina e spolverizzate leggermente
di noce moscata; sopra il formaggio mettete la metà dei funghi,
bagnate con qualche cucchiaiata di latte e disponetevi sopra la metà
delle carote restanti. Condite con la fontina, con la noce moscata
e con il resto dei funghi; bagnate con il latte e infine fate un
ultimo strato di carote che aromatizzerete di paprica. Ricoprite con
la chiara d'uovo sbattuta (non a neve) alla quale avrete aggiunto
un pizzico di sale e un cucchiaio di prezzemolo tritato. Spolverizzate
con il pane grattugiato e mettete nel forno a gratinare. Lasciate riposare il tortino per alcuni minuti prima di servirlo come primo piatto
o come contorno a carne in umido.

178. Verza alla salsa

Calorie
per persona
120

Dosi per 4 persone:

2 VERZE (COMPLESSIVAMENTE DI CIRCA KG. 1)
LATTE MAGRO
BRODO PREPARATO CON L'ESTRATTO VEGETALE
3 O 4 BACCHE DI GINEPRO
2 CHIODI DI GAROFANO
1 FOGLIA D'ALLORO
1 CUCCHIAIO DI PANE GRATTUGIATO
2 CIPOLLE
2 CUCCHIAI DI RUBRA
SALE E PEPE

Togliete le foglie esterne più dure alle verze, scartate i torsoli e cuocetele intere per 5 minuti nell'acqua bollente salata. Scolatele bene,
trinciatele, mettetele in una casseruola, unitevi la cipolla tritata finemente, le bacche di ginepro, i chiodi di garofano, l'alloro e il pepe;
ricopritele di latte e cuocetele lentamente, aggiungendo, quando occorre, un poco di brodo bollente. A cottura ultimata fate attenzione
che le verze non siano troppo asciutte, quindi disponetene la metà in
una teglia da tavola che possa andare al fuoco, leggermente unta di
margarina o d'olio di semi, bagnate con la Rubra diluita in una tazza
di latte e ricoprite con il resto delle verze. Bagnate ancora di Rubra
e latte, spolverizzate di pane grattugiato e mettete il recipiente nel
forno ben caldo finché la superficie delle verze avrà preso un leggero
colore dorato. Servite nella teglia di cottura e, a vostro piacere, guarnite con qualche fettina di pomodoro.

DOLCI

179. *Arance Margherita*

Calorie
per persona
175

Dosi per 4 persone:

4-8 ARANCE POSSIBILMENTE SENZA SEMI
1 ANANAS FRESCO
SUCCO DI 4 ARANCE
4 CUCCHIAINI DI ZUCCHERO
4 CUCCHIAI DI CURAÇAO

Sbucciate le arance, asportandone tutta la pellicola bianca e tagliate altrettante fette d'ananas fresco spesse circa un centimetro e mezzo. In una casseruola riunite il succo dell'ananas, quello di 3 arance, il liquore e lo zucchero. Quando questo è sciolto, aggiustate nel recipiente le arance che dovranno essere ricoperte di liquido almeno per due terzi, lasciatele sobbollire per circa dieci minuti, quindi scolatele bene e mettetele a raffreddare. Disponete le fette d'ananas nello sciroppo rimasto e fate bollire lentamente finché si sarà consumato. In un piatto da portata aggiustate le fette d'ananas con sopra le arance, servendo il tutto freddo. Potete accompagnare con una salsetta preparata con un cucchiaio di gelatina d'arancia diluita con qualche cucchiaiata d'acqua tiepida e con altrettanto curaçao. Qualora non aveste a disposizione l'ananas fresco, sostituitelo con quello sciroppato di cui userete lo sciroppo, abolendo completamente lo zucchero.

180. *Bavarese alle fragole*

Calorie
per persona
200

Dosi per 4 persone:

GR. 500 DI FRAGOLINE DI BOSCO
GR. 50 DI ZUCCHERO SEMOLATO
½ LITRO DI LATTE MAGRO
GR. 50 DI FARINA
½ CUCCHIAIO DI ZUCCHERO A VELO
2 CHIARE MONTATE A NEVE
CURAÇAO
1 BUSTINA DI VANIGLIA
VINO BIANCO
SUCCO DI MEZZO LIMONE O D'ARANCIA
6 FOGLI DI COLLA DI PESCE

Dopo aver lavato le fragole con il vino, scolatele, lasciatene da parte 2 o 3 cucchiaiate, passate il resto al setaccio (di crine) e raccoglietelo in una terrina, unendovi il succo del limone. In una casseruola ponete la farina, stemperatela con il latte freddo, aggiungetevi lo zucchero semolato, la vaniglia e cuocete lentamente finché otterrete un composto omogeneo e, qualora si fossero formati dei grumi, passatelo al setaccio, quindi incorporatevi il passato di fragole e la colla di pesce che avrete tenuto 10 minuti a bagno nell'acqua fredda poi ben strizzata e infine sciolta a bagnomaria con una cucchiaiata di latte. Passate ancora tutto al setaccio, aromatizzate con un bicchierino di liquore, aggiungete delicatamente le chiare montate a neve insieme allo zucchero a velo e versate il tutto in un recipiente da « Savarin » (forato nel centro), bagnato di liquore che metterete in ghiaccio per circa 4 ore. Prima di servire avvolgete il recipiente con un tovagliolo bagnato d'acqua ben calda, asciugatelo e capovolgetelo sul piatto da portata. Riunite nel centro le fragole lasciate da parte che avrete bagnato di liquore e tenuto in fresco.

Arance Margherita
(ricetta n. 179)

181. *Budino di tapioca*

Calorie
per persona
265

Dosi per 4 persone:

GR. 120 DI TAPIOCA
1 LITRO DI LATTE MAGRO
GR. 50 DI ZUCCHERO
5 CHIARE D'UOVO
BUCCIA DI 1 ARANCIA

In una casseruola mettete il latte e quando questo sta per bollire unitevi la tapioca che cuocerete per 5 minuti, sempre mescolando. Fuori dal fuoco, aggiungetevi gr. 40 di zucchero, la buccia grattugiata dell'arancia e lasciate raffreddare. Intanto mettete in uno stampo il resto dello zucchero, fatelo fondere a fuoco basso mescolando con un cucchiaio di legno e appena avrà preso un bel colore dorato scuro, girate lo stampo in tutti i sensi in modo che lo zucchero aderisca bene alle pareti e lasciate raffreddare. Incorporate le chiare montate a neve al composto, versatelo nello stampo, cuocetelo a bagnomaria nel forno ben caldo per circa un'ora e cioè finché il budino si è rassodato. Toglietelo dal fuoco, fatelo riposare qualche minuto, quindi sformatelo sul piatto da portata e accompagnatelo con una salsa tiepida che otterrete diluendo 4 cucchiai di marmellata d'albicocche con altrettanta acqua calda o con altrettanto liquore.

182. *Canapè di pere*

Calorie
per persona
240

Dosi per 4 persone:

6 BELLE PERE GROSSE (CIRCA KG. 1)
GR. 50 DI ZUCCHERO
2 CUCCHIAI DI MARSALA
2 CUCCHIAI DI TRIPLE-SEC
LATTE MAGRO
1 CUCCHIAIO DI PISTACCHI
½ BACCELLO DI VANIGLIA
PANE IN CASSETTA

Sbucciate le pere lasciandole intere, aggiustatele in una casseruola una accanto all'altra (coricate) in uno strato solo. Aggiungetevi lo zucchero, la vaniglia, il marsala e tanta acqua quanta occorre per ricoprirle. Cuocetele per circa 20 minuti, togliete il recipiente dal fuoco, lasciate raffreddare le pere nello sciroppo di cottura, quindi mettete il tutto in ghiaccio per circa un'ora. Prendete il pane in cassetta, con un coltello dalla lama seghettata ricavatene una fetta (alta circa 2 cm.) nel senso della lunghezza, e dopo aver scartato la crosta, disponetela su di un piatto da portata rettangolare, bagnatela con il liquore al quale avrete aggiunto altrettanto latte e mettetevi sopra le pere che, tagliate a metà a partire dal picciuolo, aggiusterete con la parte convessa in alto. Versate su tutto lo sciroppo di cottura (scartate la vaniglia) e cospargete con i pistacchi spellati e tritati non troppo finemente. Mettete in ghiaccio sino al momento di servire. Potete sostituire le pere con le pesche gialle e la frutta fresca con quella sciroppata. Rapido da farsi questo semplicissimo dessert potrà essere durante la stagione calda la gradita conclusione della cena, iniziata con una fettina di carne ai ferri o con 2 o 3 fettine di lingua. Prima della preparazione del dolce pesate la fetta di pane per detrarne la medesima quantità dalla vostra dose giornaliera.

183. "Charlotte" di mele

Calorie
per persona
430

Dosi per 4 persone:

KG. 1,500 DI MELE
GR. 100 DI BISCOTTI SECCHI AL LATTE
GR. 50 DI ZUCCHERO
GR. 30 DI UVETTA SULTANINA
1 CUCCHIAIO DI MAIZENA
3 DECILITRI DI VINO BIANCO
½ CUCCHIAINO DI CANNELLA
1 CHIODO DI GAROFANO
SUCCO DI LIMONE

In una casseruola raccogliete le mele sbucciate, private dei torsoli e tagliate a fettine, aggiungetevi qualche goccia di succo di limone, la cannella, il chiodo di garofano, la metà dello zucchero e la terza parte del vino. A fuoco basso cuocete le mele finché si saranno disfatte; unitevi la maizena e l'uvetta già fatta rinvenire nell'acqua tiepida e poi scolata e ben asciugata, lasciate sobbollire ancora finché il composto sarà ben condensato, quindi togliete il recipiente dal fuoco e fate raffreddare. Con un tondo e con un rettangolo di carta oleata, spalmati da tutte e due le parti di burro o di margarina, foderate rispettivamente il fondo e il bordo di uno stampo liscio. Mettete il resto del vino e dello zucchero in una fondina, immergetevi rapidamente i biscotti, uno alla volta, che disporrete sopra la carta oleata. Versatevi le mele e ricoprite con uno strato di biscotti. Ponete in ghiaccio per qualche ora e al momento di servire sformate sul piatto da portata e togliete la carta. Potete guarnire con frutta fresca.

184. Coppe "Ninette"

Calorie
per persona
365

Dosi per 4 persone:

2 GROSSE PESCHE GIALLE
GR. 30 DI ZUCCHERO
2 PORZIONI DI GELATO DI LIMONE
4 BISCOTTI SECCHI
4 o 5 CUCCHIAI DI TRIPLE-SEC
2 CUCCHAI DI GELATINA DI FRAGOLE O DI LAMPONI
1 PEZZETTO DI VANIGLIA
2 CUCCHIAIATE DI COCCO GRATTUGIATO

Immergete le pesche un momento nell'acqua bollente, spellatele, dividetele a metà e snocciolatele. Disponetele in una casseruola abbastanza grande da contenerle, una accanto all'altra, in uno strato solo. Unitevi lo zucchero, la vaniglia, tanta acqua quanta basta per ricoprirle e cuocetele a fuoco piuttosto vivo per un quarto d'ora. Lasciatele raffreddare nel recipiente di cottura poi scolatele bene dal loro sciroppo e mettetele in ghiaccio per circa un'ora. Spezzettate i biscotti, suddivideteli nelle coppe, bagnateli con il liquore e lasciateli riposare per 10 minuti finché avranno assorbito tutto il liquore. Intanto prendete il gelato che avrete tenuto sino all'ultimo momento nella parte più fredda del frigorifero e, usando l'apposito dosatore, ricavatene 4 palle che suddividerete nelle coppe. Aggiustatevi sopra le mezze pesche con la parte convessa in alto. Sciogliete la gelatina nello sciroppo rimasto (scartate la vaniglia) e versate il tutto sopra le pesche che finirete di guarnire, cospargendole con il cocco grattugiato. Potete sostituire il gelato di limone con quello di lamponi, ma in questo caso anziché le pesche mettete le pere il cui gusto meglio si unisce a quello dei lamponi.

185. *Coppe Rosetta*

Calorie
per persona
235

Dosi per 4 persone:

KG. 1 DI CILIEGIE NERE BEN MATURE
1 CUCCHIAIO DI ZUCCHERO SEMOLATO
1 CUCCHIAIO DI ZUCCHERO A VELO
GR. 80 DI BISCOTTI SECCHI
4 CHIARE D'UOVO
1/2 BICCHIERE DI VINO BIANCO O DI MARSALA
1/2 BUSTINA DI VANIGLIA
1 PIZZICO DI CANNELLA

Lavate le ciliegie, snocciolatele, con l'apposito utensile, mettetele in una casseruola, aggiungetevi lo zucchero, il vino e tanta acqua quanta occorre per ricoprirle. Appena sono cotte toglietele dal liquido di cottura che lascerete ancora sul fuoco a condensare e passatele al setaccio. Raccogliete il composto in una terrina, unitevi i biscotti pestati finemente, la cannella, la vaniglia e infine le chiare montate molto bene a neve alle quali avrete incorporato lo zucchero a velo passato prima al setaccio e suddividete il composto nelle coppe che metterete in ghiaccio per circa un'ora. Prima di servire versate in ognuna un poco dello sciroppo di cottura e guarnite con qualche ciliegia (cotta) che avrete lasciato da parte. Potete sostituire le ciliegie con le albicocche o con le fragoline di bosco (meno acquose dei fragoloni): quest'ultime però vanno passate al setaccio senza essere cotte, unendovi poi il resto degli ingredienti.

186. *Crema di lamponi*

Calorie
per persona
120

Dosi per 4 persone:

GR. 400 DI LAMPONI
2 CUCCHIAI DI ZUCCHERO A VELO
1 CUCCHIAINO DI CACAO
1 CUCCHIAIO DI ZUCCHERO SEMOLATO
2 CHIARE D'UOVO
2 CUCCHIAI DI CURAÇAO

Prendete dei lamponi sani e freschissimi e qualora vi fosse impossibile trovarli, sostituiteli con i lamponi surgelati; questi di solito sono già zuccherati, quindi abolite lo zucchero. Lavate i lamponi (se sono freschi), scolateli, distendeteli sopra un tovagliolo per farli asciugare e passateli al setaccio di crine. Raccogliete il composto in una terrina, unitevi la metà dello zucchero a velo, passato prima al setaccio, il liquore e mettete il recipiente in ghiaccio per qualche ora. Trascorso questo tempo incorporate al passato le chiare montate a neve insieme al resto dello zucchero a velo, mescolate con delicatezza e suddividete la crema di lamponi in 4 coppe. In una tazza riunite il cacao con lo zucchero semolato, mescolatelo bene e con il composto cospargete la superficie della crema, passandolo attraverso un colino. Servite subito le coppe insieme a biscotti secchi. Potete sostituire il cacao con la buccia grattugiata di un'arancia mescolata ad un cucchiaino colmo di zucchero.

187. *Delizia di pesche*

Calorie
per persona
245

Dosi per 4 persone:

4 BELLE PESCHE GIALLE MATURE
2 CUCCHIAI DI ZUCCHERO SEMOLATO
CIRCA 1/4 DI LITRO DI LATTE
1 CUCCHIAIO RASO DI MAIZENA
2 CHIARE D'UOVO
1 CUCCHIAIO DI ZUCCHERO A VELO
2 CUCCHIAINI DI SCIROPPO DI LAMPONI
LA BUCCIA DI UN'ARANCIA
1/2 BUSTINA DI VANIGLIA
2 CUCCHIAI DI RUM
CANNELLA

Immergete un momento le pesche nell'acqua bollente, spellatele, tagliatele a dadini, raccoglietele in una terrina, aggiungetevi la metà dello zucchero semolato e il rum. Mescolatele bene e lasciatele riposare per circa un'ora. Trascorso questo tempo preparate la crema: in una casseruola riunite la maizena, il resto dello zucchero semolato, la buccia grattugiata dell'arancia e la vaniglia; diluite con il latte freddo e, mescolando, cuocete per 5 minuti, ottenendo una crema fluida omogenea, e qualora occorresse aggiungete un poco di latte. Toglietela dal fuoco e, ancora calda, unitela alle pesche. Fate raffreddare il composto quindi suddividetelo nelle coppe e lisciatene bene la superficie che « velerete » con un leggero strato di sciroppo di lamponi. In una fondina sbattete le chiare a neve, incorporatevi delicatamente lo zucchero a velo e un cucchiaino di cannella, quindi, con una siringa da pasticciere dalla bocchetta rotonda, strizzate il composto tutto intorno al bordo delle coppe e servite subito.

188. *Frutta in gelatina*

Calorie
per persona
290

Dosi per 4 persone:

4 PESCHE GIALLE DI MEDIA GRANDEZZA
4 PERE
2 MELE
4 GROSSE PRUGNE (REGINA CLAUDIA)
1 PICCOLO MELONE
GR. 50 DI CILIEGIE SCIROPPATE
GR. 40 DI ZUCCHERO A VELO
1 CHIARA D'UOVO
TRIPLE-SEC
8 FOGLI DI COLLA DI PESCE
IL SUCCO DI 1 LIMONE

Immergete un momento le pesche e le prugne nell'acqua bollente quindi spellatele, lasciatele raffreddare, tagliatele a dadini insieme alle pere e alle mele che avrete già sbucciato. Raccogliete la frutta in una terrina, unitevi la polpa del melone dalla quale avrete ricavato (con l'apposito scavino) tante palline, le ciliegie snocciolate, lo zucchero a velo (gr. 20) passato prima al setaccio, il succo di limone 2 bicchierini di liquore e 1 decilitro d'acqua cui avrete aggiunto un bicchierino di sciroppo delle ciliegie. Mescolate il tutto molto bene e lasciate in ghiaccio per circa mezz'ora. Trascorso questo tempo mettete la colla di pesce a bagno 10 minuti nell'acqua fredda poi strizzatela, scioglietela in una piccola casseruola a bagnomaria con 5 o 6 cucchiai d'acqua quindi incorporatela alla frutta, mescolando a lungo. Bagnate di liquore uno stampo, liscio, rotondo, versatevi la frutta, mettete il recipiente in ghiaccio per qualche ora e cioè finché il composto si sarà consolidato. Prima di servire immergete un momento lo stampo nell'acqua bollente, asciugatelo bene e capovolgetelo sul piatto da portata. Tutto intorno alla base del dolce, decorate, strizzando con l'apposita siringa da pasticciere, la chiara montata a neve alla quale avrete incorporato il resto dello zucchero a velo passato prima al setaccio.

189. *Mele meringate al riso*

Calorie
per persona
470

Dosi per 4 persone:

1 KG. DI MELE
GR. 150 DI RISO
GR. 40 DI ZUCCHERO
GR. 25 D'UVETTA SULTANINA
LATTE MAGRO
3 CHIARE D'UOVO
1 CUCCHIAIO DI ZUCCHERO A VELO
1 CUCCHIAIO DI PISTACCHI
1 BUSTINA DI VANIGLIA
BUCCIA DI LIMONE
4 CUCCHIAI DI MARSALA

Fate bollire il riso 2 o 3 minuti nell'acqua leggermente salata, quindi scolatelo e proseguite la cottura nel latte bollente (circa 1 litro) al quale avrete aggiunto la buccia del limone e la metà dello zucchero. Intanto sbucciate le mele, scartate i torsoli, tagliatele a fettine, raccoglietele in una casseruola, unitevi il resto dello zucchero, 4 cucchiai di acqua, il marsala e 4 cucchiai di latte. Coprite il recipiente e cuocete a fuoco basso finché le mele cominciano a disfarsi e il liquido si sarà tutto assorbito. Appena il riso è cotto scartate la buccia del limone e fate uno strato sul fondo di una teglia imburrata. Lisciatene bene la superficie e su questa disponete le mele alle quali avrete unito l'uvetta fatta prima rinvenire nell'acqua calda (poi ben asciugata), i pistacchi e la vaniglia. Sbattete le chiare a neve, incorporatevi delicatamente lo zucchero a velo passato prima al setaccio e con il composto ricoprite le mele. Mettete il tutto nel forno già caldo, finché le chiare avranno preso un bel colore dorato. Servite il dolce tiepido da solo o accompagnato da una salsetta che otterrete riunendo in una piccola terrina 2 cucchiai di gelatina di frutta, 6 cucchiai d'acqua e un bicchierino abbondante di triple-sec o di altro liquore.

190. "Mousse" ai lamponi

Calorie
per persona
125

Dosi per 4 persone:

GR. 400 DI LAMPONI
GR. 30 DI ZUCCHERO A VELO
3 CHIARE D'UOVO
4 CUCCHIAINI DI SCIROPPO DI LAMPONI
1 CUCCHIAIO DI ZUCCHERO SEMOLATO
2 CUCCHIAI DI LIQUORE

Prendete dei grossi lamponi, maturi ma sani, lavateli rapidamente sotto l'acqua corrente, scolateli, distendeteli sopra un tovagliolo perché possano asciugare, quindi raccoglieteli in una fondina, unitevi lo zucchero semolato, il liquore, mescolateli bene e metteteli in ghiaccio per circa mezz'ora. Sbattete le chiare a neve, incorporatevi poco alla volta lo zucchero a velo passato prima al setaccio e quando il composto sarà ben sodo, aggiungete lo sciroppo. Suddividete nelle coppe i lamponi con tutto il liquore (lasciate da parte 12 lamponi dei più grossi), ricopriteli con la "mousse" e guarnite ogni coppa con i lamponi lasciati da parte. Mettete in ghiaccio ancora per 10 minuti, quindi servite con biscotti secchi. Delicato e fresco, questo dessert può sostituire il gelato; adatto anche ai bambini per i quali scarterete il liquore, sostituendolo con il succo di mezza arancia. In mancanza di lamponi freschi, potete adoperare quelli surgelati, ricordando che questi sono già zuccherati.

191. "Mousse" al limone

Calorie
per persona
160

Dosi per 4 persone:

GR. 40 DI ZUCCHERO SEMOLATO
1 CUCCHIAIO DI ZUCCHERO A VELO
3 CHIARE D'UOVO
2 GROSSI LIMONI
GR. 40 DI MAIZENA
4 DECILITRI DI LATTE MAGRO
2 CUCCHIAI DI MARMELLATA D'ALBICOCCHE
1 CUCCHIAINO DI CURAÇAO
4 CILIEGINE CANDITE

Fate bollire per circa 10 minuti un bicchiere d'acqua con la buccia dei limoni (senza la parte bianca) tagliata a listerelle. Togliete il recipiente dal fuoco, lasciate riposare il composto per circa 2 ore, quindi passatelo al setaccio. In una casseruola mettete la maizena, stemperatela con il latte, unitevi lo zucchero semolato e cuocete finché otterrete un composto denso ed omogeneo. Fatelo intiepidire, quindi aggiungetevi il succo e il passato dei limoni e le chiare montate a neve insieme allo zucchero a velo (passato prima al setaccio). Suddividete il composto nelle coppe che metterete per 20 minuti in ghiaccio. Al momento di servire, con una siringa da pasticciere, munita di bocchetta rotonda, strizzate sulla superficie della "mousse" la marmellata alla quale avrete unito il liquore, formando una specie di gratella che guarnirete nel centro con una ciliegina candita. Potete ottenere con il medesimo procedimento una "mousse" alla arancia.

192. "Omelettes" alle fragole

Calorie
per persona
180

Dosi per 4 persone:

GR. 600 DI FRAGOLE
GR. 50 DI ZUCCHERO
4 CHIARE D'UOVO
4 CUCCHIAI DI FARINA
4 CUCCHIAI DI LATTE MAGRO
4 CUCCHIAI DI KIRSCH
½ BICCHIERE D'ACQUA
SALE

In una casseruola fate bollire l'acqua con lo zucchero (lasciatene da parte 1 cucchiaio colmo) e appena questo si è sciolto, aggiungetevi 1 cucchiaio di kirsch e le fragole che avrete lavato accuratamente e ben scolato. Lasciate bollire per circa 10 minuti e senza schiacciare le fragole fate addensare il composto, quindi toglietelo dal fuoco e tenetelo al caldo. In una fondina mettete la farina, diluitela con il latte, unitevi le chiare sbattute leggermente e un pizzico di sale. Fate riscaldare una padella poi ungetela con una noce di burro o di margarina messa dentro un pezzetto di tela bianca che passerete velocemente sul fondo e sul bordo del recipiente. Versatevi quindi press'a poco la quarta parte del composto, ricavandone una frittata rotonda appena rosolata e proseguite nella preparazione di altre tre frittate, ungendo sempre la padella prima di versarvi il composto. Suddividete le fragole sulle "omelettes" ottenute, ripiegate queste su se stesse e disponetele in una teglia leggermente unta. Cospargetele con lo zucchero lasciato da parte, bagnatele con il liquore rimasto che avrete riscaldato a bagnomaria e a cui darete fuoco e portatele a tavola fiammeggianti. Potete sostituire le fragole, oltre che con lamponi, anche con altra frutta tagliata a dadini.

193. *Pane degli angeli*

Calorie
per persona
245

Dosi per 4 persone:

6 CHIARE D'UOVO
150 GR. DI FARINA
4 CUCCHIAI DI ZUCCHERO A VELO
2 CUCCHIAI DI MIELE
1 CUCCHIAIO DI LIQUORE
1 CUCCHIAINO DI CREMORE DI TARTARO
QUALCHE GOCCIA DI SUCCO DI LIMONE
1 PIZZICO DI SALE

Passate al setaccio la farina insieme allo zucchero, raccogliete il passato in una terrina, aggiungete la metà del cremore di tartaro e mescolate bene. In un altro recipiente montate le chiare a neve con un pizzico di sale, unitevi il resto del cremore, sbattete ancora un poco, quindi incorporate il miele, il liquore, il succo del limone e infine la farina con lo zucchero. Versate il tutto in una tortiera spalmata di burro o di margarina, mettetela nel forno e cuocete da principio a fuoco basso, poi aumentate il calore e togliete il Pan degli angeli dal forno quando avrà preso un bel colore dorato. Fatelo raffreddare: consumatelo a merenda con il caffè o il tè o come rinforzo della cena dopo averlo tagliato a metà orizzontalmente, inzuppato con un poco di liquore e farcito con uno strato sottile di marmellata sul quale cospargerete un pizzico di cannella.

194. "Pudding" alle ciliegie

Calorie
per persona
240

Dosi per 4 persone:

KG. 1 DI CILIEGIE
GR. 40 DI ZUCCHERO
GR. 150 DI SEMOLINO
3/4 DI LITRO DI LATTE MAGRO
1/2 STECCA DI VANIGLIA
4 CHIARE D'UOVO

Private dei gambi le ciliegie, lavatele, snocciolatele, riunitele in una casseruola con la metà dello zucchero, ricopritele d'acqua e cuocetele per circa mezz'ora Quando sono pronte, fate evaporare tutto il liquido in modo che rimanga uno sciroppo piuttosto denso. Fate bollire il latte con la vaniglia per 5 minuti, unitevi il semolino, cuocetelo per 10 minuti, toglietelo dal fuoco, scartate la vaniglia, aggiungetevi il resto dello zucchero, i due terzi delle ciliegie ben colate dal loro sciroppo, lasciate raffreddare, quindi incorporatevi le chiare montate a neve e versate il composto in uno stampo liscio rotondo, spalmato di burro o di margarina. Cuocete a bagnomaria per circa un'ora a fuoco molto moderato finché il composto sarà divenuto sodo. Sformate il "pudding" quando sarà completamente raffreddato in un piatto da portata piuttosto grande rotondo, intorno disponetevi le ciliegie rimaste e sulla sommità versate il loro sugo di cottura. Allegro e di gusto assai delicato, questo dessert può essere anche una nutriente merenda per i bambini o un complemento "importante" di una cena per persone anziane.

195. *Tortino alle albicocche*

Calorie
per persona
400

Dosi per 4 persone:

KG. 1 DI ALBICOCCHE DOLCI E MATURE
GR. 40 DI ZUCCHERO
GR. 200 DI BISCOTTI SECCHI
4 CHIARE D'UOVO
1 BUSTINA DI VANIGLIA
½ LITRO DI LATTE MAGRO
1 CUCCHIAIO DI MARMELLATA DI LAMPONI O DI FRAGOLE
CANNELLA

In una casseruola riunite i biscotti pestati finemente, lo zucchero e la vaniglia, stemperate con il latte freddo, quindi, sempre mescolando, cuocete lentamente finché otterrete un composto cremoso e omogeneo. Toglietelo dal fuoco, aggiungetevi le albicocche che avrete ben lavato, asciugato, snocciolato e tagliato a dadini. Lasciate raffreddare, quindi incorporate le chiare montate a neve. In una teglia spalmata di burro o di margarina, versate la metà del composto, lisciatene bene la superficie, fatevi sopra un sottile strato di marmellata e ricoprite con il resto del composto. Cospargete con una cucchiaiata di biscotti pestati lasciati da parte ai quali avrete incorporato un pizzico di cannella e un cucchiaino di zucchero. Cuocete circa 20 minuti nel forno a fuoco moderato, lasciate intiepidire e servite nel recipiente di cottura. Il dolce seguito da circa ¼ di litro di latte magro potrà costituire una graditissima cena.

CONDIMENTI

196. *Condimento di melanzane*

Calorie
per persona
85

Dosi per 4 persone:

6 GROSSE MELANZANE NAPOLETANE
6 O 7 CUCCHIAI DI SUGO DI POMODORO GIÀ PRONTO
1 CUCCHIAIO DI CAPPERI
1 CUCCHIAIO DI PREZZEMOLO
1 LIMONE
AGLIO
SALE

Prendete delle belle melanzane napoletane che essendo piuttosto dolci non hanno bisogno d'essere messe sotto sale perché perdano il sapore amaro. Lavatele, asciugatele e lasciandole intere arrostitele sulla placca del forno, rivoltandole spesso, senza farle bruciacchiare. Quando sotto la pressione delle dita saranno molli, toglietele dal forno, tagliatele a metà nel senso della lunghezza e con un cucchiaio asportate loro la polpa, spruzzatela con il succo di mezzo limone e passatela al setaccio di crine, raccogliendola in una terrina. Mescolando con un cucchiaio di legno, incorporatevi i capperi e il prezzemolo tritati, il succo dell'aglio spremuto con l'apposito utensile, il sale, il resto del succo del limone e il sugo di pomodoro già cotto. L'aglio secondo il vostro gusto può essere scartato. Servite il condimento freddo o tiepido con riso, pesce e carne lessi, verdure cotte o crude o come *entrée* accompagnato da crostini di pane. Le melanzane costituiscono un alimento assai utile al nostro organismo in quanto contengono numerosi sali minerali tra i quali il ferro e il manganese, sostanze energetiche e abbondante vitamina C. Per ciò che riguarda i crostini di pane, ricordate sempre che questi vanno detratti dalla dose giornaliera (di pane, di grissini, di fette biscottate).

221

197. *Pesto al latte*

Calorie
per persona
155

Dosi per 4 persone:

3 GROSSE MANCIATE DI BASILICO
3 SPICCHI D'AGLIO
3 CUCCHIAI DI PINOLI
3 CUCCHIAI DI PARMIGIANO
LATTE MAGRO
½ CUCCHIAINO DI BUCCIA DI LIMONE GRATTUGIATA

Tritate grossolanamente il basilico e l'aglio, quindi raccoglieteli in un mortaio e pestateli insieme ai pinoli finché il tutto sarà ben amalgamato. Mettetelo in una terrina e, sempre mescolando con un cucchiaio di legno, incorporatevi il parmigiano che alternerete con tanto latte quanto occorre per ottenere un composto cremoso piuttosto fluido. Condite con il sale, con la buccia grattugiata di limone e adoperate la salsa ottenuta per condire riso, pasta, gnocchi, minestrone ecc.

198. *Salsa ai funghi*

Calorie
per persona
130

Dosi per 4 persone:

GR. 500 DI POMODORI PELATI IN SCATOLA OPPURE
GR. 800 DI POMODORI FRESCHI
GR. 50 DI FUNGHI SECCHI
½ BICCHIERE DI VINO BIANCO
LATTE MAGRO
½ CUCCHIAINO D'ESTRATTO VEGETALE
1 CIPOLLA
2 SPICCHI D'AGLIO
1 FOGLIA D'ALLORO
1 CUCCHIAINO DI PREZZEMOLO TRITATO
1 PIZZICO DI ZAFFERANO
SALE

Lasciate i funghi a bagno per circa 2 ore nell'acqua tiepida poi scolateli bene, tritateli finemente insieme alla cipolla e all'aglio e raccogliete il tutto in una casseruola; unitevi una tazzina (da caffè) di latte e cuocete a fuoco basso sempre mescolando. Quando il latte sarà tutto evaporato, aggiungete il vino, l'estratto, l'alloro e i pomodori passati al setaccio (se sono pelati) o spellati, privati dei semi e tritati (se sono freschi). Condite con il sale, lo zafferano e lasciate sobbollire per 40 minuti, facendo ben addensare la salsa. Prima di toglierla dal fuoco incorporatevi il prezzemolo o il basilico, scartando l'alloro. Con questa salsa potrete condire riso, pasta, gnocchi, ecc. ed accompagnare carne e pesce lessi.

199. *Salsa alla senape*

Calorie
per persona
40

Dosi per 4 persone:

4 CHIARE D'UOVO SODO
1 PICCOLA CIPOLLA
1 MANCIATA DI PREZZEMOLO O DI BASILICO
2-3 CUCCHIAINI DI SENAPE
1 LIMONE
ACETO
SALE

Tritate finemente le chiare d'uovo sodo, la cipolla, il prezzemolo o il basilico (meglio tutte e due), raccogliete il tutto in una salsiera, unitevi il succo del limone, la senape diluita con qualche cucchiaiata d'aceto e un pizzico di sale. Con tale salsa si può condire qualsiasi genere d'insalata o accompagnare carne lessa o arrostita. Secondo il vostro gusto potete aggiungervi un pomodoro spellato, privato dei semi e un peperone fresco o in scatola al "naturale" tritati finemente.

200. *Salsa provenzale*

Calorie
per persona
165

Dosi per 4 persone:

GR. 500 DI POMODORI PELATI IN SCATOLA
GR. 200 DI CAVOLO-VERZA
1 TAZZA DI PISELLI FRESCHI O IN SCATOLA
2 O 3 PEPERONI FRESCHI O IN SCATOLA
BRODO PREPARATO CON L'ESTRATTO VEGETALE
LATTE MAGRO
1 CIPOLLA
1 CAROTA
1 GAMBO DI SEDANO
1 FOGLIA D'ALLORO
3-4 SPICCHI D'AGLIO
1 CUCCHIAIO DI PREZZEMOLO E DI BASILICO TRITATI
2 CUCCHIAI D'ACETO
½ CUCCHIAINO DI ZUCCHERO
SALE

In una casseruola riunite i pomodori passati al setaccio, la cipolla, il sedano e la carota tritati, l'alloro, il sale, lo zucchero e qualche cucchiaiata di latte. Cuocete lentamente per circa 20 minuti, quindi unitevi il cavolo tagliato a listerelle, i piselli, e una tazza di brodo. Proseguite la cottura fino a che la verza e i piselli saranno pronti e il sugo sarà piuttosto denso. Intanto in un'altra casseruola mettete ½ bicchiere di latte, aggiungete l'aglio schiacciato e con un cucchiaio di legno comprimetelo finché sarà completamente dissolto. Unite i peperoni tagliati a fettine sottili; lasciateli cuocere per pochi minuti, salateli, bagnateli con una tazza di brodo, portateli a cottura, quindi uniteli al composto di pomodoro. Mescolate bene, finite di condire con il prezzemolo e il basilico tritati e con l'aceto. Servite questo saporito intingolo come condimento a riso, pasta, gnocchi, ecc. o come antipasto insieme a fettine di pane tostate nel forno o come contorno a carne fredda.

Per gli epatici e per gli affetti da ipercolesterolemia

Le calorie saranno normali ovvero da 2.500 a 3.500 giornaliere (aumentabili in caso di notevole attività fisica). Per gli epatici è bene limitare i cibi piccanti, gli alcolici, il caffè, le bevande ghiacciate, evitare i colpi di freddo allo stomaco e fare una siesta di almeno mezz'ora dopo i pasti principali. Per gli affetti da ipercolesterolemia (coloro cioè che hanno il tasso di colesterolo alto) è bene diminuire le dosi, date nelle ricette, dello zucchero di cui è controindicato un eccessivo consumo. Per questi ultimi, invece, abbiamo tenuto le dosi di formaggi (anche se scelti tra i più adatti) molto controllate, dosi che gli epatici possono aumentare se le prescrizioni mediche lo permettono.

ENTRÉES

201. *Medaglioni di polenta ai funghi*

Dosi per 4 persone:

GR. 400 DI FARINA GIALLA
GR. 200 DI MOZZARELLA
GR. 50 DI FUNGHI SECCHI
LATTE MAGRO
1 CUCCHIAIO DI FARINA
2 CUCCHIAI DI PARMIGIANO
1 TAZZA DI BRODO
1 CUCCHIAIO DI PREZZEMOLO TRITATO
1 CIPOLLA TRITATA
1 FOGLIA D'ALLORO
PANE GRATTUGIATO
SALE

Dopo aver tenuto a bagno i funghi per circa 2 ore nell'acqua tiepida, scolateli, tritateli grossolanamente, metteteli in una casseruola, unitevi la cipolla tritata, il brodo, l'alloro, il sale e cuocete lentamente per 40 minuti. In abbondante acqua bollente salata versate la farina gialla che farete cuocere per circa 35 minuti; appena pronta incorporatevi 1 decilitro di latte, (non deve rimanere troppo dura), versatela sul piano del tavolo di cucina, formatene uno strato alto circa 2 cm., lisciatelo bene con la lama di un coltello e fatelo raffreddare. Intanto i funghi saranno quasi pronti; unitevi la farina stemperata in ½ litro di latte, cuocete per qualche minuto a fuoco basso ottenendo un intingolo cremoso, ma molto fluido. Finitelo di condire con il parmigiano e con il prezzemolo tritato e tenetelo al caldo a bagno-maria fuori dal fuoco. Con un tagliapasta rotondo del diametro di circa 7 cm. ricavate dalla polenta tanti dischi che aggiusterete possibilmente in due strati in una grande teglia spalmata di burro o di margarina, cospargendo ogni strato con la mozzarella tagliata a fettine sottili. Mettete il recipiente nel forno e appena il formaggio comincia a sciogliersi versate sopra i medaglioni l'intingolo di funghi, cospargete leggermente di pane grattugiato e lasciate ancora nel forno per 5 minuti. Potete servire i medaglioni come "piatto unico" facendolo seguire da verdure cotte e da un dolce.

202. *Melanzane arrostite*

Dosi per 4 persone:

6 GROSSE MELANZANE
PREZZEMOLO TRITATO
SUCCO DI LIMONE
SALE

Prendete delle belle melanzane napoletane che avendo sapore dolce non hanno bisogno d'essere messe sotto sale. Lavatele, asciugatele e, senza sbucciarle, tagliatele a fette spesse circa un centimetro e disponetele una accanto all'altra sulla placca del forno spalmata d'olio. A metà cottura, quando avranno preso un bel colore dorato, rivoltatele per farle colorire anche dall'altra parte, quindi disponetele sul piatto da portata, salatele leggermente, cospargetele di prezzemolo tritato, spruzzatele con il succo di limone, coprite il piatto e lasciatele riposare qualche minuto prima di servirle. Secondo il vostro gusto potete accompagnarle con sugo di pomodoro, scartando in questo caso il prezzemolo e il succo del limone. Le melanzane possono essere sostituite dalle zucchine o dalla zucca gialla.

203. *Mele farcite*

Dosi per 4 persone:

8 MELE COTOGNE
GR. 300 DI POLLO GIÀ COTTO LESSO O ARROSTITO
GR. 150 DI MOZZARELLA
2 CUCCHIAI COLMI DI PARMIGIANO
4 CUCCHIAI COLMI DI MOLLICA DI PANE BAGNATA NEL
LATTE
1 CHIARA D'UOVO
NOCE MOSCATA
SALE

In una terrina riunite la carne tritata, la mollica del pane bagnata nel latte (poi ben strizzata), il parmigiano, la chiara dell'uovo, la noce moscata, un pizzico di sale e mescolate bene. Prendete le mele, lavatele, asciugatele, asportate loro orizzontalmente una piccola calotta nella parte superiore, poi con un coltellino, facendo attenzione di non romperle, svuotatele lasciando un involucro di circa 2 cm. di spessore. Ponete sul fondo di ognuna qualche dadino di mozzarella e riempitele con il composto di carne; ponete su questa ancora qualche dadino di formaggio, aggiustatele una accanto all'altra in una teglia spalmata di burro o di margarina e cuocetele nel forno a fuoco moderato finché saranno ben colorite. Servite nel recipiente di cottura. Per rendere questa *entrée* ancora più insolita, prima di farcire le mele, bagnatele esternamente con l'acqua e rotolatele nello zucchero: l'unione del dolce al salato dà al piatto un sapore esotico molto gradevole che merita d'essere provato. Potete sostituire le mele cotogne con quelle renette che al pari delle prime hanno sapore piuttosto acidulo, ma vanno cotte a fuoco più vivo e piuttosto rapidamente, altrimenti si disfano. Questa *entrée* può essere consumata anche come pietanza, facendola precedere da un primo piatto di pasta o di riso o di gnocchi.

204. *Tartellette alla crema*

Dosi per 4 persone:

GR. 200 DI BEL PAESE
GR. 250 DI FARINA
2 BUCANEVE
1 DECILITRO E ½ DI LATTE MAGRO
1 PATATA LESSA (GR. 50)
4 CUCCHIAI DI LIEVITO IN POLVERE
SALE

Per la besciamella:

¼ DI LITRO DI LATTE MAGRO
2 CUCCHIAI DI FARINA
1 PIZZICO DI NOCE MOSCATA

Preparate la besciamella: in una casseruola stemperate la farina con il latte freddo, salate e cuocete, mescolando finché otterrete un composto denso e omogeneo, unitevi la noce moscata e togliete il recipiente dal fuoco. In una terrina raccogliete la patata lessa, passata allo schiacciapatate, mescolando diluite con il latte tiepido quindi aggiungete il sale, i Bucaneve schiacciati e infine la farina setacciata insieme al lievito. Versate l'impasto sulla spianatoia infarinata e senza troppo lavorarlo distendetelo in uno strato piuttosto sottile; con un tagliapasta rotondo ricavatene 8 dischi (di circa 13 cm. di diametro) con i quali fodererete il fondo e il bordo di stampini imburrati, di circa 8 cm. di diametro. I dischi di pasta debbono avere un diametro di 4 o 5 cm. più grande di quello degli stampini per poterli foderare sino all'orlo. Ricoprite la pasta con il Bel Paese tagliato a dadini che suddividerete in parti uguali e ponetevi sopra uno o due cucchiai di besciamella. Fate cuocere le tartellette nel forno a fuoco moderato per circa 35 minuti e servitele calde come *entrée* seguite da una tazza di brodo magro.

Medaglioni di polenta ai funghi
(ricetta n. 201)

205. *Tortino semplice di pesce*

Dosi per 4 persone:

4 FILETTI DI SOGLIOLA
GR. 50 DI FARINA
½ LITRO DI LATTE
2 POMODORI
1 CIPOLLA
1 CAROTA
4 GAMBI DI SEDANO
1 CHIARA D'UOVO
BRODO PREPARATO CON ESTRATTO VEGETALE
PANE GRATTUGIATO
SALE

In una teglia fate sobbollire la cipolla, il sedano e la carota tritati con una tazza di brodo e, quando questo è evaporato, disponetevi i pomodori spellati, privati dei semi e tritati, gli aromi e su questi i filetti che ricoprirete appena con il brodo. Salate e lasciate cuocere a fuoco molto basso per 10 minuti, poi togliete i filetti con un mestolo forato e, ancora caldi, tritateli finemente. In una casseruola mettete il latte nel quale avrete stemperato la farina, salate e, mescolando, cuocete finché otterrete una crema omogenea. Fuori dal fuoco unitevi il fondo di cottura dei filetti che avrete fatto evaporare sino ad avere circa mezzo bicchiere di liquido e passate tutto al setaccio. Incorporate al passato i filetti tritati, la chiara sbattuta leggermente e versate tutto in una teglia spalmata d'olio. Spolverizzate di pane grattugiato e mettete nel forno a colorire. Fate intiepidire, quindi servite il tortino guarnito con fettine di pomodoro su ognuna delle quali aggiusterete un filetto d'acciuga che può essere sostituito da 2 o 3 capperi o semplicemente da un pizzico d'origano.

233

PRIMI PIATTI

206. Bucatini alla fontina

Dosi per 4 persone:

KG. 1,500 DI POMODORI FRESCHI
GR. 400 DI BUCATINI
GR. 100 DI FONTINA
GR. 30 DI PARMIGIANO
2 CUCCHIAI DI VINO BIANCO
2 SPICCHI D'AGLIO (FACOLTATIVO)
1 MAZZETTO D'AROMI (ALLORO, SALVIA, MAGGIORANA)
1 TAZZINA DI LATTE MAGRO
1 CUCCHIAINO D'ESTRATTO VEGETALE
NOCE MOSCATA
1 PIZZICO DI ZUCCHERO
SALE

Immergete i pomodori nell'acqua bollente per qualche minuto, quindi spellateli, privateli dei semi e tritateli piuttosto grossolanamente. In una casseruola unta d'olio di semi soffriggete l'aglio schiacciato e con un mestolino di legno comprimetelo finché sarà completamente dissolto. Unitevi i pomodori spellati, privati dei semi e tritati e il mazzetto degli aromi; lasciate insaporire qualche minuto, bagnate con il vino e quando questo è evaporato condite con il sale, lo zucchero, il latte e l'estratto; coprite il recipiente e cuocete a fuoco moderato per circa 40 minuti. Prima di togliere il sugo dal fuoco, accertatevi che sia piuttosto denso, quindi, se occorre, fate evaporare il liquido eccedente poi scartate il mazzetto degli aromi e aggiungete la noce moscata. Intanto i bucatini che avrete cotto in abbondante acqua salata saranno pronti: prendete una teglia da tavola che possa andare al fuoco, versatevi sul fondo un poco di sugo, ricoprite con uno strato di pasta, cospargetelo di parmigiano grattugiato, di fontina tagliata a fettine e di sugo e proseguendo a strati riempite il recipiente, terminando con uno strato di parmigiano, fontina e sugo. Mettete nel forno già caldo finché i formaggi cominciano a sciogliersi e servite subito. Per gli stomachi delicati si consiglia di abolire l'aglio o unirlo direttamente ai pomodori, intero e non spellato.

207. Crema di carciofi

Dosi per 4 persone:

8 GROSSI CARCIOFI
1 CIPOLLA
GR. 80 DI FARINA
2 BICCHIERI DI LATTE MAGRO
BRODO PREPARATO CON L'ESTRATTO VEGETALE
4 CUCCHIAI DI GROVIERA GRATTUGIATO
1 CUCCHIAIO DI PREZZEMOLO TRITATO
SUCCO DI LIMONE
SALE

Mondate i carciofi come di consueto, lasciate un pezzetto di gambo che spellerete bene, quindi tagliateli a metà e immergeteli per circa 10 minuti nell'acqua acidulata al succo di limone. Lessateli poi in acqua salata insieme alla cipolla che lascerete intera; a cottura ultimata scolateli bene (essendo l'acqua dei carciofi amara) e passateli al setaccio insieme alla cipolla. In una casseruola versate la farina già stemperata nel latte, mescolando cuocete lentamente e, quando avrete ottenuto un composto liscio e cremoso, unitevi il passato di carciofi, il sale e tanto brodo quanto occorre per ottenere la densità voluta. Prima di togliere la crema dal fuoco, aggiungetevi il prezzemolo tritato e il groviera; versatela nella zuppiera e servitela con quadratini di pane tostati nel forno. Volete rendere questa crema più saporita e sostanziosa? Unite, insieme al prezzemolo e al groviera, gr. 50 di lingua salmistrata, tritata finemente, il cui sapore armonizza molto bene con quello dei carciofi e che essendo magra è assai adatta agli epatici e a coloro che hanno il tasso del colesterolo alto.

Bucatini alla fontina
(ricetta n. 206)

208. *Crema di carote*

Dosi per 4 persone:

GR. 500 DI CAROTE
GR. 30 DI FARINA DI RISO
4 CUCCHIAI DI GROVIERA GRATTUGIATO
$^1/_5$ DI LITRO DI LATTE MAGRO
1 GROSSO POMODORO
1 PICCOLA CIPOLLA
1 SPICCHIO D'AGLIO (FACOLTATIVO)
1 GAMBO DI SEDANO
1 FOGLIOLINA DI SALVIA
1 CUCCHIAINO DI PREZZEMOLO TRITATO
BRODO PREPARATO CON ESTRATTO VEGETALE
SALE

Raschiate le carote, lavatele, tagliatele a pezzi e cuocetele in un litro circa d'acqua salata bollente alla quale avrete aggiunto la cipolla, l'aglio, il sedano, il pomodoro e la salvia. A cottura ultimata passate tutto (compreso il liquido) al setaccio e raccoglietelo in una terrina. In un'altra casseruola mettete la farina di riso, stemperatela con il latte freddo e, mescolando, cuocete a fuoco basso finché otterrete un composto denso e omogeneo; salate, unitevi il passato di carote e tanto brodo quanto occorre per ottenere la quantità di crema sufficiente per 4 porzioni. Fate bollire per circa 10 minuti, quindi togliete il recipiente dal fuoco e finite di condire con il prezzemolo tritato e con il groviera. Versate la crema direttamente nelle fondine e servitela da sola o con quadratini di pane che avrete tostato sulla placca del forno. Potete sostituire il pomodoro fresco con gr. 100 di pelati in scatola o con un cucchiaio di salsa.

18a. *300 ricette senza grassi*

209. Crema di funghi

Dosi per 4 persone:

GR. 200 DI FUNGHI FRANCESI
GR. 600 DI PATATE
1 CIPOLLA
1 CUCCHIAIO DI PREZZEMOLO TRITATO
LATTE MAGRO
GR. 50 DI CRESCENZA
BRODO PREPARATO CON L'ESTRATTO VEGETALE
1 FOGLIA D'ALLORO
SALE

Mondate i funghi come di consueto, lavateli, tagliateli a fettine sotti-li, raccoglieteli in una teglia, unitevi la cipolla tritata, l'alloro, una tazza di brodo, il sale e cuocete a calore moderato per circa 30 minuti; prima di toglierli dal fuoco, scartate l'alloro e aggiungetevi il prezzemolo tritato. Intanto in un'altra casseruola mettete le patate sbucciate e tagliate a fettine, ricopritele di latte, conditele con il sale e fatele cuocere molto lentamente. Quando saranno cotte e il latte sarà quasi tutto assorbito, con un cucchiaio di legno mescolatele energicamente finché otterrete un puré omogeneo. Incorporatevi la crescenza a pezzetti, i funghi e diluite con tanto brodo quanto occorre per ottenere la giusta densità di una crema. Versate direttamente nelle fondine e servite subito. Potete sostituire i funghi freschi con quelli secchi (gr. 50) che prima di essere cotti (nella medesima maniera di quelli freschi) vanno tenuti a bagno nell'acqua per circa 2 ore. In questo caso però la crema sarà assai più delicata se i funghi, prima di essere uniti al puré di patate, saranno passati al setaccio.

210. *Crema di lattuga*

Dosi per 4 persone:

4 CESPI DI LATTUGA
GR. 50 DI FARINA
GR. 60 DI GROVIERA
¾ DI LITRO DI LATTE MAGRO
BRODO PREPARATO CON L'ESTRATTO VEGETALE
1 GROSSA CIPOLLA
1 CUCCHIAINO DI PREZZEMOLO TRITATO
SALE

Mondate, lavate la lattuga e lessatela per 5 minuti in acqua bollente salata. Scolatela bene, tritatela grossolanamente insieme alla cipolla, raccogliete il tutto in una teglia, aggiungete 1/4 di litro di latte, cuocete molto lentamente e quando il latte sarà evaporato, passate il composto al setaccio. In una casseruola stemperate la farina nel resto del latte freddo, aggiungetevi il sale e, mescolando, cuocete il composto finché diverrà omogeneo e cremoso. A questo punto unite il passato di lattuga, diluite con il brodo finché otterrete la densità desiderata, cuocete ancora per 10 minuti a fuoco molto basso, quindi incorporate la metà del groviera, il prezzemolo e togliete il recipiente dal fuoco. Versate la crema nella zuppiera e servitela con il resto del groviera e con dadini di pane tostati nel forno.

211. *Crema di pollo*

Dosi per 4 persone:

MEZZO POLLO
GR. 100 DI RISO (NON A GRANI DURI)
1 CIPOLLA
1 CAROTA
1 GAMBO DI SEDANO
1 FOGLIA D'ALLORO
2 CUCCHIAI DI PARMIGIANO
NOCE MOSCATA
SALE

Pulite il pollo come di consueto, scartate la pelle e tutto il grasso, quindi mettetelo in una casseruola insieme a due litri d'acqua calda salata alla quale avrete aggiunto la cipolla, la carota, il sedano, l'alloro e il riso. Coprite il recipiente e cuocete lentamente per circa due ore. Togliete il pollo, disossatelo, tritatelo e passatelo al setaccio con tutto ciò che è ancora nella casseruola. Raccogliete il passato nel medesimo recipiente di cottura e regolate la quantità di liquido che dovrà essere sufficiente per 4 persone; quindi, secondo i casi, aggiungete dell'acqua o fate evaporare il liquido eccessivo. Quando la crema è pronta aromatizzatela con un pizzico di noce moscata ed incorporatevi il formaggio. Potete sostituire il riso con 2 o 3 patate di media grandezza che metterete a cuocere (già sbucciate) insieme al pollo. Poiché questo primo piatto è assai nutriente, basteranno per completare il menù verdure cotte e un dolce.

212. *Crema di pomodori*

Dosi per 4 persone:

GR. 1.500 DI POMODORI
GR. 50 DI FARINA
½ LITRO DI LATTE MAGRO
2 CUCCHIAI DI GROVIERA GRATTUGIATO
1 CIPOLLA
1 CAROTA
1 GAMBO DI SEDANO
1 CUCCHIAINO DI PREZZEMOLO TRITATO
1 CUCCHIAINO DI BASILICO TRITATO
BRODO PREPARATO CON L'ESTRATTO VEGETALE
SALE

In una casseruola riunite i pomodori, la cipolla, la carota e il sedano tagliati a pezzi; senza aggiungere acqua fate cuocere per circa
40 minuti, quindi passate tutto al setaccio. In un'altra casseruola
mettete la farina, stemperatela con il latte freddo e, mescolando, a
fuoco basso cuocete finché otterrete una crema densa e omogenea.
Salate, unitevi il passato di pomodoro e tanto brodo quanto occorre
per ottenere la quantità di crema sufficiente per 4 porzioni. Lasciate
sobbollire per circa 5 minuti poi aggiungete il prezzemolo e il basilico, togliete il recipiente dal fuoco e incorporate il groviera. Versate la crema nella zuppiera e servitela con quadratini di pane tostati nel forno. Se volete rendere la crema più sostanziosa, prendete
4 fettine sottili di mozzarella e con un tagliapasta rotondo di circa
2 cm. di diametro, ricavatene tanti piccoli dischi che disporrete sulla
superficie della crema dopo averla versata bollente nelle fondine.

213. *Crema di porri*

Dosi per 4 persone:

8 GROSSI PORRI
4 PATATE DI MEDIA GRANDEZZA
2 CUCCHIAI DI FONTINA
1 CUCCHIAIO DI FARINA
1 CUCCHIAINO D'ESTRATTO VEGETALE
1 CUCCHIAIO DI PREZZEMOLO TRITATO
LATTE MAGRO
NOCE MOSCATA
SALE

Mondate, lavate i porri, scartate la parte verde, tagliate a fettine quella bianca; tagliate a fettine anche le patate e raccogliete il tutto in una casseruola. Unitevi un bicchiere di latte, lasciate sobbollire finché questo sarà evaporato, quindi cospargete con la farina, fate prendere un bel colore dorato e versatevi sopra un litro e mezzo di acqua calda salata nella quale avrete sciolto l'estratto. Cuocete per circa 40 minuti, passate poi al setaccio, mettete di nuovo il composto sul fuoco, aggiungete la noce moscata, la fontina grattugiata e infine tanto latte quanto occorre per ottenere la quantità sufficiente per 4 minestre. Fate prendere il bollore, incorporate il prezzemolo e servite subito. Il porro, come la cipolla, ha proprietà diuretiche ed è quindi molto adatto per una dieta disintossicante.

214. *Crema di zucchine*

Dosi per 4 persone:

GR. 500 DI ZUCCHINE
GR. 250 DI POMODORI PELATI IN SCATOLA
GR. 50 DI FARINA
½ LITRO DI LATTE MAGRO
BRODO PREPARATO CON L'ESTRATTO VEGETALE
1 CIPOLLA
1 CUCCHIAIO DI BASILICO TRITATO
1 FOGLIA D'ALLORO
SALE

Dopo aver asportato le due estremità alle zucchine, lavatele bene, asciugatele, tagliatele a tocchetti e raccoglietele in una casseruola. Unitevi la cipolla tagliata a fettine, i pomodori passati al setaccio, l'alloro e il sale. Cuocete lentamente, aggiungendo se occorre qualche cucchiaiata d'acqua e, appena le zucchine sono pronte, passate tutto al setaccio. In un'altra casseruola mettete la farina stemperata nel latte, sempre mescolando cuocete il composto a fuoco basso e quando sarà divenuto cremoso ed omogeneo, incorporatevi il passato di zucchine. Aggiungetevi tanto brodo quanto occorre per ottenere la densità desiderata e lasciate sobbollire per circa 10 minuti. Prima di togliere il recipiente dal fuoco finite di condire con il basilico tritato. Accompagnate la crema con quadratini di pane tostati nel forno.

215. "Gâteau" di tagliatelle

Dosi per 4 persone:

GR. 450 DI POMODORI PELATI IN SCATOLA
GR. 100 DI LINGUA SALMISTRATA
GR. 50 DI BEL PAESE
4 CHIARE D'UOVO
LATTE MAGRO
½ CUCCHIAINO D'ESTRATTO VEGETALE
½ CIPOLLA
½ CAROTA
1 GAMBO DI SEDANO
1 FOGLIA D'ALLORO
1 PIZZICO DI ZUCCHERO
PANE GRATTUGIATO
SALE

Per le tagliatelle:

GR. 400 DI FARINA BIANCA
4 CHIARE D'UOVO
LATTE MAGRO

In una casseruola riunite la cipolla, la carota e il sedano tritati, i pomodori passati al setaccio, l'alloro, l'estratto, qualche cucchiaiata di latte, lo zucchero e il sale. Cuocete lentamente per circa 40 minuti e cioè finché il sugo avrà la densità di una crema. Intanto preparate le tagliatelle: in una terrina raccogliete la farina, incorporatevi le chiare, il sale e tanto latte quanto occorre per ottenere un impasto che si possa stendere come quello della sfoglia all'uovo. Con il matterello infarinato o con la macchina fatene delle sfoglie sottili da cui ricaverete le tagliatelle. Cuocetele in abbondante acqua salata, scolatele al dente, tritatele abbastanza finemente insieme alla lingua, conditele con il Bel Paese tagliato a dadini e incorporatevi le chiare leggermente sbattute con una presa di sale. Mescolate e versate il tutto in uno stampo liscio, dal bordo piuttosto alto, che avrete spalmato di burro o di margarina e cosparso di pane grattugiato. Mettete nel forno per circa 30 minuti e a cottura ultimata lasciate riposare lo sformato per qualche minuto prima di aggiustarlo sul piatto da portata. Versatevi sopra qualche cucchiaiata di sugo di pomodoro e servite il resto nella salsiera.

216. Gnocchetti di pane in brodo

Dosi per 4 persone:

2 CHIARE D'UOVO
CIRCA GR. 200 DI PANE GRATTUGIATO MOLTO FINE
GR. 50 DI FONTINA
1 CUCCHIAINO D'ESTRATTO VEGETALE
½ CIPOLLA
½ CAROTA
1 GAMBO DI SEDANO
1 FOGLIA D'ALLORO
NOCE MOSCATA
SALE

In una casseruola riunite la cipolla, la carota, il sedano tagliati a pezzi e l'alloro; aggiungete dell'acqua leggermente salata e cuocete a fuoco moderato per circa 30 minuti. Intanto in una terrina sbattete le chiare (non a neve) con un pizzico di sale e uno di noce moscata, incorporatevi 1 cucchiaio di fontina e il pane grattugiato, formando un composto piuttosto sodo. Con le mani bagnate fatene tanti piccoli gnocchi che disporrete sopra un piatto piano cosparso di pane grattugiato. Passate le verdure al setaccio, unite il passato al brodo di cottura (regolate la quantità del liquido) e appena questo bolle, conditelo con l'estratto e versate nella casseruola gli gnocchetti che farete cuocere per 5 minuti. Appena tolto il recipiente dal fuoco, aggiungete il formaggio lasciato da parte.

217. Gnocchetti verdi in brodo

Dosi per 4 persone:

GR. 800 DI ERBETTE (PICCOLE BIETOLE)
GR. 50 DI GROVIERA O DI FONTINA
3 O 4 CUCCHIAI DI FARINA
2 CHIARE D'UOVO
NOCE MOSCATA
BUCCIA DI LIMONE GRATTUGIATA
SALE

Per il brodo:
1 CIPOLLA
1 CAROTA
1 GAMBO DI SEDANO
1 POMODORO
1 FOGLIA D'ALLORO
1 CUCCHIAINO COLMO D'ESTRATTO VEGETALE

In una casseruola mettete la cipolla, la carota, il pomodoro e il sedano tagliati a pezzi; aggiungete l'alloro, 1 litro e 1/2 d'acqua salata nella quale avrete sciolto l'estratto e fate bollire lentamente per circa 40 minuti. Trascorso questo tempo, togliete il brodo dal fuoco e tenetelo al caldo. Intanto avrete già pulito e lavato accuratamente le erbette. Cuocetele con poca acqua e con una presa di sale, quindi scolatele, strizzatele bene, passatele al setaccio e raccoglietele in una terrina. Unitevi il groviera grattugiato, la farina, le chiare d'uovo, la noce moscata e un poco di buccia di limone grattugiata. Mescolate finché gli ingredienti saranno amalgamati e qualora il composto fosse troppo molle, aggiungetevi uno o due cucchiai di pane grattugiato. Togliete le verdure dal brodo (comprimendole leggermente) e quando questo comincia a bollire, con un cucchiaino prendete un poco di composto e, aiutandovi con un altro cucchiaino, fatelo scivolare nel brodo. Proseguite in questa operazione finché avrete finito il composto e appena gli gnocchetti verranno a galla, scolateli con un mestolo forato, disponeteli nella zuppiera e versatevi sopra il brodo caldo, passandolo al colino in modo che rimanga più limpido.

218. *Gnocchi alle carote*

Dosi per 4 persone:

GR. 800 DI PATATE FARINOSE	*Per il sugo:*
GR. 500 DI CAROTE	
GR. 50 DI GROVIERA	GR. 400 DI POMODORI
GRATTUGIATO	PELATI IN SCATOLA
1 CHIARA D'UOVO	GR. 30 DI ROBIOLA DOLCE
FARINA	1 CIPOLLA
NOCE MOSCATA	1 GAMBO DI SEDANO
1 CUCCHIAIO DI PREZZEMOLO	1 FOGLIA D'ALLORO
TRITATO	1 CUCCHIAINO
1 FOGLIA D'ALLORO	D'ESTRATTO VEGETALE
SALE	3 O 4 CUCCHIAI
	DI LATTE MAGRO
	1 PIZZICO DI ZUCCHERO

Lavate le patate e mettetele a cuocere in una casseruola con l'acqua salata, facendo attenzione che non si rompano durante la cottura. Raschiate, lavate le carote e cuocetele in acqua salata alla quale avrete aggiunto una foglia d'alloro. Intanto preparate il sugo: in un'altra casseruola riunite la cipolla e il sedano tritati, i pomodori passati al setaccio, l'alloro, l'estratto, il latte, il sale e lo zucchero. Cuocete lentamente per circa 40 minuti e prima di togliere il recipiente dal fuoco, incorporate al sugo la robiola. Appena le carote sono pronte, scolatele dall'acqua, passatele al setaccio e raccoglietele in una terrina. Scolate anche le patate, spellatele, passatele allo schiacciapatate e unitele alle carote. Mescolate energicamente finché il composto sarà omogeneo, quindi incorporatevi la chiara d'uovo leggermente sbattuta, la noce moscata, il sale e tanta farina quanta occorre per ottenere una pasta piuttosto soffice. Versate l'impasto sulla spianatoia infarinata, lavoratelo per qualche minuto poi, prendendone poco alla volta, ricavatene tanti grossi grissini che ritaglierete a pezzi lunghi circa 3 cm. Fate scorrere rapidamente ogni pezzo sul rovescio della grattugia, formando gli gnocchi che allineerete sulla spianatoia. Cuocete gli gnocchi pochi alla volta in una pentola quasi piena d'acqua salata in ebollizione; mescolateli delicatamente e appena vengono a galla scolateli molto bene con un mestolo forato e aggiustateli sul piatto da portata a strati che condirete con il sugo e con il groviera.

219. *Gnocchi di patate al pomodoro*

Dosi per 4 persone:

KG. 1 DI PATATE FARINOSE E DI BUONA QUALITÀ
GR. 500 DI POMODORI PELATI IN SCATOLA
CIRCA GR. 300 DI FARINA
GR. 50 DI GROVIERA
4-5 FEGATINI DI POLLO
1 CIPOLLA
1 CAROTA
1 GAMBO DI SEDANO
1 MAZZETTO DI AROMI (SALVIA, ALLORO, ROSMARINO)
1 CUCCHIAINO DI ESTRATTO VEGETALE
LATTE MAGRO
NOCE MOSCATA
SALE

In una casseruola riunite la cipolla, la carota e il sedano tritati, i pomodori passati al setaccio, il sale, il mazzetto degli aromi, l'estratto e una tazzina di latte magro. Coprite il recipiente e cuocete lentamente per 20 minuti poi aggiungete i fegatini tritati, la noce moscata e cuocete ancora finché il sugo avrà la densità di una crema. Intanto avrete messo le patate in una pentola con abbondante acqua fredda salata; cuocetele lentamente senza farle rompere e appena pronte, colatele, spellatele, passatele allo schiacciapatate e raccoglietele sulla spianatoia. Incorporatevi i due terzi della farina e una presa di sale, lavorate l'impasto facendogli assorbire ancora tanta farina finché si staccherà dalle mani e sarà divenuto soffice ed elastico, quindi seguendo le istruzioni date per gli GNOCCHI ALLE CAROTE (*vedi* ricetta n. 218) ricavatene tanti gnocchi. Cuoceteli, pochi alla volta, in un recipiente pieno d'acqua salata in ebollizione e, appena vengono alla superficie, colateli molto bene con un mestolo forato; aggiustateli sul piatto da portata precedentemente riscaldato e condite ogni strato con il groviera grattugiato e con alcune cucchiaiate di sugo (scartate gli aromi). Condite l'ultimo strato un po' più abbondantemente degli altri e servite subito. Se volete rendere il piatto più sostanzioso, aggiungete al sugo gr. 150 di carne magra tritata di vitello o di manzo che farete cuocere per circa un'ora: ma in questo caso, se vi è possibile, completate il pasto con verdura cotta e frutta fresca.

220. *Gnocchi di semolino*

Dosi per 4 persone:

1 LITRO E ½ DI LATTE MAGRO
GR. 200 DI SEMOLINO
GR. 50 DI PARMIGIANO
NOCE MOSCATA
SALE

Mettete in una casseruola il latte con il sale e quando sta per bollire, unitevi il semolino e, sempre mescolando con un cucchiaio di legno, cuocete lentamente per 6 o 7 minuti. Prima di togliere il recipiente dal fuoco incorporate la metà del parmigiano, quindi versate il semolino sulla spianatoia o sul piano del tavolo di cucina bagnati leggermente d'acqua. Con la lama di un coltello distendetelo in uno strato spesso circa 1 cm. e ½ e quando sarà completamente raffreddato, ricavatene tanti dischi con un bicchierino o con un tagliapasta rotondo di circa 5 cm. di diametro. Ungete una teglia di burro o margarina, ponetevi la metà dei dischi, uno accanto all'altro in uno strato solo, cospargeteli con la metà del parmigiano rimasto e con un pizzico di noce moscata, aggiustatevi sopra gli altri dischi, spolverizzateli con il solo parmigiano e metteteli nel forno a colorire. Per renderli più saporiti e sostanziosi accompagnateli con gr. 250 di piselli in scatola o surgelati ai quali incorporerete, dopo averli cotti con una cipolla tritata e con una tazza di brodo, gr. 50 di mozzarella tagliata a dadini.

249

221. *Maccheroni guarniti*

Dosi per 4 persone:

GR. 400 DI MACCHERONI
GR. 400 DI POMODORI PELATI IN SCATOLA
GR. 300 DI CARNE TRITATA
GR. 50 DI BEL PAESE
2 FETTINE DI LINGUA SALMISTRATA TRITATA
1 CUCCHIAIO DI MOLLICA DI PANE BAGNATA NEL LATTE
1 CHIARA D'UOVO
½ CIPOLLA
1 FOGLIA D'ALLORO
½ CUCCHIAINO D'ESTRATTO VEGETALE
NOCE MOSCATA
2 FOGLIOLINE DI MENTA O DI BASILICO
1 PRESA DI ZUCCHERO
SALE

In una terrina mettete la carne e la lingua, unitevi la mollica del pane, la menta tritata, il sale, la noce moscata e infine la chiara leggermente sbattuta. Mescolate energicamente finché gli ingredienti saranno amalgamati e qualora l'impasto fosse troppo molle, unitevi una o due cucchiaiate di pane grattugiato. Con le mani bagnate fatene tante polpettine grandi come delle grosse nocciole e versatele in una casseruola piena per metà d'acqua salata bollente. Cuocetele per 10 minuti a fuoco basso quindi scolatele bene e mettetele da parte. In una teglia raccogliete i pomodori passati al setaccio, la cipolla tritata, l'alloro, l'estratto, il sale e lo zucchero. Cuocete lentamente per circa 40 minuti e cioè finché il composto avrà preso la densità di una crema. Lasciate allora il recipiente sul bordo del fornello e unite le polpettine al sugo che dovrà appena sobbollire. Cuocete i maccheroni in acqua bollente salata, scolateli, condite con Bel paese tagliato a fettine sottili, mescolateli bene, versatevi sopra il sugo con la carne (scartate l'alloro) e serviteli subito. Se volete dare al piatto un aspetto più elegante, versate i maccheroni, dopo averli conditi con il formaggio, in uno stampo rotondo forato nel centro, leggermente bagnato di latte, metteteli per qualche minuto nel forno caldo poi sformateli, nel centro aggiustatevi le polpettine di carne e su tutto versate il sugo. Fate seguire questo "piatto unico" da verdura cotta e da frutta fresca.

222. *Minestra all'emiliana*

Dosi per 4 persone:

GR. 80-100 DI PANE GRATTUGIATO
GR. 50 DI PARMIGIANO
2 CHIARE D'UOVO
2 CUCCHIAINI D'ESTRATTO VEGETALE
1 CIPOLLA
1 CAROTA
1 GAMBO DI SEDANO
1 FOGLIA D'ALLORO
NOCE MOSCATA
BUCCIA DI LIMONE GRATTUGIATA
SALE

In una casseruola riunite la cipolla, la carota, il sedano tagliati a pezzi, l'alloro, 1 litro e ½ d'acqua salata, lasciate bollire lentamente per circa 40 minuti quindi passate tutto al setaccio e raccogliete il passato nella stessa casseruola di cottura che terrete al caldo sul fuoco molto basso. In una terrina mettete le chiare d'uovo, una presa di sale, una di noce moscata, la buccia di limone e, mescolando con un cucchiaio di legno, incorporatevi il parmigiano e tanto pane grattugiato finché otterrete un impasto piuttosto sodo. Versatelo sulla spianatoia infarinata, lavoratelo con le mani finché sarà compatto e omogeneo, quindi fatene una palla che messa in uno schiacciapatate (in mancanza dell'apposito utensile) dai fori piuttosto larghi, strizzerete direttamente nel brodo in ebollizione al quale avrete aggiunto l'estratto. Lasciate sobbollire per pochi minuti, quindi servite la minestra.

223. *Minestra di bietole e porri*

Dosi per 4 persone:

GR. 500 DI BIETOLE
GR. 150 DI RISO
4 GROSSI PORRI
2 CUCCHIAI DI GROVIERA GRATTUGIATO
1 BICCHIERE DI LATTE MAGRO
1 CUCCHIAINO D'ESTRATTO VEGETALE
SALE

Dopo aver mondato e lavato le bietole, scartate le coste, trinciate la parte verde, raccoglietela in una casseruola, unitevi i porri (solo la parte bianca) tagliati a fettine sottili, il latte e, mescolando, cuocete lentamente finché il latte sarà quasi tutto evaporato. Salate, aggiungete circa 1 litro e ½ d'acqua calda nella quale avrete sciolto l'estratto e fate sobbollire finché le verdure saranno cotte. Regolate la quantità del liquido occorrente per 4 minestre, unite il riso e quando questo è cotto, incorporate il groviera e versate la minestra nella zuppiera. Secondo il vostro gusto potete aggiungere alle verdure un pomodoro ben maturo, spellato, privato dei semi e tritato. Le coste scartate non andranno perdute: possono essere preparate come il CARDO ALLA MOZZARELLA (*vedi* ricetta n. 259).

224. Minestra di pasta e fagiolini

Dosi per 4 persone:

GR. 500 DI FAGIOLINI FRESCHI O SURGELATI
GR. 150 DI POMODORI PELATI IN SCATOLA
4 PUGNI DI MACCHERONI (CANNOLICCHI)
1 CIPOLLA
1 FOGLIA D'ALLORO
1 FOGLIA DI SALVIA
LATTE MAGRO
1 CUCCHIAIO DI PREZZEMOLO TRITATO
BRODO PREPARATO CON L'ESTRATTO VEGETALE
SALE

In una casseruola riunite i pomodori passati al setaccio, la cipolla tritata, l'alloro, la salvia, 3 o 4 cucchiai di latte, il sale e fate bollire a fuoco molto basso. Intanto in un altro recipiente, che avrete riempito per metà d'acqua salata, cuocete per 6 o 7 minuti i fagiolini, poi scolateli bene, tritateli grossolanamente, uniteli al sugo, insieme a due tazze di brodo e lentamente portateli a cottura. Quando sono quasi pronti regolate la quantità del liquido, che dovrà essere sufficiente per 4 minestre, aggiungendo del brodo caldo; fate riprendere il bollore e unite la pasta. A cottura ultimata scartate l'alloro e la salvia e finite di condire con il prezzemolo o con il basilico tritato. Mescolate bene e versate la minestra nella zuppiera da tavola. Come avrete notato i fagiolini sono stati cotti qualche minuto nell'acqua prima di essere uniti al sugo di pomodoro e questo per evitare che il brodo della minestra risulti un po' amarognolo.

225. Minestra di riso e fave

Dosi per 4 persone:

GR. 800 DI FAVE FRESCHE
GR. 150 DI RISO
1 CIPOLLA
1 CAROTA
1 GAMBO DI SEDANO
1 CUCCHIAINO DI PREZZEMOLO TRITATO
1 BICCHIERE DI LATTE MAGRO
BRODO PREPARATO CON L'ESTRATTO VEGETALE
SALE

In una casseruola riunite la cipolla, la carota, il sedano tritati e il latte; lasciate sobbollire finché questo sarà evaporato per la metà quindi unite le fave sgusciate e private della seconda buccia. Mescolatele bene e quando avranno assorbito tutto il latte, salate, aggiungetevi circa 1 litro e ½ d'acqua calda nella quale avrete sciolto l'estratto e cuocetele lentamente per circa un'ora. Trascorso questo tempo, regolate la quantità del liquido, aggiungendo ancora del brodo, fate prendere il bollore e versate nel recipiente il riso. A cottura ultimata, finite di condire con il prezzemolo tritato. Versate la minestra nella zuppiera da tavola e servite subito. Se volete rendere la minestra più saporita, oltre al prezzemolo aggiungete una o due fettine di lingua salmistrata, tritata finemente o gr. 50 di caciotta fresca tagliata a dadini. Al riso potete sostituire qualsiasi genere di pasta.

226. *Pancotto*

Dosi per 4 persone:

GR. 300 DI PANE RAFFERMO
GR. 50 DI CRESCENZA
LATTE MAGRO
BRODO PREPARATO CON L'ESTRATTO VEGETALE
1 TAZZA DI SUGO DI POMODORO FRESCO O IN SCATOLA
1 SPICCHIO D'AGLIO (FACOLTATIVO)
1 FOGLIA DI SALVIA
1 FOGLIA D'ALLORO
SALE

Se avete del pane raffermo, utilizzatelo per preparare una minestra squisita e di facile digestione. Tagliate il pane a pezzetti, raccoglietelo in una terrina, ricopritelo con il latte freddo e lasciatelo riposare per circa 2 ore. Trascorso questo tempo versate il pane (che avrà assorbito tutto il latte) in una casseruola, mettete questa sul fuoco basso, mescolate il composto energicamente con un cucchiaio di legno e quando sarà divenuto omogeneo, unitevi circa 1 litro di brodo caldo, il sugo dei pomodori passati al setaccio, l'aglio intero con tutta la buccia, la salvia, l'alloro e il sale. Cuocete lentamente per circa 40 minuti; regolate poi la densità, incorporate la crescenza a dadini, scartate l'aglio, la salvia e l'alloro e versate il pancotto direttamente nelle fondine.

227. Passato di zucchine e riso

Dosi per 4 persone:

GR. 200 DI RISO
8 ZUCCHINE FRESCHISSIME DI MEDIA GRANDEZZA
1 POMODORO
1 CUCCHIAINO D'ESTRATTO VEGETALE
½ CIPOLLA
2 FOGLIOLINE DI SALVIA
1 MANCIATA DI PREZZEMOLO
1 MANCIATA DI BASILICO
1 BICCHIERE ABBONDANTE DI LATTE MAGRO
SALE

Tritate la cipolla, il prezzemolo e la salvia; mettete il tritato in una casseruola, unitevi la metà del latte e lasciate sobbollire finché sarà tutto evaporato. Prendete le zucchine, scartate le due estremità, lavatele, asciugatele, tagliatele prima in 4 per il lungo poi, nell'altro senso, a fettine sottili; aggiungetele alle verdure, bagnatele con il resto del latte, salatele e fatele insaporire lentamente. Appena il latte è assorbito, passate tutto al setaccio, raccogliete il passato in una casseruola, unitevi circa 1 litro e ½ d'acqua caldissima nella quale avrete sciolto l'estratto e cuocete per circa 15 minuti. Trascorso questo tempo aggiungete il riso e un grosso pomodoro ben maturo, spellato, privato dei semi e tritato finemente, insieme al basilico.

228. *Polenta pasticciata*

Dosi per 4 persone:

GR. 500 DI FARINA GIALLA
GR. 500 DI POMODORI PELATI IN SCATOLA
GR. 300 DI CARNE TRITATA DI VITELLO
GR. 30 DI CRESCENZA
GR. 30 DI BEL PAESE
8 FEGATINI DI POLLO
LATTE MAGRO
2 CUCCHIAI DI FARINA BIANCA
½ CUCCHIAINO D'ESTRATTO VEGETALE
1 CIPOLLA
1 CAROTA
1 GAMBO DI SEDANO
1 MAZZETTO DI AROMI (SALVIA, ALLORO, ROSMARINO)
NOCE MOSCATA
SALE

In una casseruola riunite la cipolla, la carota e il sedano tritati, aggiungetevi ½ bicchiere di latte e fate sobbollire finché il latte si sarà tutto evaporato. Unite la carne tritata (passata 2 volte alla macchina) e i fegatini tagliati a pezzetti molto piccoli. Lasciate insaporire, quindi aggiungete i pomodori passati al setaccio, il mazzetto degli aromi, l'estratto, il sale e proseguite la cottura lentamente per circa un'ora. Come di consueto preparate la polenta, facendola cuocere circa 35 minuti; toglietela dal fuoco, incorporatevi la crescenza, versatela in un recipiente di una certa profondità (bagnato leggermente d'acqua) e quando sarà completamente raffreddata, capovolgetela sul tavolo di cucina e tagliatela a fette. In un'altra casseruola mettete la farina (bianca), stemperatela con circa ¾ di litro di latte, salate e cuocete, sempre mescolando per 7 o 8 minuti, ottenendo un composto molto fluido e omogeneo. Toglietelo dal fuoco, unitevi il Bel paese tagliato a dadini e la noce moscata. Spalmate di burro o di margarina una teglia, aggiustatevi la polenta a strati e condite ogni strato con il ragù e con la besciamella. Ricoprite l'ultimo strato con la besciamella. Mettete nel forno già caldo per circa 20 minuti. La polenta così preparata è di facile digestione e nutriente; si presta a essere servita come "piatto unico" che potrete rendere ancora più completo aggiungendo al ragù (quando questo è a metà cottura) gr. 30 di funghi secchi tritati che avrete tenuto prima a bagno per circa 2 ore nell'acqua tiepida.

229. Ravioli alla mantovana

Dosi per 4 persone:

KG. 1,500 CIRCA DI ZUCCA GIALLA
GR. 50 DI GROVIERA
GR. 100 DI AMARETTI
LATTE MAGRO
PANE GRATTUGIATO
1 CHIARA D'UOVO
SUCCO DI LIMONE
⅓ DI CUCCHIAINO DI CANNELLA
SALE

Per la pasta:
GR. 400 DI FARINA
4 CHIARE D'UOVO
LATTE MAGRO

Togliete alla zucca i semi, tagliatela in 3 o 4 pezzi, disponetela sulla placca del forno e cuocetela a fuoco moderato senza farla bruciacchiare. Quando è pronta, dopo aver scartato la buccia, passatela al setaccio, raccoglietela in una terrina, unitevi gli amaretti che avrete pestato finemente riducendoli in polvere, 2 cucchiai di groviera grattugiato, la cannella, 2 cucchiai di succo di limone, la chiara di uovo, il sale e tanto pane grattugiato quanto occorre per ottenere un composto che abbia la consistenza di un puré. Coprite il recipiente e preparate la pasta seguendo le istruzioni per il "GÂTEAU" DI TAGLIATELLE (*vedi* ricetta n. 215). Versate l'impasto sulla spianatoia infarinata, lavoratelo con le mani finché otterrete una pasta liscia ed elastica, quindi fatene una sfoglia sottile. Sulla metà di questa distribuite tante pallottoline grosse come delle noccioline che avrete ricavato dal composto, lasciando tra una pallottolina e l'altra uno spazio di circa 2 dita. Con il resto della sfoglia, rimasta libera, ricoprite le pallottoline e tutto intorno a queste pigiate con le dita in modo che il ripieno, cuocendo, non possa uscire. Con il tagliapasta a rotelle ricavate i ravioli, dando loro una forma quadrata e fateli cuocere in una pentola con abbondante acqua salata per circa 10 minuti. Scolateli bene con un mestolo forato e aggiustateli sul piatto da portata che terrete al caldo. Cospargeteli con il resto del groviera grattugiato e con un poco di noce moscata, bagnateli con 2 o 3 cucchiai di latte e metteteli nel forno per qualche minuto. Secondo il vostro gusto potete anche condirli con un sugo di pomodoro.

230. *Risotto con carote*

Dosi per 4 persone:

GR. 500 DI CAROTE
GR. 400 DI RISO
GR. 400 DI POMODORI PELATI IN SCATOLA
LATTE MAGRO
1 CUCCHIAINO E ½ D'ESTRATTO VEGETALE
1 CIPOLLA
2 GAMBI DI SEDANO
1 FOGLIA D'ALLORO
1 CUCCHIAIO DI PREZZEMOLO TRITATO
1 PEZZETTO DI BUCCIA DI LIMONE
NOCE MOSCATA
1 PRESA DI ZUCCHERO
SALE

In una casseruola riunite mezza cipolla e un gambo di sedano tritati, l'alloro, i pomodori passati al setaccio, il sale, lo zucchero e ½ cucchiaino d'estratto. Fate prendere il bollore, quindi unitevi le carote (già raschiate) tagliate prima a metà nel senso della lunghezza poi a pezzetti lunghi 3 o 4 cm. Proseguite la cottura lentamente, aggiungendo, poco alla volta, un decilitro di latte e quando le carote sono quasi pronte, preparate il risotto. In una casseruola spalmata di burro o di margarina mettete il resto della cipolla e l'altro gambo di sedano tritati, fateli rosolare leggermente, quindi bagnate con ½ bicchiere di latte, lasciate sobbollire per qualche minuto, aggiungete il riso e proseguite la cottura, unendo, quando occorre, il brodo bollente, preparato con il resto dell'estratto. A cottura ultimata condite con il prezzemolo al quale avrete mescolato la noce moscata e la buccia del limone tritata e versate il riso in uno stampo rotondo forato nel centro, unto leggermente di margarina o bagnato di latte. Fatelo riposare per 5 minuti al caldo poi sformatelo sul piatto da portata (già riscaldato) e guarnitelo, sia nel centro sia intorno, con le carote e con tutto il sugo che dovrà avere la densità di una crema. Poiché il riso dopo cotto va tenuto per qualche minuto al caldo, sarà bene toglierlo dal fuoco un poco al dente e non troppo asciutto.

231. Risotto con melanzane

Dosi per 4 persone:

GR. 450 DI POMODORI PELATI IN SCATOLA
GR. 400 DI RISO
GR. 80 DI MOZZARELLA
4 MELANZANE
1 CIPOLLA
1 SPICCHIO D'AGLIO (FACOLTATIVO)
1 FOGLIA D'ALLORO
½ TAZZA DI LATTE MAGRO
ESTRATTO VEGETALE
1 CUCCHIAIO DI PREZZEMOLO TRITATO
1 PRESA DI ZUCCHERO
SALE

Sbucciate le melanzane, tagliatele a tocchetti, raccoglietele in uno scolapasta, cospargetele di sale, ponetevi sopra un piatto, su questo aggiustate un peso e lasciatele scolare. Quando le melanzane sono pronte, distendetele sopra un tovagliolo e asciugatele bene. In una casseruola riunite l'aglio intero, i pomodori passati al setaccio, ½ cucchiaino d'estratto, il sale e lo zucchero. Fate prendere il bollore, quindi unitevi le melanzane e cuocete lentamente, aggiungendo, se occorre, del brodo caldo. Quando le melanzane sono quasi pronte, mettete sul fuoco una casseruola spalmata di burro o di margarina con la cipolla tritata e l'alloro, fate prendere il calore, unitevi il riso, lasciatelo insaporire, salatelo e portatelo a cottura, bagnando, quando occorre, con qualche cucchiaiata di brodo bollente (preparato con l'estratto). A cottura ultimata, scartate l'alloro, incorporate la mozzarella tagliata a dadini e versate il riso in uno stampo rotondo, liscio, forato nel centro, bagnato con un poco di latte. Battete il recipiente sul piano del tavolo di cucina affinché il riso prenda bene la forma, quindi capovolgetelo sul piatto da portata precedentemente riscaldato. Intanto le melanzane saranno già pronte: prima di toglierle dal fuoco, unitevi il prezzemolo tritato, mescolatele bene e disponetele nel centro del riso.

232. *Risotto con zucchine*

Dosi per 4 persone:

GR. 400 DI RISO
1 BUCANEVE
4 GROSSI POMODORI
4 ZUCCHINE
1 CIPOLLA DI MEDIA GRANDEZZA
1 FOGLIA D'ALLORO
1 CUCCHIAINO DI PREZZEMOLO TRITATO
1 CUCCHIAINO E ½ D'ESTRATTO VEGETALE
LATTE MAGRO
SALE

Immergete i pomodori per qualche minuto nell'acqua bollente, spellateli, privateli dei semi e tagliateli a pezzi. Raccoglieteli in una casseruola, unitevi la cipolla tritata, l'alloro, ½ cucchiaino d'estratto, 3 o 4 cucchiai di latte e il sale. Cuocete per qualche minuto quindi unitevi le zucchine tagliate prima in 4 per il lungo poi a fettine sottili e ancora del latte. Fate sobbollire per 30 minuti, quindi unite il riso e quando questo avrà assorbito tutto il liquido, proseguite la cottura, aggiungendo di tanto in tanto del brodo bollente preparato con il resto dell'estratto. Quando il riso è pronto, prima di toglierlo dal fuoco, incorporatevi il prezzemolo e il Bucaneve. Lasciatelo riposare qualche minuto nel recipiente di cottura, aggiustatelo poi sul piatto da portata, cospargetelo di origano o, secondo il vostro gusto, guarnitelo con qualche cucchiaiata di yogurt magro a cui avrete unito sedano verde tritato finemente.

233. "Soufflé" di riso

Dosi per 4 persone:

CIRCA GR. 300 DI RISO AVANZATO
5 CHIARE D'UOVO
GR. 25 DI ROBIOLINA
GR. 25 DI FONTINA
LATTE MAGRO
NOCE MOSCATA
BUCCIA GRATTUGIATA DI ½ LIMONE
SALE

Riunite il riso in una terrina e mettetelo a bagnomaria: aggiunge-tevi qualche cucchiaiata di latte caldo e mescolatelo lentamente fin-ché si sarà ammorbidito. Incorporatevi la robiolina e la fontina ta-gliate a dadini, fatele sciogliere completamente, quindi unite la noce moscata, la buccia del limone e, fuori dal fuoco, quando il riso avrà perduto un po' del suo calore, le chiare montate molto bene a neve. Versate subito il composto in un recipiente di pirofila dal bordo piut-tosto alto, spalmato di burro o di margarina e cuocetelo nel forno a buon calore per circa 30 minuti, senza aprire il forno durante il primo quarto d'ora di cottura. Servite il "soufflé" appena tolto dal forno insieme ad un piatto di carne in umido o in stufato, comple-tando il menù con le CAROTE ALL'ORIENTALE (*vedi* ricetta n. 260). Se non avete del riso avanzato da utilizzare, cuocete il riso nel latte e il vostro "soufflé" sarà più saporito e nello stesso tempo più delicato.

234. *Spaghetti alla mozzarella*

Dosi per 4 persone:

GR. 400 DI SPAGHETTI
GR. 100 DI MOZZARELLA
NOCE MOSCATA
SALE

Cuocete gli spaghetti in abbondante acqua salata, scolateli molto al dente e conservate una tazza d'acqua di cottura. In una teglia da tavola raccogliete gli spaghetti, unitevi la mozzarella tagliata a dadini e, mescolando continuamente a fuoco molto basso, bagnateli poco alla volta con l'acqua di cottura messa da parte. Quando la mozzarella sarà completamente sciolta e gli spaghetti avranno raggiunto la giusta cottura, toglieteli dal fuoco e finiteli di condire con la noce moscata. L'acqua di cottura degli spaghetti, messa da parte, può essere sostituita da latte magro caldo e, secondo il vostro gusto, potete aggiungere prezzemolo o basilico o aglio tritati, ma in questo caso scarterete la noce moscata.

235. Spaghetti con zucchine

Dosi per 4 persone:

GR. 400 DI SPAGHETTI
8 PICCOLE ZUCCHINE
4 GROSSI POMODORI
1 SPICCHIO D'AGLIO (FACOLTATIVO)
1 MAZZETTO DI AROMI (ALLORO, SALVIA, ROSMARINO)
3 O 4 CUCCHIAI DI LATTE MAGRO
2 CUCCHIAI DI GROVIERA GRATTUGIATO
1 CUCCHIAINO DI BASILICO TRITATO
SALE

Spellate i pomodori, privateli dei semi, tagliateli a pezzi, raccoglieteli in una teglia, unitevi l'aglio schiacciato, il mazzetto degli aromi e qualche cucchiaiata di latte. Fate prendere il bollore, unitevi le zucchine che avrete tagliato a tocchetti, salate, coprite il recipiente e cuocete a fuoco basso, mescolando spesso. A cottura ultimata fate evaporare tutto il liquido eccedente, scartate il mazzetto degli aromi, incorporate il basilico tritato. Cuocete gli spaghetti in abbondante acqua salata, scolateli al dente, conditeli con il groviera, disponeteli sul piatto da portata, ricopriteli con le zucchine e serviteli subito. Con il medesimo intingolo potete preparare uno sformato di maltagliati: fateli cuocere per 5 minuti in acqua salata poi scolateli e proseguite la cottura nel latte bollente, facendo attenzione che a cottura ultimata non siano troppo asciutti. In uno stampo spalmato di burro o di margarina e cosparso di pane grattugiato, versate la metà dei maccheroni, fate su questi una specie d'incavatura nella quale porrete l'intingolo, ricoprite con il resto dei maccheroni e mettete nel forno per circa un quarto d'ora. Sformate sul piano da tavola. L'aglio può essere sostituito da una piccola cipolla tritata finemente che, non essendo soffritta, è di facile digestione.

236. *Tagliatelle con ragù di carne*

Dosi per 4 persone:

GR. 450 DI POMODORI PELATI IN SCATOLA
GR. 150 DI CARNE DI VITELLO
GR. 30 DI GROVIERA
1 TAZZA DI LATTE MAGRO
1 MAZZETTO DI AROMI (SALVIA, ALLORO, ROSMARINO)
½ CIPOLLA
1 CAROTA
1 GAMBO DI SEDANO
1 CUCCHIAIO DI PREZZEMOLO TRITATO
NOCE MOSCATA
SALE

Per la pasta:
GR. 400 DI FARINA
4 CHIARE D'UOVA
LATTE MAGRO
SALE

In una casseruola raccogliete la cipolla, la carota, il sedano tritati e il mazzetto degli aromi; aggiungetevi il latte, lasciate sobbollire lentamente e quando questo si sarà consumato per due terzi, unite la carne tritata che avrete passato due volte alla macchina. Fatela insaporire per qualche minuto, quindi versate nel recipiente i pomodori che avrete passato al setaccio. Condite con il sale, la noce moscata e cuocete lentamente per circa un'ora. Il ragù deve risultare denso quindi fate evaporare il liquido eccedente e all'ultimo momento incorporatevi il prezzemolo. Con la farina, le chiare d'uova, il latte e il sale preparate una sfoglia piuttosto sottile (*vedi* "GÂTEAU" DI TAGLIATELLE, ricetta n. 215), ricavate le tagliatelle e cuocetele per pochi minuti in acqua bollente salata. Scolatele al dente, disponetele sul piatto da portata precedentemente riscaldato e conditele con il groviera grattugiato e con il ragù. Mescolate bene e servitele subito.

PIATTI
DI MEZZO

237. *Arrosto di vitello arrotolato*

Dosi per 4 persone:

CIRCA GR. 700 DI POLPA DI VITELLO
2 FETTINE DI LINGUA SALMISTRATA
GR. 50 DI GROVIERA
1 TAZZA DI BRODO PREPARATO CON L'ESTRATTO VEGETALE
LATTE MAGRO
1 CUCCHIAINO COLMO DI FARINA
1 CUCCHIAINO DI PREZZEMOLO TRITATO
TIMO IN POLVERE
SALE

Sul tagliere distendete la carne che il vostro fornitore vi avrà preparato in una sola fetta: disponetevi sopra la lingua e su questa il formaggio tagliato a fettine sottili. Cospargete di timo e avvolgete la carne su se stessa strettamente, formando un rotolo che legherete (con spago incolore) come un arrosto. Disponetelo in una casseruola unta di margarina o d'olio, fatelo rosolare leggermente poi bagnatelo con il brodo, salatelo e mettete il recipiente nel forno a fuoco moderato. Quando il brodo sarà tutto consumato, ricoprite la carne di latte e lasciate sobbollire per circa un'ora e mezza. Trascorso questo tempo, togliete l'arrosto dalla casseruola, tagliatelo a fette non troppo sottili che, dopo aver aggiustato sul piatto da portata, metterete al caldo. Unite la farina al fondo di cottura, diluite con latte o brodo, cuocete per qualche minuto quindi passate tutto al setaccio. Mettete ancora sul fuoco, aggiungete il prezzemolo tritato e prima ancora che il composto prenda il bollore, versatelo sopra la carne che servirete subito, contornandola con patate lesse ben calde tagliate in 4 pezzi. Per rendere la salsetta più saporita potete aggiungere uno spicchio d'aglio tritato o spremuto con l'apposita macchinetta o un pezzetto di buccia di limone (solo la parte gialla) e qualche fogliolina di rosmarino tritati insieme.

238. *Chenelle di coniglio*

Dosi per 4 persone:

1 CONIGLIO GIOVANE
1-2 LIMONI
1 CIPOLLA
2 GAMBI DI SEDANO
1 CAROTA
1 MAZZETTO DI AROMI (SALVIA, ALLORO, ROSMARINO)
1 CHIODO DI GAROFANO
1 CUCCHIAINO D'ESTRATTO VEGETALE
3 CUCCHIAI DI MOLLICA DI PANE
LATTE MAGRO
2 CHIARE D'UOVO
1 CUCCHIAIO DI GROVIERA GRATTUGIATO
½ CUCCHIAINO DI BUCCIA DI LIMONE GRATTUGIATA
NOCE MOSCATA
SALE

Prendete un coniglio giovane, lavatelo, asciugatelo, tagliatelo a pezzi e mettetelo in una terrina, unitevi il mazzetto degli aromi, mezza cipolla tritata, il chiodo di garofano e il succo di limone. Lasciatelo in fusione per 4 o 5 ore (meglio tutta la notte). Al momento di cucinarlo, ungete d'olio una padella, riscaldatela e mettetevi il coniglio ben scolato ed asciugato. Fategli prendere un leggero colore, salatelo, bagnatelo con una tazza di brodo e portatelo, ben coperto, lentamente a cottura. Disossatelo, tritatelo finemente, raccogliete il tritato in una terrina, unitevi la mollica del pane che avrete cotta nel latte (formando una specie di besciamella), la noce moscata, la buccia del limone, il groviera, le chiare d'uovo, mescolando finché il composto sarà liscio e omogeneo. Riempite d'acqua per due terzi una casseruola piuttosto larga e bassa, aggiungetevi il resto della cipolla, i gambi di sedano, 1 piccola carota, l'estratto e fate bollire per 20 minuti, poi prendete il composto di coniglio a cucchiaiate e con le mani bagnate d'acqua da ogni cucchiaiata ricavate una pallina grande come un piccolo mandarino che via via verserete nel brodo (dal quale avrete tolto le verdure) che deve appena sobbollire. Cuocete per circa un quarto d'ora, scolate le chenelle con un mestolo forato, aggiustatele su di un piatto da portata precedentemente riscaldato e servitele contornate da patate lesse e accompagnate da un sugo di pomodoro. Adoperate il brodo di cottura delle chenelle per fare una minestra di riso.

239. Coniglio in agrodolce

Dosi per 4 persone:

1 CONIGLIO GIOVANE
GR. 400 DI POMODORI PELATI IN SCATOLA
½ CUCCHIAINO DI ZUCCHERO
1 CIPOLLA
1 FOGLIA D'ALLORO
1 RAMETTO DI ROSMARINO
IL SUCCO DI ½ LIMONE
½ CUCCHIAINO DI ESTRATTO VEGETALE
SALE

Dopo aver pulito il coniglio come di consueto, tagliatelo a pezzi piuttosto piccoli, fateli colorire leggermente in una teglia spalmata d'olio quindi disponeteli in una casseruola dove avrete fatto uno strato con la cipolla tagliata a fettine sottili. Cospargete il coniglio di sale, ricopritelo con i pomodori passati al setaccio, aggiungetevi gli aromi, ponete il recipiente nel forno e cuocete lentamente, mescolando spesso. Verso la fine della cottura, quando il sugo sarà divenuto denso come una crema, unitevi l'estratto diluito in un cucchiaio d'acqua, il succo di mezzo limone e lo zucchero. Cuocete ancora per qualche minuto, quindi togliete il recipiente dal fuoco, aggiustate il coniglio con tutto l'intingolo (scartate gli aromi) sopra il piatto da portata precedentemente riscaldato e servitelo con un risotto in bianco o con un puré di patate.

240. *Filetti di pesce "Mirelle"*

Dosi per 4 persone:

8-12 FILETTI DI PESCE PERSICO
1 GROSSA ARANCIA
1 GROSSO LIMONE
4 CUCCHIAINI DI ZUCCHERO
1 CUCCHIAINO DI CIPOLLA TRITATA
1 MAZZETTO DI AROMI (TIMO, ALLORO, ROSMARINO)
SALE

Dopo aver lavato i filetti, aggiustateli in una casseruola, unitevi gli aromi, un pizzico di sale e ricopriteli d'acqua fredda. Bollite per 4 o 5 minuti, quindi mettete il recipiente sul bordo del fornello in modo che l'acqua rimanga caldissima senza più bollire. Tagliate a fettine sottilissime la buccia dell'arancia (solo la parte gialla), cuocetela per 5 minuti in acqua bollente, poi scolatela e mettetela da parte. In una piccola casseruola caramellate leggermente lo zucchero, unitevi la buccia dell'arancia, una tazzina della sua acqua di cottura, il succo dell'arancia e del limone, la cipolla tritata, un pizzico di sale e lasciate sobbollire qualche minuto. Scolate bene i filetti di pesce, aggiustateli sul piatto da portata uno accanto all'altro in uno strato solo, versatevi sopra l'intingolo, coprite il piatto e lasciate riposare per circa un'ora. Di gusto insolito, ma delicato e graditissimo, servite questo piatto di pesce con patate lesse calde, cotte (già sbucciate) in un brodo preparato con l'estratto al quale avrete aggiunto una foglia d'alloro. I filetti di pesce persico possono essere sostituiti da quelli delle sogliole o dei naselli, ma il pesce di lago si unisce meglio a intingoli di sapore dolce.

241. *Frittatina di ricotta*

Dosi per 4 persone:

GR. 200 DI RICOTTA
GR. 200 DI ERBETTE LESSATE
GR. 60 DI FARINA
6 CHIARE D'UOVO
1 DECILITRO DI LATTE MAGRO
1 PIZZICO DI CANNELLA
SALE

In una terrina mettete la farina, stemperatela in un bicchiere di latte in modo da formare una specie di pastella, unitevi le chiare sbattute (non a neve) e il sale. Amalgamate bene il composto, quindi versatene 2 o 3 cucchiaiate alla volta in una padella che dopo aver messo a riscaldare sul fuoco moderato, pennellerete con l'olio. Muovete il recipiente in tutti i sensi in modo da ricoprirne completamente il fondo. Appena la frittatina avrà preso un leggero colore da tutte e due le parti, mettetela in un piatto. E servendovi sempre del pennello, ungete la padella prima di versarvi il composto per fare le altre frittatine. Quando sono tutte pronte, in una terrina riunite erbette e ricotta passate al setaccio, ammorbiditele con qualche cucchiaiata di latte, incorporatevi la cannella, il sale e con l'impasto riempite le frittatine che arrotolerete su se stesse. Disponetele in una teglia da tavola che possa andare al fuoco, mettetele 5 minuti nel forno e servitele con verdura cotta o con un sugo di pomodoro. Con la medesima preparazione potete ottenere un gradito dessert: incorporate alla ricotta 2-3 cucchiai di zucchero a velo candito d'arancia tagliato a dadini e cospargete le frittatine di zucchero semolato, bagnandole poi di succo d'arancia. Mettetele nel forno per 5 minuti.

242. *Nasello all'inglese*

Dosi per 4 persone:

4 NASELLI CIASCUNO DEL PESO DI CIRCA GR. 250
½ CIPOLLA
1 FOGLIA D'ALLORO
1 FETTINA DI LIMONE
SUCCO DI ½ LIMONE
1 CUCCHIAIO DI PREZZEMOLO TRITATO
½ CUCCHIAINO D'ESTRATTO VEGETALE
SALE

Per la buona riuscita di questo piatto occorre che i naselli siano freschissimi. Puliteli come di consueto, cercando di non aprirli troppo nella pancia, lavateli bene e ponete la coda di ciascun pesce nella propria bocca, fermando la coda con i denti; darete così al nasello una forma a ciambella che gli impedirà di rompersi durante la cottura. In una casseruola mettete poca acqua salata alla quale avrete unito l'estratto, la cipolla, l'alloro, la fettina di limone. Fate sobbollire per circa 10 minuti, quindi aggiustate nel recipiente, uno accanto all'altro, i pesci che dovranno essere appena ricoperti di liquido. Chiudete la casseruola e cuocete molto lentamente per 10 minuti. Con un mestolo forato prendete i pesci uno alla volta, disponeteli direttamente sui piatti da tavola, unite al brodo di cottura il prezzemolo e il succo del limone e versatelo sopra ai pesci scartando la cipolla, l'alloro e la fettina di limone. Serviteli insieme a patate lesse, cotte già sbucciate, in un brodo vegetale.

Nasello all'inglese
(ricetta n. 242)

243. "Omelettes" ai carciofi

Dosi per 4 persone:

8-12 CARCIOFI
4 CHIARE D'UOVO
4 FETTINE DI LINGUA SALMISTRATA
BRODO PREPARATO CON L'ESTRATTO VEGETALE
4 CUCCHIAI DI FARINA
3 CUCCHIAI DI FONTINA GRATTUGIATA
LATTE MAGRO
1 SPICCHIO D'AGLIO (FACOLTATIVO)
1 CUCCHIAINO DI PREZZEMOLO TRITATO
SUCCO DI LIMONE
SALE

Scartate dai carciofi tutte le foglie dure, spuntateli, lasciate un pezzetto di gambo che spellerete bene, quindi tagliateli a spicchi piuttosto sottili. Immergeteli per qualche minuto nell'acqua acidulata al limone, poi scolateli, riuniteli in una casseruola, aggiungete l'aglio schiacciato, una tazza di brodo, il sale, e cuocete lentamente per circa 30 minuti, facendo evaporare tutto il liquido; finiteli di condire con il prezzemolo tritato. Intanto preparate le frittatine una alla volta. In una fondina mettete un cucchiaio di farina, un cucchiaino di fontina, stemperate con due cucchiai di latte, incorporatevi una chiara, un pizzico di sale, sbattete leggermente e versate il composto in una padella, unta d'olio ben riscaldata. Muovete la padella finché tutto il composto si sarà condensato e quando, sollevando un poco con l'apposito mestolo di legno la frittata, questa avrà preso un bel colore dorato, mettetela su di un piatto, capovolgetela nella padella e fatela colorire anche dall'altra parte. Proseguite nella preparazione delle altre tre "omelettes", pennellando d'olio la padella prima di versarvi il composto. Quando le quattro frittatine sono pronte, disponete su di ognuna una fettina di lingua, distribuitevi sopra (lungo il diametro) i carciofi, richiudete le frittatine su se stesse, aggiustatele in una teglia spalmata di olio o di margarina, bagnatele con 3 o 4 cucchiai di latte, cospargetele con il resto della fontina e mettetele nel forno già caldo per qualche minuto.

273

244. *Patate ripiene in "Dôme"*

Dosi per 4 persone:

4 GROSSE PATATE
CIRCA GR. 300 DI CARNE LESSA O ARROSTITA
1 CUCCHIAIO DI GROVIERA GRATTUGIATO O DI PARMIGIANO
1 CIPOLLA
LATTE MAGRO
1 CUCCHIAIO DI FARINA
1 CUCCHIAINO DI SALSA DI POMODORO
NOCE MOSCATA
1 CHIARA D'UOVO
SALE

Prendete 4 grosse patate tutte della medesima grandezza, strofinatele sotto l'acqua corrente, asciugatele bene con un canavaccio, quindi mettetele con tutta la buccia sopra la placca del forno unta d'olio e cuocetele a fuoco moderato per circa un'ora. Intanto tritate finemente la cipolla, raccoglietela in una casseruola, unitevi ½ bicchiere d'acqua e quando questa sarà quasi tutta consumata, aggiungete la carne tritata, la salsa di pomodoro e la farina diluita in una tazza di latte freddo. Cuocete mescolando, finché otterrete un composto consistente, incorporate la noce moscata, un pizzico di sale e togliete il recipiente dal fuoco. Appena le patate sono cotte, tagliatele a metà nel senso della lunghezza. Svuotatele delicatamente con un cucchiaino, lasciando un involucro di circa 2 cm. di spessore. Passate la parte tolta allo schiacciapatate, riunitela in una casseruola, aggiungetevi un poco di latte bollente e mescolate finché otterrete un soffice purè che condirete con il sale e con il groviera. Spellate le mezze patate, riempitele con il composto di carne, ricopritele con il purè, aggiustandolo a cupola e disponetele in una teglia spalmata di burro o di margarina. Spennellate leggermente con la chiara d'uovo e mettete il recipiente nel forno per circa mezz'ora. Servite nella teglia di cottura dopo aver lasciato riposare il tutto, fuori dal forno, per qualche minuto.

245. *Pizza di salmone*

Dosi per 4 persone:

GR. 500 DI PASTA DI PANE
GR. 300 DI SALMONE IN SCATOLA AL NATURALE
2 CUCCHIAI DI MOLLICA DI PANE BAGNATA NEL LATTE
MAGRO
2 CUCCHIAI DI GROVIERA GRATTUGIATO
1 CUCCHIAINO DI CIPOLLA TRITATA
1 CUCCHIAINO DI PREZZEMOLO TRITATO
BUCCIA DI LIMONE GRATTUGIATA
SEDANO TRITATO
2 POMODORI MATURI
1 CHIARA D'UOVO
ORIGANO
SALE

Prendete la pasta del pane già lievitata, distendetela con le mani, formando una specie di quadrato, ponetevi sopra il groviera, quindi richiudete la pasta su se stessa e lavoratela finché il groviera si sarà ben incorporato. Con il rullo ricavatene una sfoglia con la quale fodererete il fondo e il bordo di una teglia unta d'olio o di margarina. Colate il salmone dal suo liquido, scartate la pelle, le spine, tritatelo grossolanamente, raccoglietelo in una terrina, unitevi il prezzemolo, il sedano, la cipolla, la chiara d'uovo, la mollica del pane bagnata nel latte, la buccia di limone e il sale, ottenendo un impasto piuttosto morbido. Versatelo sopra la pasta, guarnite, disponendo sul bordo della pizza i pomodori tagliati a fettine che aggiusterete leggermente accavallate. Cospargetele di sale e d'origano e cuocete nel forno a fuoco moderato finché il composto avrà preso un bel colore dorato. Appena la pizza è pronta, sformatela e servitela calda. Se durante la cottura il ripieno della pizza divenisse troppo sodo, aggiungete qualche cucchiaiata di latte caldo: non dimenticate che state cucinando senza grassi!

246. *Pollo alla francese*

Dosi per 4 persone:

1 POLLO DI CIRCA KG. 1,250
GR. 400 DI RISO
2 FEGATINI (OLTRE QUELLO DEL POLLO)
LATTE MAGRO
4 CUCCHIAINI DI MAIZENA
1 CIPOLLA
1 CAROTA
1 GAMBO DI SEDANO
1 FOGLIA DI SALVIA
NOCE MOSCATA
SALE

Lessate il pollo in acqua bollente salata alla quale avrete aggiunto la cipolla, la carota e il sedano. Appena pronto travasate il brodo in un altro recipiente, lasciandone solo un poco per tenere il pollo in caldo. In una casseruola spalmata di burro o di margarina soffriggete con la salvia i fegatini tritati per qualche minuto poi unite 4 bicchieri di latte nel quale avrete stemperato la maizena, salate e cuocete finché otterrete una crema molto fluida quindi, se occorre, aggiungetevi ancora del latte e tenetela al caldo a bagnomaria fuori dal fuoco. Nel brodo già scolato che avrete sgrassato, fate bollire il riso e appena pronto conditelo con la noce moscata. Lasciatelo riposare per qualche minuto, quindi mettetelo sul piatto da portata, aggiustatevi sopra il pollo tagliato in 4 pezzi e su questi versate la metà della crema, servendo il resto a parte nella salsiera. Per rendere il piatto più magro potrete scartare la pelle del pollo.

Polpettone misto
(ricetta n. 247)

247. *Polpettone misto*

Dosi per 4 persone:

KG. 1 DI PATATE
GR. 400 DI ERBETTE (PICCOLE BIETOLE)
GR. 200 DI CARNE DI VITELLO LESSA O ARROSTITA
1 CUCCHIAIO DI MOLLICA DI PANE
GR. 50 DI GROVIERA GRATTUGIATO
4 O 5 CUCCHIAI DI FARINA
2 CHIARE D'UOVO
LATTE MAGRO
1 SPICCHIO D'AGLIO (FACOLTATIVO)
NOCE MOSCATA
1 CAROTA LESSA
SALE E PEPE

Cuocete le patate nell'acqua bollente salata, facendo attenzione che non si rompano. Pulite, lavate le erbette, cuocetele in un altro recipiente con poca acqua e con una presa di sale. A cottura ultimata, scolatele, strizzatele, tritatele e insaporitele in una teglia con l'aglio schiacciato e con 3-4 cucchiaiate di latte; fate evaporare tutto il liquido, e fuori dal fuoco unitevi la carne tritata finemente, la metà del groviera, la mollica del pane bagnata nel latte (poi ben strizzata) e una chiara d'uovo. Appena le patate sono pronte, scolatele, spellatele, passatele allo schiacciapatate, raccoglietele in una terrina, incorporatevi il resto del formaggio, la farina, la noce moscata, la chiara d'uovo rimasta e un pizzico di sale. Versate la pasta sulla spianatoia infarinata, lavoratela con le mani finché avrà la giusta consistenza (come per gli gnocchi) e distendetela, dandole la forma di un rettangolo (circa 25x35) alto 3 o 4 cm. Con le mani bagnate ricavate dall'impasto di carne e erbette un piccolo polpettone, nel quale introdurrete la carota lessa; disponetelo nel mezzo del rettangolo che arrotolerete, comprimendolo poi da tutte le parti in modo da racchiudere completamente il polpettone. Avvolgete il tutto in un tovagliolo, legate le due estremità con filo bianco e fate bollire per circa mezz'ora nell'acqua salata che avrete messo in una casseruola larga, ma non troppo profonda. Togliete il polpettone dall'acqua con un mestolo forato e quando si sarà intiepidito, levate delicatamente il tovagliolo: tagliatelo a fette non troppo sottili e servitelo da solo o accompagnato da una salsa di pomodoro.

277

248. *Rotoli di lattuga*

Dosi per 4 persone:

8 GROSSI CESPI DI LATTUGA
8 FETTE DI LINGUA
2 CUCCHIAI DI PARMIGIANO
BRODO PREPARATO CON L'ESTRATTO VEGETALE
LATTE MAGRO
1 GROSSA CIPOLLA
SALE

Private delle foglie esterne i cespi di lattuga e dopo averne asportato i torsoli, lavateli senza romperli, scolateli bene e metteteli in una teglia spalmata di burro o di margarina insieme alla cipolla tritata. Coprite il recipiente, fate insaporire molto lentamente per circa 10 minuti, quindi salate e proseguite la cottura aggiungendo, quando occorre, del brodo bollente. Appena le lattughe sono pronte, fate evaporare tutto il liquido e lasciatele intiepidire. Distendete sul tavolo di cucina le fette di lingua che dovranno essere piuttosto spesse e su ciascuna di queste disponete un cespo di lattuga; avvolgete strettamente le fette e aggiustate gli involtini ottenuti uno accanto all'altro in una teglia da portata leggermente spalmata di margarina o di burro. Cospargete con il parmigiano, bagnate con qualche cucchiaiata di latte e mettete il recipiente per pochi minuti nel forno ben caldo. Potete arricchire il piatto contornandolo con finocchi che trinciati avrete cotto nel latte, aggiungendovi alloro, salvia e bacche di ginepro. Servite questo delicato piatto leggero, ma sostanzioso, come pietanza per la cena seguito da una macedonia di frutta.

249. *Sformato di semolino e verdure*

Dosi per 4 persone:

GR. 500 DI PISELLI
GR. 500 DI ASPARAGI
GR. 200 DI SEMOLINO
GR. 50 DI MOZZARELLA
6 CARCIOFI
1 LITRO E ½ DI LATTE MAGRO
2 CUCCHIAI DI PARMIGIANO
1 CIPOLLA
1 CUCCHIAINO D'ESTRATTO VEGETALE
NOCE MOSCATA
SUCCO DI LIMONE
PANE GRATTUGIATO
SALE

Scartate senza economia tutte le foglie dure dei carciofi, tagliateli a spicchi e immergeteli per qualche minuto nell'acqua fredda acidulata al limone. In una casseruola mettete la cipolla tritata insieme ad un bicchiere di latte (circa 2 decilitri) e quando questo comincia a bollire, unitevi i carciofi, fateli cuocere 10 minuti a fuoco basso, quindi aggiungetevi i piselli, il sale e una tazza d'acqua calda nella quale avrete sciolto l'estratto; coprite bene la casseruola e proseguite la cottura lentamente. Quando le verdure sono pronte, prima di togliere il recipiente dal fuoco, accertatevi che il liquido sia tutto evaporato. Lessate gli asparagi (solo la parte verde) in acqua salata, colateli, tagliateli a pezzetti lunghi circa 2 cm. che metterete ancora caldi su di un piatto, cospargendoli di parmigiano (1 cucchiaio). In una casseruola versate il latte (1 litro e 3 decilitri) e quando sta per bollire, unitevi un pizzico di sale e il semolino che farete cuocere per 5 minuti. Togliete il recipiente, aggiungete il resto del parmigiano, la noce moscata e versate la metà del semolino, ancora caldo, in uno stampo liscio unto di burro o di margarina e spolverizzato di pane grattugiato. Nel centro del semolino fate una specie d'incavatura nella quale metterete le verdure (carciofi, piselli, asparagi) e la mozzarella tagliata a dadini; ricoprite il tutto con il resto del semolino, lisciando bene la superficie. Cuocete lo sformato nel forno a fuoco vivo e toglietelo quando avrà preso un bel colore dorato. Fatelo raffreddare qualche minuto poi capovolgetelo sul piatto da portata e servitelo da solo o, per renderlo più completo, guarnito tutto intorno da fettine di lingua, arrotolate su se stesse.

250. "Soufflé" di carne

Dosi per 4 persone:

GR. 500 DI CARNE DI VITELLO GIÀ LESSATA
4 CUCCHIAI DI MOLLICA DI PANE
4 CHIARE D'UOVO
LATTE MAGRO
1 CUCCHIAINO DI PREZZEMOLO TRITATO
NOCE MOSCATA
PANE GRATTUGIATO
BUCCIA DI LIMONE GRATTUGIATA
SALE

Prendete della carne magra di vitello già lessata, tritatela finemente, raccoglietela in una terrina, unitevi il prezzemolo, la buccia di limone, la noce moscata, la mollica di pane cotta nel latte (ottenendo una specie di besciamella), il sale e mescolate energicamente. Quando gli ingredienti saranno ben amalgamati, incorporatevi le chiare montate a neve e versate il composto in 4 piccoli recipienti di pirofila o di pirex spalmati di burro o di margarina e cosparsi di pane grattugiato. Metteteli nel forno a fuoco moderato e cuocete finché la superficie dei "soufflés" avrà preso un bel colore dorato. Serviteli nei recipienti di cottura e accompagnateli con un sugo di pomodoro che otterrete riunendo in una casseruola 4 pomodori maturi, spellati, privati dei semi e tritati, una cipolla tagliata a fettine sottili, una foglia d'alloro, ½ cucchiaino d'estratto vegetale, qualche cucchiaiata di latte, sale e mezzo cucchiaino di zucchero e cuocendo il tutto lentamente per circa 30 minuti.

251. "Soufflé" di formaggio

Dosi per 4 persone:

6 CHIARE D'UOVO
GR. 100 DI FONTINA
GR. 75 DI CRESCENZA
GR. 80 DI FARINA
½ LITRO DI LATTE MAGRO
NOCE MOSCATA
⅓ DI CUCCHIAINO DI ZUCCHERO
SALE

In una casseruola riunite la farina ben setacciata, stemperatela con il latte freddo, aggiungete il sale e mescolando cuocete per 7 o 8 minuti, ottenendo una besciamella molto densa; unitevi la fontina e la crescenza tagliate a fettine sottili e mescolate finché si saranno completamente sciolte. Finite di condire con un pizzico di noce moscata e con lo zucchero, lasciate raffreddare il composto, quindi incorporate le chiare montate a neve. Versate il tutto in un recipiente di pirofila precedentemente unto di burro o di margarina e cuocete nel forno a fuoco moderato per circa mezz'ora senza aprire il forno durante i primi 15 minuti di cottura. Servite il "soufflé" subito e caldissimo, da solo o accompagnato da un ragù di carne o da un semplice sugo di pomodoro.

252. Timballo di maccheroni

Dosi per 4 persone:

GR. 400 DI MACCHERONI (MALTAGLIATI, PENNE, ECC.)
GR. 200 DI CARNE LESSA O ARROSTITA
GR. 200 DI MOZZARELLA
GR. 800 DI ASPARAGI PIUTTOSTO SOTTILI
1 CHIARA D'UOVO
1 CIPOLLA
CIRCA 1 LITRO DI LATTE MAGRO
BRODO PREPARATO CON ESTRATTO VEGETALE
1 LIMONE
NOCE MOSCATA
PANE GRATTUGIATO
SALE

Dopo aver lavato gli asparagi, asportate loro la parte non commestibile e tagliate il resto a pezzetti lunghi 2-3 centimetri che raccoglierete in una casseruola. Unitevi la cipolla tritata, ricoprite di brodo e lasciate sobbollire per circa 20 minuti, facendo evaporare tutto il liquido a cottura ultimata. Cuocete i maccheroni in abbondante acqua salata per 7-8 minuti poi scolateli, versateli nel latte bollente leggermente salato e proseguite la cottura finché saranno divenuti molto morbidi e non troppo asciutti, perciò, se occorre, aggiungetevi ancora del latte; fuori dal fuoco aromatizzateli con la noce moscata ed incorporatevi la chiara sbattuta (non a neve). In una terrina riunite la carne e la mozzarella tagliate a dadini, gli asparagi, un po' di buccia di limone grattugiata e mescolate delicatamente. Spalmate uno stampo di burro o di margarina, cospargetelo di pane grattugiato, quindi con i due terzi dei maccheroni foderate il fondo e il bordo del recipiente. Versatevi il composto di carne-mozzarella-asparagi e ricoprite con il resto della pasta. Spolverizzate di pane grattugiato, bagnate con qualche cucchiaiata di latte e mettete nel forno ben caldo a colorire. Sformate e servite il timballo come "piatto unico".

VERDURE

253. *Asparagi gratinati*

Dosi per 4 persone:

KG. 2 DI ASPARAGI
GR. 80 DI LINGUA SALMISTRATA
2 CUCCHIAI DI PARMIGIANO
LATTE MAGRO
1 CIPOLLA
2 CUCCHIAI DI FARINA
1 CUCCHIAINO DI PREZZEMOLO TRITATO
NOCE MOSCATA
1 CUCCHIAIO DI PANE GRATTUGIATO
SALE

Pulite gli asparagi come di consueto, lavateli, legateli a mazzi e lessateli in acqua salata che non deve ricoprire le punte, poiché per cuocerle basta il vapore dell'acqua stessa. Intanto in una casseruola mettete la cipolla tritata e un bicchiere di latte, cuocete lentamente e quando il latte sarà quasi tutto evaporato, incorporate la farina, diluite con circa 3 decilitri di latte tiepido e, appena il composto sarà cremoso ed omogeneo, unite la lingua e il prezzemolo tritati, la noce moscata e poco sale. Togliete la casseruola dal fuoco e tenetela al caldo. Prendete una teglia, possibilmente ovale, ungetela di burro o margarina, disponetevi gli asparagi (che avrete ben scolato e slegato) sulle due estremità con le punte verso il centro. Cospargetele con la metà del parmigiano, versatevi sopra il composto alla lingua, spolverizzate con il resto del parmigiano e con il pane grattugiato e mettete a gratinare nel forno ben caldo.

254. *Budino di finocchi*

Dosi per 4 persone:

12 GROSSI FINOCCHI
GR. 30 DI BEL PAESE
4 CHIARE D'UOVO
LATTE MAGRO
1 CIPOLLA
PANE GRATTUGIATO
1 FOGLIOLINA D'ALLORO
1 RAMETTO DI TIMO
SALE

Per la besciamella:
GR. 50 DI FARINA
½ LITRO DI LATTE

Togliete ai finocchi le foglie dure, tagliateli a spicchi e cuoceteli in acqua salata. Appena pronti, scolateli bene e fateli insaporire in una teglia dove avrete messo a sobbollire la cipolla tritata, il timo e l'alloro con un bicchiere di latte. Mescolate continuamente, e quando questo sarà tutto evaporato e i finocchi cominciano a colorirsi, passateli al setaccio, quindi preparate la besciamella: in un'altra casseruola mettete il latte nel quale avrete stemperato la farina, mescolando cuocete lentamente finché otterrete un composto omogeneo e cremoso, salatelo, incorporatevi il formaggio a pezzetti, il passato di finocchi e toglietelo dal fuoco. Lasciate intiepidire, aggiungete le chiare montate a neve e versate il tutto in uno stampo liscio, rotondo, forato nel centro, spalmato di burro o di margarina e spolverizzato di pane grattugiato. Cuocete per circa un'ora a bagnomaria nel forno e prima di togliere il budino dal fuoco, accertatevi che sia completamente rassodato. Lasciatelo riposare qualche minuto prima di sformarlo sul piatto da portata. Servitelo come contorno a qualsiasi genere di carne o come primo piatto, unendo dei funghi secchi o qualche fettina di lingua salmistrata che aggiusterete nel centro del budino.

255. Budino di zucca gialla

Dosi per 4 persone:

KG. 1,500 DI ZUCCA GIALLA
2 CUCCHIAI DI PARMIGIANO
4 CHIARE D'UOVO
2 CUCCHIAI DI FARINA
LATTE MAGRO
1 CUCCHIAIO DI PORRO TRITATO (SOLO LA PARTE BIANCA)
PANE GRATTUGIATO
NOCE MOSCATA
SALE

Sbucciate la zucca, tagliatela a pezzi non troppo piccoli e cuocetela sulla placca del forno; appena pronta passatela al setaccio. Mettete il passato di nuovo sul fuoco e, mescolando con un cucchiaio di legno, fatelo condensare. In una casseruola versate un bicchiere abbondante di latte nel quale avrete stemperato la farina, aggiungetevi il porro tritato e cuocete a fuoco basso, mescolando, finché otterrete una crema densa e omogenea, salatela, unitevi il parmigiano, il passato di zucca, un pizzico di sale e la noce moscata; quando gli ingredienti saranno amalgamati, togliete il recipiente dal fuoco, fate intiepidire e incorporate le chiare montate a neve. Versate il tutto in uno stampo liscio, spalmato di burro o di margarina e spolverizzato di pane grattugiato. Cuocete a bagnomaria nel forno a calore moderato per quasi un'ora, facendo rassodare bene il composto. Toglietelo dal fuoco, lasciatelo riposare qualche minuto, capovolgetelo sul piatto da portata e servitelo insieme a uno stufato o a uno spezzatino in umido.

256. Carciofi al formaggio

Dosi per 4 persone:

8 o 12 CARCIOFI A SECONDA DELLA GRANDEZZA
GR. 100 DI MOZZARELLA
GR. 50 DI LINGUA SALMISTRATA
4 CUCCHIAI DI PANE GRATTUGIATO
1 CUCCHIAIO DI PREZZEMOLO TRITATO
LATTE MAGRO
SUCCO DI LIMONE
SALE

Togliete ai carciofi tutte le foglie dure, spuntateli e lasciate una parte di gambo che spellerete bene. Lessateli in acqua salata alla quale avrete aggiunto qualche goccia di limone, scolateli ancora al dente, tagliateli a metà nel senso della lunghezza e disponeteli sopra un tovagliolo per farli asciugare. Ponete poi fra le due metà di ogni carciofo una fettina di mozzarella e un quadratino di lingua, ricomponetelo e aggiustatelo in una teglia piuttosto profonda spalmata di burro o di margarina. Quando i carciofi saranno tutti pronti, uno accanto all'altro in uno strato solo, in una terrina stemperate il pane grattugiato e il prezzemolo nel latte. Versate il composto sopra i carciofi che metterete nel forno a gratinare leggermente. Questo contorno può benissimo costituire da solo il piatto importante per la cena. Secondo i gusti, potete sostituire la lingua con una fettina di pomodoro cosparsa d'origano.

257. *Carciofi glassati*

Dosi per 4 persone:

8-12 GROSSI CARCIOFI
6 CUCCHIAI DI MOLLICA DI PANE
LATTE MAGRO
2 CHIARE D'UOVO
1 GROSSA CIPOLLA
1 SPICCHIO D'AGLIO (FACOLTATIVO)
1 GROSSA CUCCHIAIATA DI PREZZEMOLO
BRODO PREPARATO CON L'ESTRATTO VEGETALE
SUCCO DI LIMONE
SALE

Mondate i carciofi, scartando tutte le foglie dure, spuntateli, lasciate un pezzetto di gambo che spellerete bene (altrimenti è amaro), tagliateli a metà nel senso della lunghezza e metteteli a bagno per circa 10 minuti nell'acqua acidulata al succo del limone. Intanto in una terrina raccogliete la mollica del pane cotta nel latte e bene addensata e, mescolando energicamente, incorporatevi le chiare d'uovo, l'aglio e il prezzemolo tritati e un pizzico di sale. Scolate i carciofi, asciugateli, spalmate la parte interna con il composto ottenuto, unite poi insieme le due metà e fermatele con uno stecchino. In una casseruola mettete la cipolla tagliata a fettine, bagnatela con il latte e lasciatela sobbollire senza farla dorare. A questo punto aggiustate sulla cipolla i carciofi uno accanto all'altro in uno strato solo, salateli, ricopriteli di brodo, chiudete bene il recipiente e cuocete molto lentamente per circa 30 minuti. Quando i carciofi sono pronti, disponeteli sul piatto da portata, versatevi sopra l'intingolo di cottura e serviteli da soli o come contorno a carne o a pesce lessi.

258. Carciofi in salsa greca

Dosi per 4 persone:

8 o 12 CARCIOFI

Per la salsa:

½ LITRO DI LATTE MAGRO
1 CUCCHIAIO DI MAIZENA
1 CUCCHIAIO DI PREZZEMOLO TRITATO
1 CUCCHIAINO DI CAPPERI AL NATURALE (NON SOTTACETO)
1 CUCCHIAINO DI SEDANO TRITATO
SUCCO DI LIMONE
SALE

Prendete dei carciofi teneri e freschi, scartate tutte le foglie dure, spuntateli e lasciate loro un pezzetto di gambo che spellerete bene. Metteteli per 10 minuti nell'acqua acidulata al succo di limone quindi cuoceteli nell'acqua salata. Intanto in una casseruola stemperate la maizena con il latte freddo e cuocete a fuoco molto basso, sempre mescolando, per 5 o 6 minuti. Quando avrete ottenuto una crema omogenea, ma molto fluida (se occorre aggiungete ancora del latte o del brodo), unitevi il sale, il prezzemolo, il sedano e i capperi e per ultimo, togliendo il recipiente dal fuoco, il succo di ½ limone. Mescolate bene la salsa ottenuta e tenetela al caldo. Appena i carciofi sono pronti, scolateli, tagliateli a metà nel senso della lunghezza, disponeteli allineati sul piatto da portata, copriteli con la salsa calda e serviteli subito.

22. *300 ricette senza grassi*

259. Cardo alla mozzarella

Dosi per 4 persone:

1 o 2 CARDI A SECONDA DELLA GRANDEZZA
GR. 100 DI MOZZARELLA
LATTE MAGRO
2 CUCCHIAI DI PARMIGIANO
4 CUCCHIAI DI SUGO DI POMODORO
4 CUCCHIAI DI PANE GRATTUGIATO
1 SPICCHIO D'AGLIO (FACOLTATIVO)
2 CHIARE D'UOVO
SUCCO DI LIMONE
NOCE MOSCATA
SALE E PEPE

Scegliete del cardo le coste più bianche e più tenere, tagliatele a pezzi di circa 5 cm., spellatele e immergetele nell'acqua acidulata al succo di limone. Cuocetele in acqua salata per circa mezz'ora, scolatele bene e fatele insaporire in una teglia dove avrete già messo a sobbollire uno spicchio d'aglio tritato con un bicchiere di latte. Aggiungete ancora un po' di sale e lasciate cuocere finché avranno assorbito quasi tutto il latte. Spalmate di burro o di margarina una teglia, aggiustatevi la metà dei cardi, disponetevi sopra la mozzarella tagliata a fettine sottili e ricoprite con il resto dei cardi. In una fondina sbattete le chiare, unitevi il parmigiano, il pane grattugiato, la noce moscata, il sale e circa un bicchiere di latte; versate il composto sopra i cardi e mettete il recipiente nel forno ben caldo per circa un quarto d'ora. Potete servire i cardi alla mozzarella come primo piatto o come contorno a qualsiasi genere di carne. L'aglio può essere sostituito da una piccola cipolla tritata finemente.

260. *Carote all'orientale*

Dosi per 4 persone:

GR. 800 DI CAROTE
GR. 80 D'UVETTA SULTANINA
GR. 30 DI ZUCCHERO
SUCCO DI 1 LIMONE O DI 1 ARANCIA
1 RAMETTO DI ROSMARINO
SALE

In una casseruola riunite le carote ben raschiate e tagliate a fettine rotonde piuttosto sottili, l'uvetta sultanina, il rosmarino e il sale; ricoprite d'acqua e lasciate sobbollire con il recipiente coperto per circa mezz'ora. Intanto in una casseruola che non sia di smalto, a fuoco lento, sciogliete lo zucchero e quando questo avrà preso un leggero colore dorato, unitevi qualche cucchiaiata d'acqua, il succo del limone e versate il composto sopra le carote, mescolando bene. Lasciate insaporire per 10 minuti, eventualmente fate evaporare il liquido eccessivo, quindi mettete questo insolito contorno sul piatto da portata e servitelo caldo o freddo insieme a carne lessa di manzo, di vitello o di pollo o a pesce lesso d'acqua dolce (trota, persico, ecc.).

261. Coste di bietole gratinate

Dosi per 4 persone:

CIRCA KG. 1 DI COSTE DI BIETOLE
GR. 80 DI MOZZARELLA
1 GROSSA CIPOLLA
2 POMODORI MATURI
2 CUCCHIAI DI PREZZEMOLO TRITATO
GR. 50 DI FARINA
¾ DI LITRO DI LATTE
PANE GRATTUGIATO
SALE

Dopo aver tolto i filamenti alle coste, lavatele, tagliatele a **pezzi** lunghi 5 o 6 centimetri, lessatele in acqua bollente salata e quando sono cotte, scolatele e mettetele da parte. In una casseruola spalmata di burro o di margarina raccogliete la cipolla tagliata a fettine e prima ancora che prenda il colore, unitevi il latte nel quale avrete stemperato la farina, salate e cuocete mescolando finché otterrete un composto cremoso, ma non troppo denso. In una teglia leggermente spalmata di burro o di margarina, aggiustate le coste a strati che cospargerete di prezzemolo, di pomodoro spellato, privato dei semi e tagliato a pezzetti e di dadini di mozzarella. Su tutto versate la besciamella, cospargete di pane grattugiato e mettete nel forno a gratinare. Una variante a questo piatto potrà essere la seguente: preparate un sugo ristretto con circa gr. 450 di pomodori pelati in scatola, fatevi insaporire le bietole, aggiustatele in una teglia a strati che cospargerete con gr. 80 di crescenza e su tutto versate 2 chiare sbattute leggermente alle quali avrete aggiunto un cucchiaino di prezzemolo tritato. Mettete nel forno a colorire. La parte verde delle bietole non andrà perduta: potrete unirla ad una minestra di riso e porri.

262. *Fagioli al forno*

Dosi per 4 persone:

KG. 1 DI FAGIOLI FRESCHI
GR. 400 DI POMODORI MATURI
2 PORRI
2 SPICCHI D'AGLIO (FACOLTATIVO)
2 GAMBI DI SEDANO
1 CIUFFETTO DI BASILICO
2 FOGLIOLINE DI SALVIA
1 CUCCHIAIO DI PARMIGIANO
½ CUCCHIAINO D'ESTRATTO VEGETALE
CRAKER
SALE

Sgranate i fagioli, lavateli, scolateli, metteteli in una casseruola, unitevi i porri (solo la parte bianca) tagliati a fettine rotonde, il sedano e il basilico tritati, gli spicchi d'aglio schiacciati, la salvia, i pomodori spellati, privati dei semi e tagliati a pezzi e l'estratto. Condite con il sale, versate nella casseruola tanta acqua fredda quanta basta per ricoprire i fagioli di circa 10 cm. Mescolate bene, chiudete il recipiente, mettetelo nel forno già caldo e cuocete a fuoco moderato per circa 2 ore. Trascorso questo tempo, togliete la casseruola dal forno e, qualora occorresse, fate evaporare a fuoco vivo il liquido eccedente. Versate i fagioli sul piatto da portata, cospargeteli con il parmigiano al quale potete mescolare un pizzico di cannella, contornateli con qualche craker e serviteli come contorno a qualsiasi genere di carne sia lessa, sia arrostita.

263. *Fagiolini alla mozzarella*

Dosi per 4 persone:

KG. 1 DI FAGIOLINI
GR. 80 DI MOZZARELLA
1 CIPOLLA
LATTE MAGRO
1 CUCCHIAIO DI BASILICO TRITATO
BUCCIA GRATTUGIATA DI ½ LIMONE
BRODO PREPARATO CON L'ESTRATTO VEGETALE
NOCE MOSCATA
SALE

Mondate i fagiolini che dovranno essere freschi e senza filo, sbollentateli per 1 minuto in acqua salata, quindi scolateli bene e raccoglieteli in una teglia dove la cipolla tagliata a fettine starà sobbollendo con un bicchiere di latte. Fateli insaporire, rimescolandoli spesso, e quando il latte sarà evaporato, finiteli di cuocere lentamente, bagnandoli di tanto in tanto con il brodo. A cottura ultimata sminuzzateli grossolanamente con un cucchiaio di legno, aggiungetevi la mozzarella tagliata a dadini, cospargeteli con il basilico tritato, con la buccia di limone e con un pizzico di noce moscata. Coprite il recipiente e a fuoco basso lasciate sciogliere il formaggio, unendo, se occorre, un poco di latte. Servite nella teglia di cottura. I fagiolini, oltre ad altre sostanze molto utili al nostro organismo, contengono vitamina A, B₂, PP, C, e sono facilmente digeribili anche dagli stomachi più delicati. Benché privi di grassi, i fagiolini così preparati, saranno lo stesso saporiti perché la loro cottura nell'acqua è stata molto breve.

264. *Fagiolini in umido*

Dosi per 4 persone:

KG. 1 DI FAGIOLINI TENERI E SENZA FILO
GR. 500 DI POMODORI
1 CIPOLLA
LATTE MAGRO
2 PORRI (SOLO LA PARTE BIANCA)
2 GAMBI DI SEDANO
1 CUCCHIAIO DI BASILICO E PREZZEMOLO TRITATI
1 MAZZETTO DI AROMI (ALLORO, SALVIA, ROSMARINO)
1 PIZZICO DI ZUCCHERO
SALE

Immergete i fagiolini per un momento nell'acqua bollente salata. Scolateli e metteteli in una teglia dove avrete fatto sobbollire per qualche minuto il porro e il sedano tagliati a fettine con un bicchiere di latte. A fuoco piuttosto vivo e mescolando continuamente, lasciate evaporare tutto il liquido; unite i pomodori spellati, privati dei semi e tritati e il mazzetto degli aromi. Condite con il sale, con lo zucchero, coprite il recipiente e finiteli di cuocere lentamente. Quando sono pronti, scartate gli aromi, cospargete con il basilico e il prezzemolo tritati. Mettete il recipiente sul bordo del fornello, lasciate riposare per circa 10 minuti, quindi serviteli come contorno a carne lessa o arrostita. Durante le giornate estive i fagiolini così preparati possono sempre sostituire il primo piatto, ma in questo caso contornateli di fettine di pane in cassetta (ritagliate a triangolo), che avrete tostato nel forno, o da craker.

265. *Fondi di carciofi ripieni*

Dosi per 4 persone:

8-12 GROSSI CARCIOFI
GR. 50 DI FUNGHI
½ LITRO DI LATTE MAGRO
2 CUCCHIAI DI FARINA
1 CIPOLLA
BRODO
1 FOGLIA D'ALLORO
NOCE MOSCATA
PANE GRATTUGIATO
SUCCO DI LIMONE
SALE

Private i carciofi delle foglie esterne, svuotateli e lasciate tutto intorno la parte commestibile delle foglie più tenere in modo da formare una specie di bordo, tagliate i gambi e tornite i fondi affinché possano stare diritti. Immergeteli nell'acqua acidulata al succo di limone poi lessateli nell'acqua salata senza però farli cuocere troppo, scolateli e disponeteli sopra un tovagliolo a raffreddare. Dopo aver fatto rinvenire i funghi secchi nell'acqua tiepida, raccoglieteli in una casseruola, aggiungetevi la cipolla tritata, una tazza di brodo, l'alloro, il sale e cuoceteli per circa 40 minuti, facendo evaporare, a cottura ultimata, tutto il liquido. Stemperate la farina in mezzo litro di latte freddo e sempre mescolando cuocete il composto finché questo sarà divenuto denso ed omogeneo. Salatelo e fuori dal fuoco incorporatevi i funghi che saranno già pronti e la noce moscata. In una teglia spalmata di burro o di margarina, aggiustate i fondi di carciofi uno accanto all'altro, riempiteli con il composto di funghi, spolverizzateli di pane grattugiato e metteteli nel forno ben caldo a colorire. Serviteli con carne brasata o in umido o con pesci lessi o arrostiti, ma in questo caso saranno un contorno ancora più adatto se porrete su ciascuno un filetto d'acciuga. Le foglie tenere scartate e i gambi (ben spellati) vi potranno servire per preparare una crema, dopo averli lessati e passati al setaccio.

266. *Frittelle di patate*

Dosi per 4 persone:

GR. 800 DI PATATE GIALLE
2 CUCCHIAI DI PARMIGIANO O DI GROVIERA GRATTUGIATO
2 CHIARE D'UOVO
PANE GRATTUGIATO
1 CUCCHIAIO DI PREZZEMOLO E DI BASILICO TRITATI
BUCCIA DI ½ LIMONE GRATTUGIATA
NOCE MOSCATA
SALE

Lessate le patate in abbondante acqua salata senza romperle, scolatele, sbucciatele, passatele allo schiacciapatate, raccoglietele in una terrina, unitevi il parmigiano, il prezzemolo, il basilico, la noce moscata, la buccia del limone, un poco di sale, le chiare leggermente sbattute e infine tanto pane grattugiato (tritato finemente e passato al setaccio) quanto occorre perché l'impasto risulti piuttosto sodo. Lasciate raffreddare, quindi ricavatene 8 polpette ben schiacciate che aggiusterete in una teglia spalmata di margarina o d'olio, sufficientemente grande perché possano stare un poco distanziate l'una dall'altra. Rivoltatele una volta con delicatezza appena saranno leggermente rosolate, quindi proseguite la cottura nel forno dove rimarranno più colorite. Servitele calde nel recipiente di cottura: possono accompagnare qualsiasi genere di carne o essere servite insieme al sugo di pomodori o alla salsa di peperoni (*vedi* CONDIMENTI).

267. *Lattuga in stufato*

Dosi per 4 persone:

8 PICCOLI CESPI DI LATTUGA ROMANA
4 CAROTE
2 RAPE
1 GROSSA CIPOLLA
½ CUCCHIAINO D'ESTRATTO VEGETALE
2 CUCCHIAI COLMI DI PARMIGIANO
LATTE MAGRO
TIMO
SALE

Togliete senza risparmio tutte le foglie dure alle lattughe, conservando loro una parte del torsolo che spellerete; lavatele lasciandole intere, legatele con del filo bianco e aggiustatele in una teglia insieme alle carote e alle rape tagliate a fettine sottili e alla cipolla tritata. Salatele leggermente, versatevi sopra due tazze di brodo preparato con l'estratto e cuocetele a fuoco basso per circa 45 minuti, bagnandole di tanto in tanto con qualche cucchiaiata di latte magro. Appena le verdure sono pronte, scartate il filo delle lattughe e spolverizzate di timo e di parmigiano. Dopo qualche minuto servitele nella teglia di cottura. Secondo il vostro gusto, potete guarnire con qualche cucchiaiata di yogurt magro.

268. *Melanzane ripiene di riso*

Dosi per 4 persone:

4 O 6 MELANZANE NAPOLETANE
4 O 6 CUCCHIAI COLMI DI RISO
GR. 450 DI POMODORI PELATI IN SCATOLA
GR. 50 DI MOZZARELLA
LATTE MAGRO
1 CUCCHIAIO DI FARINA
2 CUCCHIAI DI PARMIGIANO
2 SPICCHI D'AGLIO (FACOLTATIVO)
1 CUCCHIAIO DI PREZZEMOLO E BASILICO TRITATI
PANE GRATTUGIATO
SALE

Prendete le melanzane napoletane che, avendo sapore dolce, non hanno bisogno d'essere messe sotto sale. Immergetele per 10 minuti nell'acqua salata in ebollizione, quindi raffreddatele sotto l'acqua corrente. Dividetele a metà nel senso della lunghezza, svuotatele lasciando un involucro di circa 1 cm. e ½ di spessore e aggiustatele, una accanto all'altra, con la parte concava in alto in una teglia unta d'olio. In un tegame ponete i pomodori e la polpa tolta passati allo staccio, l'aglio, il basilico e il prezzemolo tritati e il sale, fate prendere il bollore, aggiungetevi il riso, lasciatelo bollire per 2 minuti, quindi incorporatevi la mozzarella a dadini e toglietelo dal fuoco. Con un cucchiaio aggiustate il composto nelle melanzane, suddividendo prima il riso e poi il sugo. Mettete nel forno e cuocete a fuoco moderato per circa 30 minuti. Intanto in una casseruola stemperate la farina con ¼ di litro di latte, salate e cuocete mescolando finché otterrete una besciamella piuttosto fluida e omogenea (se vi fossero grumi, passatela al setaccio). Incorporatevi il parmigiano e mettetela al caldo a bagnomaria fuori dal fuoco. Quando il riso è quasi cotto, ricoprite ogni mezza melanzana con la besciamella, spolverizzate di pane grattugiato e mettete di nuovo il recipiente nel forno, togliendolo appena la besciamella avrà preso un bel colore dorato. Prima di servire fate riposare per qualche minuto questo ottimo piatto che ha il vantaggio di far consumare anche durante la stagione calda il riso (ricco di fosfati) che sotto forma di minestra sia in brodo sia asciutta viene molto spesso bandito dalla tavola estiva.

269. *Patate ripiene al pomodoro*

Dosi per 4 persone:

8 GROSSE PATATE

GR. 500 DI PISELLI FRESCHI O GR. 250 DI PISELLI SURGELATI

GR. 450 DI POMODORI PELATI IN SCATOLA

GR. 50 DI BEL PAESE

GR. 40 DI FUNGHI SECCHI O GR. 300 DI FUNGHI FRESCHI

2 CIPOLLE

1 SPICCHIO D'AGLIO (FACOLTATIVO)

PANE GRATTUGIATO

BRODO

1 MAZZETTO DI AROMI (ALLORO, SALVIA, ROSMARINO)

LATTE MAGRO

½ CUCCHIAINO DI ZUCCHERO

SALE

Scegliete delle patate non farinose, lessatele con la buccia in acqua salata e cuocetele lentamente affinché non si rompano durante la cottura. Appena pronte, colatele, spellatele, lasciatele intiepidire e con la punta di un coltellino fate su ognuna un'incisione circolare poi, aiutandovi con un cucchiaino, svuotatele e date alle patate la forma di piccole scatole che metterete una accanto all'altra in una teglia unta di burro o di margarina. Dopo aver lasciato i funghi secchi a bagno nell'acqua tiepida per circa un'ora, colateli, metteteli in una casseruola con una cipolla tritata, una tazza di brodo, il sale, e fateli cuocere lentamente per 40 minuti. In un'altra casseruola riunite i piselli, l'altra cipolla tritata, mezza tazza di brodo, il sale e cuoceteli per 30 minuti. Intanto preparate il sugo: passate al setaccio i pomodori, versateli in un recipiente, unitevi l'aglio schiacciato, il mazzetto degli aromi, qualche cucchiaiata di latte, il sale, lo zucchero e cuocete per 30 minuti. Appena i piselli e i funghi sono pronti, toglieteli dal fuoco; fate attenzione che non siano troppo asciutti, aggiungendo, quindi, se occorre, qualche cucchiaiata di latte. Cospargete di sale le patate, in ognuna ponete 4 o 5 dadini di formaggio, quindi suddividetevi i funghi e i piselli spolverizzando poi di pane grattugiato. Mettete nel forno ben caldo per circa 20 minuti e servite nella teglia di cottura insieme al sugo che raccoglierete in una salsiera. Qualora i funghi fossero freschi (porcini, ovoli, gallinacci, francesi, ecc) cuoceteli con il medesimo procedimento usato per quelli secchi.

270. Puré di patate

Dosi per 4 persone:

GR. 800 DI PATATE
2 CUCCHIAI DI PARMIGIANO O DI FONTINA
LATTE MAGRO
NOCE MOSCATA
SALE

Prendete delle belle patate farinose e possibilmente della medesima grandezza in modo che possano cuocere tutte nello stesso tempo. Lavatele bene, raccoglietele in una casseruola, ricopritele d'acqua fredda leggermente salata e cuocetele a fuoco moderato, facendo attenzione che non si rompano durante la cottura per evitare che il puré prenda un cattivo sapore. Appena sono pronte, scolatele, spellatele, passatele allo schiacciapatate e raccoglietele in una casseruola dove avrete già messo una tazzina di latte caldo. A fuoco moderato, mescolate energicamente, aggiungete un pizzico di sale e, se occorre, ancora del latte caldo; quando il composto sarà divenuto soffice e spumoso, incorporate poco alla volta il parmigiano e la noce moscata. Questa ultima, a vostro piacere, può essere scartata e sostituita con la buccia grattugiata di mezzo limone. Benché il puré sia stato preparato senza burro e senza latte intero, avrà un sapore delicato assai gradito ed è soprattutto di facilissima digestione. Secondo il vostro gusto potete esaltarne il sapore con mezzo cucchiaino di cannella o con una o due cucchiaiate di sugo di pomodoro. Con il medesimo procedimento potete preparare il puré di carote, di erbette, di piselli, ecc.

271. Sedani "Parmentier"

Dosi per 4 persone:

2 GROSSI SEDANI
GR. 800 DI PATATE
GR. 300 DI POMODORI PELATI IN SCATOLA
GR. 25 DI PARMIGIANO
NOCE MOSCATA
LATTE MAGRO
1 CUCCHIAIO DI CIPOLLA TRITATA
1 CHIARA D'UOVO
1 FOGLIA D'ALLORO
SALE

Dopo aver scartato ai sedani le coste più dure, spellate le altre e lessatele in acqua salata. Appena sono a metà cottura scolatele bene, tagliatele a pezzi lunghi 2 o 3 cm. raccoglietele in una teglia dove i pomodori passati al setaccio staranno sobbollendo con la cipolla tritata e con l'alloro, mescolatele bene e finitele di cuocere. Intanto le patate che avrete messo a lessare in acqua salata saranno pronte; scolatele, spellatele, passatele allo schiacciapatate. Riunitele in una casseruola e, mescolando energicamente, incorporatevi un poco di latte, il parmigiano, la noce moscata e infine i sedani, ai quali, prima di toglierli dal fuoco, avrete fatto assorbire tutto il sugo. In una teglia di pirofila spalmata di burro o di margarina versate il composto, lisciatene bene la superficie, quindi solcatela con la punta di una forchetta, pennellate poi con le chiare sbattute (non a neve) e mettete nel forno a colorire. Appena il composto è pronto, lasciatelo riposare qualche minuto prima di servirlo come un ottimo contorno a qualsiasi genere di carne arrostita, o come *entrée*.

272. Sformato di cardo e patate

Dosi per 4 persone:

1 GROSSO CARDO
KG. 1 DI PATATE
GR. 80 DI ROBIOLINA
2 SPICCHI D'AGLIO (FACOLTATIVO)
LATTE MAGRO
1 CUCCHIAIO DI PARMIGIANO
1 CUCCHIAIO DI PREZZEMOLO TRITATO
1 CHIARA D'UOVO
SUCCO DI LIMONE
NOCE MOSCATA
PREZZEMOLO
SALE

Mondate il cardo, scartate le prime coste, i filamenti duri, tagliatelo a pezzi, mettetelo nell'acqua acidulata al succo di limone per circa 10 minuti, quindi lessatelo in acqua salata e, appena pronto, scolatelo bene e passatelo al setaccio. Raccogliete il passato in una teglia dove l'aglio schiacciato starà sobbollendo con mezzo bicchiere di latte. Mescolando cuocetelo per circa 10 minuti e cioè finché il composto si sarà condensato; prima di toglierlo dal fuoco, unitevi 1 cucchiaio di prezzemolo tritato. Intanto le patate che avrete messo a cuocere nell'acqua salata saranno pronte; scolatele, lasciatene raffreddare solo la metà e passate le altre allo schiacciapatate. Mettete il passato in una casseruola e, mescolando energicamente, incorporatevi mezzo bicchiere di latte, il parmigiano e la noce moscata. Spellate e tagliate a fettine le patate lasciate intere, fatene uno strato in una teglia leggermente spalmata di burro o di margarina e cospargete lo strato di prezzemolo e di dadini di robiolina. Bagnate con due o tre cucchiaiate di latte e proseguite negli strati fino all'esaurimento delle patate. Su queste disponete il passato di cardo e ricoprite con la metà del passato di patate. Mettete il recipiente per un quarto d'ora nel forno già caldo poi toglietelo e con il resto del puré, che avrete messo in una tasca da pasticciere, munita di bocchetta rigata, decorate tutto intorno la superficie dello sformato, formando una specie di greca. Pennellatela con la chiara d'uovo e mettete di nuovo il recipiente nel forno per altri 10 minuti. Dal gusto molto delicato questo sformato può essere servito come primo piatto, sostituendo la pasta asciutta, il risotto, ecc.

273. *Sformato di zucchine*

Dosi per 4 persone:

1 KG. DI ZUCCHINE
GR. 800 DI POMODORI MATURI
2 CUCCHIAI DI PARMIGIANO
GR. 50 DI FARINA
4 CHIARE D'UOVO
LATTE MAGRO
BRODO PREPARATO CON L'ESTRATTO VEGETALE
1 CIPOLLA
1 GAMBO DI SEDANO
1 CAROTA
1 SPICCHIO D'AGLIO (FACOLTATIVO)
BASILICO
PREZZEMOLO
NOCE MOSCATA
SALE

Dopo aver asportato le due estremità, lavate e asciugate le zucchine, tagliatele a dadi, raccoglietele in un colapasta, cospargetele di sale e lasciatele riposare per circa un'ora. Intanto in una casseruola riunite i pomodori, la cipolla, il sedano e la carota tagliati a pezzi e, senza aggiungere acqua, cuocete lentamente per circa 40 minuti, quindi passate tutto al setaccio. Mettete di nuovo il passato sul fuoco, aggiungete il sale e lasciate sobbollire finché otterrete una crema piuttosto densa; incorporatevi 1 cucchiaio di basilico tritato e togliete il recipiente dal fuoco. In una teglia insieme a 1 decilitro di latte mettete l'aglio schiacciato, con un cucchiaio di legno comprimetelo e quando sarà completamente dissolto, unite le zucchine che avrete asciugato bene con un tovagliolo e cuocetele a fuoco piuttosto vivo, bagnandole, quando occorre, con qualche cucchiaiata di brodo. Conditele con il sale e, appena sono cotte, aggiungete il prezzemolo tritato, fate evaporare tutto il liquido e passatele al setaccio. In una casseruola versate ½ litro di latte nel quale avrete sciolto la farina, condite con il sale e cuocete lentamente, mescolando, finché otterrete una specie di besciamella densa ed omogenea. Unitevi il passato di zucchine, il parmigiano, le chiare sbattute leggermente, la noce moscata e versate il composto in una teglia liscia, rotonda, spalmata di burro o di margarina e spolverizzate di pane grattugiato. Cuocete nel forno per circa un'ora e cioè finché il composto si sarà completamente rassodato. Servite lo sformato come primo piatto o come piatto di mezzo con il sugo di pomodoro caldo che metterete nella salsiera.

274. *Tortino di carciofi*

Dosi per 4 persone:

8 CARCIOFI
GR. 100 DI RESTI DI CARNE LESSA O ARROSTITA
LATTE MAGRO
4 CUCCHIAI DI SUGO DI POMODORO GIÀ PRONTO
2 CUCCHIAI DI FARINA
1 PICCOLA CIPOLLA
PANE GRATTUGIATO
SUCCO DI LIMONE
SALE

Togliete ai carciofi tutte le foglie dure, spuntateli e lasciate loro un pezzetto di gambo che spellerete molto bene. Teneteli per 10 minuti nell'acqua acidulata al succo di limone poi lessateli in acqua salata. Appena pronti, scolateli, tritatene finemente due, tagliate gli altri a metà nel senso della lunghezza e fateli insaporire in una teglia dove la cipolla tritata starà sobbollendo in mezzo bicchiere di latte, e quando questo sarà tutto evaporato toglieteli dal fuoco. In una casseruola mettete la farina, stemperatela con ½ litro di latte freddo e, mescolando continuamente, cuocete a fuoco basso, ottenendo un composto fluido e cremoso, al quale incorporerete il sugo, i carciofi tritati e un pizzico di sale. Aggiustate in una teglia spalmata di burro o di margarina i mezzi carciofi, uno accanto all'altro, con la parte convessa in basso, cospargeteli con la carne tritata e ricopriteli con la besciamella. Spolverizzate di pane grattugiato, bagnate con qualche cucchiaiata di latte e mettete nel forno finché il tortino avrà preso un bel colore dorato. Servitelo come contorno o come primo piatto o come piatto di mezzo, ma in questo caso unite alla carne 2-3 chiare d'uova sode tritate. Potete sostituire i carciofi con un grosso cardo.

275. Zucchine al funghetto

Dosi per 4 persone:

GR. 800 DI ZUCCHINE
1 GROSSA MELANZANA NAPOLETANA
4 GROSSI POMODORI MATURI
2 SPICCHI D'AGLIO (FACOLTATIVO)
1 MAZZETTO DI AROMI (SALVIA, ROSMARINO, ALLORO)
1 CUCCHIAIO DI PREZZEMOLO TRITATO
1 CUCCHIAIO DI BASILICO TRITATO
LATTE MAGRO
1 CUCCHIAINO D'ESTRATTO VEGETALE
1 CUCCHIAIO DI OLIVE VERDI

Dopo aver scartato le due estremità alle zucchine, lavatele, asciugatele, tagliatele a metà nel senso della lunghezza poi suddividetele in tanti tocchetti lunghi 2-3 cm. e tagliate nello stesso modo le melanzane dopo averle lavate e sbucciate. In una teglia mettete l'aglio schiacciato, un bicchiere di latte e lasciate sobbollire. Con un cucchiaio di legno comprimete l'aglio e quando questo sarà tutto dissolto, unite le zucchine e la melanzana che farete insaporire nel latte rimasto nel recipiente. Aggiungete i pomodori spellati, privati dei semi e tritati, il mazzetto degli aromi, il sale, l'estratto e cuocete a fuoco moderato. Quando le verdure sono pronte, prima di toglierle dal fuoco, finitele di condire con il prezzemolo, con il basilico e con le olive snocciolate. Mescolatele bene, lasciatele insaporire per qualche minuto, scartate il mazzetto degli aromi, quindi servite come contorno o come condimento per risotto e per pasta asciutta. Se è di vostro gradimento, potete sostituire l'aglio con una piccola cipolla tritata finemente.

DOLCI

276. Baicoli

Dosi per 4 persone:

GR. 200 DI FARINA
GR. 200 DI ZUCCHERO
6 CHIARE D'UOVO

In una terrina montate a neve le chiare, aggiungendo, a poco a poco, prima lo zucchero poi la farina ben setacciata. Versate il composto in uno stampo liscio, rettangolare, unto di burro o di margarina e cuocete nel forno a fuoco moderato finché il composto avrà la giusta consistenza. Toglietelo dal forno, sformate il dolce quando sarà completamente raffreddato e dopo 12 ore tagliatelo a fettine sottilissime che farete tostare nel forno a fuoco basso. I baicoli sono molto adatti per essere consumati al mattino con il caffè e latte e spalmati di miele o di marmellata costituiscono un'ottima merenda. Potete infine trasformarli in veri dolcetti se, dopo averli spalmati di marmellata, li unirete a due a due dalla parte spalmata e li ricoprirete con una glassa all'acqua o al succo d'arancia o di limone. In una terrina raccogliete gr. 200 di zucchero a velo passato prima al setaccio, mescolando con un cucchiaio di legno incorporatevi tanta acqua o tanto succo di frutta (circa 3 o 4 cucchiai) finché otterrete una specie di pastella con la quale ricoprirete i baicoli; lisciatene bene la superficie con la lama di un coltello e fateli asciugare. Racchiusi in un vaso di vetro o avvolti in carta d'alluminio si mantengono freschi per molti giorni.

277. Bavarese di pere

Dosi per 4 persone:

KG. 1 DI PERE

GR. 150 DI ZUCCHERO

2 CUCCHIAI DI FECOLA DI PATATE

½ LITRO DI LATTE MAGRO

1 CUCCHIAIO DI SCIROPPO D'AMARENA

6 FOGLI DI COLLA DI PESCE

BUCCIA DI 1 LIMONE

½ CUCCHIAINO DI CANNELLA

1 CHIODO DI GAROFANO

CILIEGIE SCIROPPATE

Sbucciate le pere, tagliatele a metà nel senso della lunghezza (scartate i torsoli), riunitele in una casseruola con gr. 100 di zucchero, la cannella, il chiodo di garofano, ricopritele d'acqua, cuocetele per circa 20 minuti e cioè finché lo sciroppo sarà tutto condensato, quindi fatele raffreddare nello sciroppo stesso. Intanto preparate una specie di crema: stemperate la fecola nel latte, unitevi la buccia grattugiata del limone, il resto dello zucchero e cuocete a fuoco moderato, sempre mescolando, finché otterrete un composto omogeneo e piuttosto sodo. Lasciate da parte 4 mezze pere che vi serviranno per la guarnizione, passate le altre al setaccio (di crine), mettetele di nuovo sul fuoco nello stesso recipiente di cottura a condensare, quindi aggiungetevi la crema, lo sciroppo d'amarena e la colla di pesce che avrete lasciato a bagno per 10 minuti nell'acqua fredda poi strizzato con le mani, infine sciolto a bagnomaria e, se necessario, passato attraverso ad un colino. Mescolate bene, versate il composto in uno stampo scannellato, bagnato leggermente d'acqua e mettetelo in ghiaccio per qualche ora. Prima di servire, immergete un momento lo stampo nell'acqua calda, asciugatelo bene, capovolgetelo sul piatto da portata e guarnite la bavarese sulla sommità con le mezze pere lasciate da parte e tutto intorno con le ciliegie sciroppate.

278. "Biscuit" di limone

Dosi per 4 persone:

GR. 250 DI ZUCCHERO
GR. 200 DI FARINA
6 CHIARE D'UOVO
3 LIMONI
2 CUCCHIAINI DI LIEVITO IN POLVERE
SALE

Sbucciate i limoni e, con un coltellino dalla lama seghettata, tagliateli a fettine spesse 1 cm., tagliate le fettine in 4 parti uguali, raccoglietele in una terrina, aggiungetevi 4 cucchiai di zucchero, mescolate bene e lasciate macerare per circa 2 ore. Trascorso questo tempo, in un'altra terrina riunite il resto dello zucchero, la farina ben setacciata insieme al lievito e le chiare che avrete sbattuto a parte (non a neve) con un pizzico di sale. Quando il composto sarà abbastanza omogeneo, incorporatevi le fettine di limone con tutto il loro succo. Prendete una terrina di pirofila, ungetela di burro o di margarina, quindi ricavate dalla carta oleata un tondo e un rettangolo (anche essi imburrati) con i quali ricoprirete rispettivamente il fondo e il bordo del recipiente. Versatevi il composto, ricopritelo con la carta oleata spalmata di margarina e cuocete nel forno a fuoco moderato per circa 30 minuti. Prima di sformare il "biscuit" sul piatto da portata, lasciatelo intiepidire nel recipiente di cottura e servite questo delicatissimo dolce da solo o con una salsetta che preparerete nel modo seguente: in una piccola casseruola versate circa ½ barattolo di gelatina d'arancia o di fragola, unitevi 2 o 3 cucchiai d'acqua, 3-4 cucchiai di latte, mettete il recipiente a bagnomaria e mescolate finché otterrete un composto molto fluido e omogeneo che raccoglierete in una salsiera.

279. *Budino arcobaleno*

Dosi per 4 persone:

KG. 1 DI CILIEGIE NERE MOLTO MATURE
GR. 150 DI ZUCCHERO
GR. 220 DI SEMOLINO
CIRCA 1 LITRO E ½ DI LATTE MAGRO
5 CHIARE D'UOVO
½ BARATTOLO DI MARMELLATA D'AMARENE
BUCCIA DI LIMONE
8 AMARETTI
PANE GRATTUGIATO

In una casseruola cuocete le ciliegie snocciolate con la metà dello zucchero e con tanta acqua quanta occorre per ricoprirle. Quando sono cotte fate evaporare il liquido eccedente in modo che il sugo di cottura sia denso come uno sciroppo. In un altro recipiente cuocete il semolino con il latte e con la buccia di limone, mescolando spesso. A metà cottura aggiungete il resto dello zucchero e, quando è pronto, fatelo intiepidire, quindi scartate la buccia di limone e incorporatevi le chiare montate a neve. In uno stampo liscio, spalmato di burro o di margarina e spolverizzato di pane grattugiato mescolato a 2 amaretti pestati, aggiustate a strati il semolino alternato alle ciliegie, cominciando e finendo con il semolino che cospargerete con il resto degli amaretti ben pestati; mettete il recipiente nel forno per circa 35 minuti. Quando il budino è pronto e cioè il composto si sarà ben consolidato, lasciatelo raffreddare bene, quindi sformatelo sul piatto da portata e versatevi sopra un composto che avrete preparato sciogliendo in una piccola casseruola la marmellata con qualche cucchiaiata d'acqua bollente. Il semolino può essere sostituito dal riso (di grana piuttosto piccola) che a cottura ultimata dev'essere quasi disfatto.

280. *Budino di mele*

Dosi per 4 persone:

KG. 1 DI MELE
GR. 200 DI MOLLICA DI PANE
GR. 150 DI ZUCCHERO
GR. 100 D'UVETTA SULTANINA
4 CHIARE D'UOVO
LATTE MAGRO
BUCCIA GRATTUGIATA DI 1 ARANCIA
½ BUSTINA DI VANIGLIA
1 PEZZETTO DI CANNELLA
ZUCCHERO A VELO

Sbucciate le mele, scartate il torsolo, tagliatele a fettine, raccoglie-tele in una casseruola, aggiungete la cannella, 1 tazzina d'acqua, la metà dello zucchero e cuocetele a fuoco moderato. Quando saranno completamente disfatte, unitevi il resto dello zucchero e, mescolando continuamente, fate condensare al massimo il composto. Toglietelo dal fuoco e lasciatelo raffreddare. Intanto in un'altra cas-seruola riunite la mollica del pane, bagnatela con il latte caldo al quale avrete aggiunto la vaniglia e appena questo sarà stato assorbito mettete il recipiente sul fuoco basso e, mescolando, cuocete finché otterrete una besciamella piuttosto soda. Fuori dal fuoco aggiungetevi le mele (dalle quali avrete scartato la cannella), l'uvetta sultanina fatta prima rinvenire nell'acqua calda (poi ben asciugata), la buccia d'arancia e le chiare montate a neve. Versate il tutto in una tortiera unta di burro o di margarina, cuocete nel forno finché la superficie del budino avrà preso un bel colore dorato. Sformatelo sul piatto da portata, cospargetelo abbondantemente di zucchero a velo e servi-telo tiepido.

281. *Budino di ricotta e caffè*

Dosi per 4 persone:

GR. 600 DI RICOTTA
GR. 150 DI ZUCCHERO SEMOLATO
GR. 50 DI ZUCCHERO A VELO
GR. 30 DI CAFFÈ IN POLVERE SOLUBILE
2 CHIARE D'UOVO
1 BUSTINA DI VANIGLIA
CILIEGINE CANDITE
1 CUCCHIAIO DI GRANELLA DI CIOCCOLATO

In una casseruola che metterete a bagnomaria riunite la metà dello zucchero, il caffè, la vaniglia e qualche cucchiaiata d'acqua, e mescolate finché lo zucchero si sarà completamente sciolto ed avrete ottenuto un composto omogeneo. Passate la ricotta al setaccio, raccoglietela in una terrina, unitevi il resto dello zucchero, il composto di caffè-zucchero-vaniglia e infine le chiare montate molto bene a neve alle quali avrete incorporato lo zucchero a velo passato prima al setaccio. Versate il tutto in uno stampo liscio, rettangolare, che avrete foderato con la carta oleata unta di margarina e battete il fondo del recipiente sul piano del tavolo di cucina affinché non si formino dei vuoti nel composto. Mettete in ghiaccio per 2 o 3 ore e al momento di servire capovolgete lo stampo sul piatto da portata, togliete la carta, cospargete il budino con granella di cioccolato e guarnite con ciliegine candite o con chicchi di caffè. Accompagnate con dei biscotti secchi o con fettine di pane in cassetta, bagnate leggermente di latte magro, cosparse di zucchero e messe per 5 minuti sulla placca del forno bollente. Il caffè, a piacere, potrà essere senza caffeina.

282. *Budino di semolino*

Dosi per 4 persone:

GR. 150 DI ZUCCHERO
GR. 120 DI SEMOLINO
GR. 80 D'UVETTA SULTANINA
3/4 DI LITRO DI LATTE MAGRO
5 CHIARE D'UOVO
SCIROPPO DI LAMPONI O D'AMARENA
1 CUCCHIAINO DI MAIZENA
BUCCIA DI LIMONE
1 PIZZICO DI SALE
FARINA

In una casseruola mettete ½ litro di latte con un pizzico di sale e con la buccia del limone e, appena il latte sta per bollire, unitevi il semolino che verserete a pioggia. Cuocete per circa cinque minuti, quindi togliete il recipiente dal fuoco, incorporatevi gr. 100 di zucchero, l'uvetta sultanina fatta prima rinvenire nell'acqua tiepida e dopo qualche minuto le chiare d'uovo che avrete sbattuto, molto bene a neve. Versate in uno stampo liscio spalmato di burro o di margarina e infarinato e cuocete nel forno a fuoco moderato per circa mezz'ora. Appena il budino è pronto, fate riposare per qualche minuto, capovolgetelo sul piatto da portata e quando sarà intiepidito preparate la salsa. In una piccola casseruola riunite la maizena, il resto dello zucchero e del latte, cuocete per 5 o 6 minuti e cioè finché otterrete una crema fluida ed omogenea. Toglietela dal fuoco, aggiungetevi 2 cucchiai di sciroppo di lamponi e servitela calda nella salsiera insieme al budino. Potete sostituire la salsa con mezzo barattolo di marmellata di frutta diluita con qualche cucchiaiata d'acqua calda che distenderete sopra il budino quando è appena sformato, aiutandovi con la lama di un coltello.

283. Croccante al miele

Dosi per 4 persone:

GR. 500 DI ZUCCHERO
GR. 130 DI MIELE
GR. 100 DI ORZO O DI RISO SOFFIATO
1 CUCCHIAIO D'ACETO BIANCO

Tostate leggermente nel forno l'orzo o il riso, quindi in una grande padella fate sciogliere lo zucchero con 3 o 4 cucchiai d'acqua e con l'aceto e quando comincia a prendere un bel colore dorato, aggiungete il miele e l'orzo. Lasciate cuocere ancora un minuto, mescolando con un cucchiaio di legno, quindi versate su di un marmo o su un grande piatto piano unto d'olio il composto, spianandone la superficie con la lama di un coltello bagnata d'acqua. Quando il croccante si sarà intiepidito, tagliatelo con un coltello dalla lama unta d'olio in quadrati o in rombi che avvolgerete ognuno in carta d'alluminio. Sono adatti per accompagnare il tè e possono essere anche una graditissima e divertente merenda per i bambini. Per coloro che soffrono di ipercolesterolemia è bene dimezzare la quantità dello zucchero.

284. Gremolata di limone

Dosi per 4 persone:

SUCCO DI 4 LIMONI
BUCCIA DI 2 LIMONI
BUCCIA DI 1 ARANCIA
GR. 500 DI ZUCCHERO SEMOLATO
GR. 50 DI ZUCCHERO A VELO
2 CHIARE D'UOVO
GR. 5 DI TÈ

Dopo aver lavato e asciugato la buccia dei limoni e dell'arancia, tagliatela a pezzi, riunitela in una terrina, aggiungetevi il succo dei limoni, il tè, lo zucchero e su tutto versate ½ litro d'acqua bollente. Coprite il recipiente e quando il composto sarà completamente raffreddato, passatelo al colino e mettetelo nella parte più fredda del frigorifero. Appena comincia a condensarsi, mescolatelo bene con un cucchiaio di legno, unitevi le chiare sbattute a neve alle quali avrete incorporato lo zucchero a velo passato prima al setaccio e mettete di nuovo il composto in ghiaccio finché si sarà completamente consolidato. Prendete il gelato con l'apposito dosatore, ricavandone tante palle che suddividerete nelle coppe: accompagnatelo con biscotti secchi. Il succo dei limoni può essere sostituito da quello di 2 pompelmi, di cui però non si userà la buccia (perché troppo amara), adoperando sempre quella dei limoni. Per coloro che soffrono di ipercolesterolemia è bene dimezzare la quantità dello zucchero.

285. *Losanghe guarnite*

Dosi per 4 persone:

CIRCA 1 LITRO E ¼ DI LATTE MAGRO
GR. 250 DI RISO
GR. 150 DI ZUCCHERO
GR. 50 DI ZUCCHERO A VELO
1 CUCCHIAIO DI MARMELLATA D'ARANCIA
BUCCIA GRATTUGIATA DI ½ ARANCIA
1 STECCA DI VANIGLIA
1 PRESA DI SALE
CILIEGINE CANDITE

In una casseruola mettete il latte (meno una tazzina) con la stecca di vaniglia e appena prende il bollore unite il riso, un pizzico di sale e cuocete lentamente, mescolando spesso. La quantità del latte necessario per cuocere il riso varia a seconda della qualità di questo, quindi, se occorre, aggiungete del latte caldo. A metà cottura, unite la buccia grattugiata dell'arancia e, pochi minuti prima di togliere il recipiente dal fuoco, incorporate la marmellata che insieme allo zucchero avrete stemperato nel latte caldo lasciato da parte. Scartate la vaniglia e versate il composto sul piano del tavolo di cucina (leggermente bagnato d'acqua), facendone uno strato spesso 3 o 4 cm. Lisciatene bene la superficie con la lama di un coltello e lasciatelo riposare per qualche ora finché sarà completamente raffreddato. Tagliatelo poi a losanghe, aggiustate queste sul piatto da portata, cospargete abbondantemente di zucchero a velo e nel centro di ognuna disponete una ciliegina candita.

286. *Pane alle mele*

Dosi per 4 persone:

GR. 300 DI PASTA DI PANE
GR. 130 DI ZUCCHERO
4 MELE
1 PATATA LESSA (CIRCA GR. 70)
GR. 50 D'UVETTA SULTANINA
GR. 30 DI CANDITO D'ARANCIA
QUALCHE CUCCHIAIO DI LATTE MAGRO
2 CUCCHIAI DI SCIROPPO DI LAMPONI
FARINA
BUCCIA GRATTUGIATA DI 1 LIMONE
½ CUCCHIAINO DI CANNELLA
1 BUSTINA DI VANIGLIA

Sbucciate le mele e, dopo aver scartato i torsoli, tagliatele a fettine piuttosto sottili, raccoglietele in una terrina, unitevi la vaniglia, l'uvetta sultanina fatta prima rinvenire nell'acqua calda (poi ben asciugata), 4 o 5 cucchiai di zucchero e lo sciroppo di lamponi: mescolate bene e lasciate riposare per circa un'ora. Prendete della pasta di pane già lievitata, distendetela con le mani sulla spianatoia o sul tavolo di cucina infarinato, ponetevi nel mezzo la patata ben schiacciata, 2 cucchiai di zucchero e la buccia del limone. Richiudete la pasta su se stessa, lavoratela finché tutti gli ingredienti si saranno bene amalgamati, quindi distendetela con il matterello, spolverizzandola leggermente di farina e ricavatene una sfoglia piuttosto sottile, facendo attenzione di non romperla. Disponetevi sopra ordinatamente (lungo il diametro) la frutta marinata e il candito tagliato a pezzetti; cospargete di zucchero mescolato con la cannella e arrotolate la pasta su se stessa, chiudendo bene le due estremità. Pennellate la superficie della pasta con il latte, spolverizzate di zucchero e disponetela in una teglia spalmata di burro o di margarina. Cuocete a fuoco moderato per circa 30 minuti e affinché la superficie non prenda un colore troppo scuro ricopritela a metà cottura con un foglio di carta oleata. Fate intiepidire e servite questo dolce semplice e casalingo da solo o con ½ vasetto di marmellata d'albicocche che avrete diluito con 2 o 3 cucchiai d'acqua calda.

287. *Pane di miele*

Dosi per 4 persone:

GR. 100 DI MIELE
GR. 200 DI ZUCCHERO
GR. 200 DI FARINA
1 BUSTINA DI LIEVITO IN POLVERE
1 BUSTINA DI VANIGLIA
2 CHIARE D'UOVO
5 o 6 CUCCHIAIATE DI LATTE MAGRO
ZUCCHERO A VELO VANIGLIATO
½ CUCCHIAINO DI CANNELLA
GELATINA DI FRUTTA

In una terrina riunite lo zucchero, la vaniglia e la cannella, mescolando diluite con il latte tiepido e quando il composto sarà omogeneo, incorporate il miele, la farina che avrete setacciato insieme al lievito e infine le chiare montate molto bene a neve. Versate il composto in uno stampo liscio, spalmato di burro o di margarina a forma rettangolare e cuocete nel forno a fuoco moderato per circa 30 minuti e cioè finché, introducendo nella pasta un lungo stecchino, questo uscirà perfettamente asciutto. Fate riposare per qualche minuto prima di sformare, poi tagliate il pane a fette piuttosto spesse, spolverizzatele di zucchero a velo e guarnitele, ponendo nel centro un po' di gelatina di frutta. Rapido a farsi e di sapore delicato, questo dolce è molto adatto per accompagnare il tè: per tutti coloro poi che non sono costretti a seguire una dieta speciale, potrete aggiungere nel centro di ogni fetta una grossa cucchiaiata di panna montata.

288. Pasticcini di miele e cocco

Dosi per 4 persone:

GR. 200 DI MIELE
GR. 50 DI MAIZENA
GR. 50 DI COCCO IN POLVERE
1 CHIARA D'UOVO
1 PIZZICO DI SALE

In una terrina sbattete la chiara d'uovo con un pizzico di sale; a poco a poco, sempre sbattendo, incorporate il miele e quando il composto sarà leggero come una spuma, unite la maizena e il cocco. Aiutandovi con un cucchiaio e con un cucchiaino, aggiustate sulla placca imburrata del forno tanti mucchietti del composto che farete cuocere a fuoco piuttosto basso finché avranno preso un leggero colore dorato. Questi pasticcini leggeri e molto nutrienti hanno il vantaggio di rimanere freschi e morbidi per diversi giorni se conservati in un grosso barattolo di vetro o in una scatola di latta. Qualora non trovaste il cocco in polvere, potete adoperare quello grattugiato che si trova nelle migliori drogherie.

289. Riso e lamponi

Dosi per 4 persone:

GR. 400 DI LAMPONI
GR. 150 DI BISCOTTI SECCHI
GR. 150 DI RISO
GR. 100 DI ZUCCHERO SEMOLATO
GR. 50 DI ZUCCHERO A VELO
SUCCO D'ARANCIA
1 STECCA DI VANIGLIA
1 LITRO E ½ DI LATTE MAGRO
1 PIZZICO DI SALE
4 CUCCHIAI DI SCIROPPO DI LAMPONI

Lavate, scolate i lamponi, asciugateli, distendendoli sopra un tovagliolo, raccoglieteli poi in una terrina, unitevi lo zucchero a velo, passato prima al setaccio, 4 o 5 cucchiai di succo d'arancia e mettete il recipiente in fresco. Cuocete il riso per circa 3 minuti in acqua leggermente salata, scolatelo e proseguite la cottura nel latte bollente, al quale avrete aggiunto la vaniglia e la metà dello zucchero, lasciandolo sobbollire molto lentamente per circa 30 minuti. A cottura ultimata, il riso deve risultare piuttosto cremoso, quindi, se occorre, aggiungete del latte. Toglietelo dal fuoco, scartate la vaniglia, unitevi il resto dello zucchero e mescolatelo bene. Sul piatto da portata fate uno strato con la metà dei biscotti, bagnateli con lo sciroppo diluito con qualche cucchiaiata di latte, aspettate che il liquido sia assorbito, quindi versatevi sopra il riso ancora caldo. Lisciatene bene la superficie e quando sarà completamente raffreddato, disponetevi sopra i lamponi con il loro succo e servite insieme al resto dei biscotti. Questo ottimo e sostanzioso dolce può essere servito anche nelle coppe.

290. *Sformato di carote all'arancia*

Dosi per 4 persone:

KG. 1 DI CAROTE
GR. 300 DI ZUCCHERO
GR. 150 DI FARINA
4 CHIARE D'UOVO
2 GROSSE ARANCE
2 CUCCHIAINI DI LIEVITO IN POLVERE
MARMELLATA D'ARANCE DOLCI
4 AMARETTI
1 CUCCHIAIO DI PANE GRATTUGIATO

Raschiate le carote, lavatele, cuocetele nell'acqua leggermente salata insieme alla buccia delle arance (solo la parte gialla) e quando saranno cotte, passate tutto al setaccio, mettete il passato in un'altra casseruola sul fuoco piuttosto vivo, aggiungetevi lo zucchero, e fate evaporare tutto il liquido in modo che il composto sia ben condensato. Lasciatelo intiepidire, quindi incorporatevi poco alla volta la farina che avrete passato al setaccio insieme al lievito e infine le chiare montate a neve. Versate il tutto in uno stampo rotondo, liscio, spalmato di burro o di margarina e cosparso di pane grattugiato mescolato agli amaretti pestati finemente; cuocete nel forno a fuoco moderato per circa 45 minuti e cioè finché il composto si sarà ben rassodato. Lasciate riposare qualche minuto, quindi capovolgete lo stampo sul piatto da portata e accompagnate lo sformato con marmellata d'arancia diluita con il succo delle arance e, se occorre, con qualche cucchiaiata d'acqua: il tutto riscaldato a bagnomaria.

291. *Sformato di pesche*

Dosi per 4 persone:

GR. 300 DI BISCOTTI SECCHI
2 AMARETTI DI MEDIA GRANDEZZA
GR. 150 DI ZUCCHERO
8 GROSSE PESCHE (POSSIBILMENTE GIALLE)
4 CHIARE D'UOVO
½ BARATTOLO DI MARMELLATA DI PESCA
BUCCIA GRATTUGIATA DI 1 ARANCIA O DI 1 LIMONE
LATTE MAGRO

Sbucciate le pesche (lasciatene una da parte), tagliatele a pezzi, cuocetele con la metà dello zucchero e con ½ bicchiere d'acqua; prima di toglierle dal fuoco fate evaporare tutto il liquido. Sbriciolate i biscotti e gli amaretti, raccoglieteli in una terrina, bagnateli con tanto latte caldo quanto occorre perché questo sia tutto assorbito, unitevi il resto dello zucchero, la buccia dell'arancia grattugiata, le pesche già pronte e passate tutto al setaccio. Mettete di nuovo il passato sul fuoco, fatelo condensare e quando sarà raffreddato, incorporatevi le chiare montate a neve. Ungete leggermente di burro o di margarina uno stampo scannellato dalle pareti piuttosto alte, cospargetelo di farina, versatevi il composto e cuocete nel forno caldo per circa un'ora. Intanto in una casseruola riunite la marmellata e un bicchiere abbondante d'acqua e la pesca rimasta, tagliata a spicchi sottili; lasciate sobbollire per circa 10 minuti, quindi togliete il recipiente dal fuoco e fate raffreddare. Quando lo sformato è pronto, capovolgetelo sul piatto da portata, guarnitelo con la pesca ben scolata dalla salsa di marmellata e servite questa nella salsiera.

292. Sformato dolce di polenta

Dosi per 4 persone:

GR. 300 DI FARINA GIALLA
CIRCA 1 LITRO E ½ DI LATTE MAGRO
GR. 150 DI ZUCCHERO
GR. 80 D'UVETTA SULTANINA
GR. 50 DI CANDITO D'ARANCIA
4 CHIARE D'UOVO
1 BUSTINA DI VANIGLIA
½ CUCCHIAINO DI CANNELLA
½ BARATTOLO DI MARMELLATA DI FRAGOLE
FARINA
SALE

Mettete il latte in un paiuolo con una presa di sale e quando sta per bollire, unitevi la farina gialla e, sempre mescolando, fatela cuocere per circa 30 minuti. Il composto non deve risultare troppo sodo, quindi, se occorre, aggiungete durante la cottura latte caldo poco alla volta. Fuori dal fuoco unite lo zucchero, la vaniglia, la cannella, l'uvetta sultanina che avrete fatto rinvenire nell'acqua calda (poi ben asciugata) e il candito tagliato a pezzettini. Lasciate intiepidire, incorporate le chiare montate a neve e versate il tutto in uno stampo liscio, unto di burro o di margarina e spolverizzato di farina. Cuocete nel forno ben caldo finché la superficie dello sformato si sarà colorita. Fate riposare qualche minuto prima di aggiustare la torta sul piatto da portata e servitela insieme alla marmellata di fragole diluita con un poco d'acqua calda. Potrete sostituire lo sformato grande con 4 piccoli, adoperando 4 stampi, aventi press'a poco la forma di un bicchiere.

Torta glassata all'arancia
(ricetta n. 294)

293. *Torta di pere*

Dosi per 4 persone:

GR. 800 DI PATATE
KG. 1 DI PERE
GR. 200 DI ZUCCHERO
2 CUCCHIAI DI MAIZENA
4 CHIARE D'UOVO
GR. 50 DI AMARETTI
1 CUCCHIAIO D'ORZATA
1/2 BUSTINA DI VANIGLIA
1/2 CUCCHIAINO DI CANNELLA
BUCCIA GRATTUGIATA DI 1 LIMONE O DI 1 ARANCIA
1 PIZZICO DI SALE
PANE GRATTUGIATO

Sbucciate le pere (scartate i torsoli), tagliatele a fettine, cuocetele in poca acqua e quando si saranno completamente disfatte, unitevi gr. 100 di zucchero, la vaniglia, l'orzata e lasciatele condensare. Intanto le patate che avrete messo a cuocere in acqua leggermente salata (senza farle rompere) saranno pronte: scolatele, spellatele, passatele allo schiacciapatate, raccoglietele in una terrina e mescolandole con un cucchiaio di legno incorporatevi la maizena, gr. 50 di zucchero, la buccia del limone e la cannella. Lasciate intiepidire, incorporate le chiare montate a neve, versate la metà del composto in una tortiera unta di burro o di margarina e cosparsa di pane grattugiato al quale avrete mescolato un cucchiaio di zucchero. Fate sulla superficie del composto una specie d'incavatura nella quale aggiusterete le pere cotte, ricoprite con il resto delle patate, lisciatene bene la superficie, cospargetela con gli amaretti pestati e mescolati al resto dello zucchero e cuocete nel forno ben caldo finché la torta avrà preso un bel colore dorato. Lasciate intiepidire, quindi sformatela sul piatto da portata e servitela subito. Potete sostituire le pere con le mele e aggiungervi a vostro gusto uvetta sultanina e candito d'arancia tagliato a pezzettini.

325

294. Torta glassata all'arancia

Dosi per 4 persone:

GR. 230 DI ZUCCHERO SEMOLATO
GR. 130 DI FARINA
GR. 50 D'UVETTA SULTANINA
GR. 50 DI CANDITO D'ARANCIA
6 CHIARE D'UOVO
4 CUCCHIAINI COLMI DI LIEVITO IN POLVERE
BUCCIA GRATTUGIATA DI 1 ARANCIA
1 PRESA DI SALE

Per glassare:

GR. 230 DI ZUCCHERO A VELO
2-3 CUCCHIAI D'ACQUA O DI SUCCO D'ARANCIA

In una terrina mettete le chiare d'uovo insieme ad un pizzico di sale e sbattetele finché saranno montate a neve molto soda. Appena pronte, sempre mescolando, delicatamente aggiungete lo zucchero, il candito tagliato a pezzetti, la buccia grattugiata dell'arancia, la farina setacciata insieme al lievito e l'uvetta sultanina fatta prima rinvenire a bagno nell'acqua calda per un quarto d'ora poi asciugata (mettendola sopra un tovagliolo) e infine ben infarinata. Spalmate di burro o di margarina uno stampo dal bordo piuttosto alto e versatevi l'impasto. Riscaldate il forno al massimo per 5 minuti, diminuite poi il calore quasi al minimo e mettetevi la torta che deve cuocere per circa 1 ora e $\frac{1}{2}$. Non aprite il forno nei primi 20 minuti. A cottura ultimata, sformate il dolce sopra una gratella, lasciatelo raffreddare, quindi preparate la glassa: in una piccola terrina che immergerete nell'acqua calda fuori dal fuoco, mettete lo zucchero a velo passato al setaccio, mescolando unitevi l'acqua o il succo d'arancia e fatene una pastella con la quale ricoprirete la torta, aiutandovi con la lama di un coltello. Guarnite con fettine di candito d'arancia e con ciliegine candite. Secondo il vostro gusto potete decorare la torta con spicchi d'arancia caramellati, cioè fatti sobbollire per qualche minuto in uno sciroppo preparato con gr. 75 di zucchero e gr. 150 d'acqua.

295. Tortino alle ciliegie

Dosi per 4 persone:

GR. 500 DI AMARENE MOLTO MATURE
1 PANE IN CASSETTA
CIRCA GR. 100 DI ZUCCHERO SEMOLATO
3 CUCCHIAI DI ZUCCHERO A VELO
2 CHIARE D'UOVO
¼ DI LITRO DI LATTE MAGRO
SCIROPPO DI VANIGLIA
BUCCIA GRATTUGIATA DI 1 LIMONE
1 CHIODO DI GAROFANO
MARMELLATA D'ALBICOCCHE

Lavate, asciugate le amarene, asportate i gambi, snocciolatele con l'apposito utensile, raccoglietele in una terrina, unitevi 2 o 3 cucchiai di sciroppo, altrettanto zucchero, il chiodo di garofano, mescolatele bene e lasciatele riposare per circa un'ora. Trascorso questo tempo, togliete la crosta al pane e ricavatene tante fette (almeno 8) spesse circa 3 o 4 cm. In una fondina piuttosto fonda mettete il latte, 2 cucchiai di zucchero e la buccia grattugiata del limone. Mescolate bene e, una alla volta, immergetevi le fette di pane che via via aggiusterete, formando uno strato in una teglia spalmata di burro o di margarina (possibilmente rettangolare). Distendete su ogni fetta 2 o 3 cucchiaini di marmellata e ricoprite con le chiare montate a neve alle quali avrete incorporato 2 cucchiai di zucchero a velo passato prima al setaccio. Lisciate bene la superficie e disponetevi sopra le amarene scolate dal loro succo. Mettete il recipiente nel forno già caldo e cuocete a fuoco moderato per circa 20 minuti. Versatevi sopra il succo rimasto delle amarene e servite questo semplice dolce caldo o tiepido o freddo: il suo delicato sapore rimarrà inalterato. Una variante: cuocete le amarene, disponetele sopra alle fette di pane che, dopo aver bagnato di latte, spolverizzerete con gr. 50 di amaretti ben pestati e mescolati a mezzo cucchiaino di cannella. Ricoprite con le chiare montate e mettete nel forno a colorire.

CONDIMENTI

296. Salsa alla menta

Dosi per 4 persone:

GR. 50 DI MENTA FRESCA
1 CUCCHIAIO DI ZUCCHERO BIONDO DI CANNA
2 DECILITRI D'ACETO BIANCO

Lavate, asciugate le foglie di menta che debbono essere molto fresche (se possibile appena colte), tritatele finemente, raccoglietele in una terrina, unitevi lo zucchero e mescolando aggiungetevi l'aceto leggermente intiepidito a bagnomaria. Appena lo zucchero sarà completamente sciolto, coprite il recipiente e lasciate riposare per almeno un'ora affinché l'aceto possa assorbire tutto l'aroma della menta; unitela a carni lesse o arrostite. In Inghilterra questa *mint sauce* è indispensabile per accompagnare l'agnello arrosto. La menta, essendo stimolante e nello stesso tempo analgesica, costituisce un regolatore del sistema nervoso. Per gli epatici: la salsa dovrà essere preparata con aceto di puro vino e consumata con parsimonia.

297. Salsa di mele

Dosi per 4 persone:

KG. 1 DI MELE RANETTE
1 CUCCHIAIO DI ZUCCHERO
BUCCIA DI LIMONE
CANNELLA

Sbucciate le mele, scartate i torsoli, tagliatele a fettine, unitevi un pezzetto di buccia di limone, pochissima acqua e cuocetele molto lentamente finché si saranno sfatte. Passatele al setaccio di crine (con tutta la buccia di limone), unitevi lo zucchero, mettete il passato sul fuoco, mescolando fatelo condensare, quindi incorporatevi un pizzico di cannella, che d'altra parte non è indispensabile. È una salsa di largo consumo nella cucina inglese, tedesca, ungherese, fiamminga e olandese. Da noi è poco usata, ma unita a carne lessa o arrostita è assai gradevole e dovrebbe essere apprezzata per le tante qualità terapeutiche della mela che, ricca di albumina, acidi, fosforo e vitamine B_1, B_2, C e PP, è inoltre digestiva, rinfrescante e lassativa.

298. Salsa al sedano

Dosi per 4 persone:

GR. 500 DI SEDANO VERDE
GR. 800 DI POMODORI
1 GROSSA CIPOLLA
4 CUCCHIAI DI PARMIGIANO
1 CUCCHIAINO D'ESTRATTO DI CARNE
LATTE MAGRO
SALE

In una casseruola riunite la cipolla e il sedano tagliati a pezzetti e fateli sobbollire con una tazza di latte. Quando questo sarà tutto consumato aggiungete il pomodoro spellato, privato dei semi e tagliato a pezzi, l'estratto, il sale e, se possibile senza aggiungere acqua, cuocete lentamente con il recipiente chiuso per circa 40 minuti. Trascorso questo tempo passate tutto al setaccio, mettete il passato nello stesso recipiente di cottura e regolate la densità della salsa che dev'essere piuttosto cremosa. Fuori dal fuoco incorporate il formaggio e lasciate riposare qualche minuto prima di servire la salsa con spaghetti, riso, gnocchi, carne e pesce lessi o arrosto. Il sedano fin dall'antichità era considerato un depuratore del sangue press'a poco come lo era la cicoria e tuttora gli vengono attribuite qualità regolatrici dell'intestino e del fegato; viene considerato inoltre come un leggero dimagrante.

299. Salsa ai peperoni

Dosi per 4 persone:

KG. 1 DI POMODORI FRESCHI
4 GROSSI PEPERONI DOLCI
1 GROSSA CIPOLLA
1 CAROTA
2 GAMBI DI SEDANO
PREZZEMOLO E BASILICO
LATTE MAGRO
SALE

In una casseruola riunite i peperoni (privati dei semi e dei torsoli), i pomodori, la cipolla, la carota e il sedano tagliati a pezzi e senza aggiungere acqua, cuocete lentamente per 45 minuti. Passate tutto al setaccio, mettete il composto sul fuoco (nel medesimo recipiente), condite con il sale, con il prezzemolo e il basilico tritati finemente, con qualche cucchiaiata di latte e mescolate finché la salsa avrà la densità di una crema. Servitela calda o fredda insieme a pesci, carne, verdure, ecc. Secondo il vostro gusto potrete unirvi un cucchiaino di Rubra. I peperoni sono fra gli alimenti che contengono maggiore quantità di vitamina C (mg. 120 per gr. 100 di peperone). Consumati in dosi moderate sono eccitanti dello stomaco, scartando naturalmente la pelle e quelli che sono piccanti.

300. *Sugo di pomodoro*

Dosi per 4 persone:

KG. 1 DI POMODORI FRESCHI O GR. 500 DI
POMODORI PELATI IN SCATOLA
LATTE MAGRO
1 PICCOLA CIPOLLA
1 SPICCHIO D'AGLIO (FACOLTATIVO)
1 CAROTA
1 GAMBO DI SEDANO
1 FOGLIA D'ALLORO
½ CUCCHIAINO D'ESTRATTO VEGETALE
1 CUCCHIAIO DI PREZZEMOLO O DI BASILICO TRITATI
½ CUCCHIAINO DI ZUCCHERO
SALE

In una casseruola riunite la cipolla, l'aglio, la carota e il sedano tritati, bagnateli con qualche cucchiaiata di latte e appena questo è evaporato, aggiungete l'alloro e i pomodori passati al setaccio se sono in scatola o spellati, privati dei semi e tagliati a pezzi se sono freschi. Condite con il sale, con lo zucchero e cuocete molto lentamente finché il composto si sarà addensato. Prima di togliere il recipiente dal fuoco, incorporate l'estratto e, fuori dal fuoco, il prezzemolo. Questo, essendo ricchissimo di vitamina C (mg. 189 per gr. 100 di materiale edibile) è bene sia aggiunto ai cibi all'ultimo momento affinché la cottura non disperda in parte questo suo prezioso elemento.

Le dosi calcolate in grammi

RISO	1 cucchiaio	pesa	gr.	20
FARINA	1 cucchiaio	»	»	10
	1 cucchiaino	»	»	3
SEMOLINO DI GRANO	1 cucchiaio	»	»	15
	1 cucchiaino	»	»	5
SEMOLINO DI RISO	1 cucchiaio	»	»	15
	1 cucchiaino	»	»	5
ORZO PERLATO	1 cucchiaio	»	»	20
CREMA D'ORZO	1 cucchiaio	»	»	15
TAPIOCA	1 cucchiaio	»	»	15
	1 cucchiaino	»	»	5
MAIZENA	1 cucchiaio	»	»	10
	1 cucchiaino	»	»	3
PANE GRATTUGIATO	1 cucchiaio	»	»	10
	1 cucchiaino	»	»	3
PARMIGIANO STAGIONATO	1 cucchiaio	»	»	10
	1 cucchiaino	»	»	3
ZUCCHERO SEMOLATO	1 cucchiaio	»	»	15
	1 cucchiaino	»	»	5

ZUCCHERO A VELO .	1 cucchiaio	»	»	10
	1 cucchiaino	»	»	3
MARMELLATA DI MEDIA				
DENSITÀ . . .	1 cucchiaio	»	»	20
	1 cucchiaino	»	»	7

1 fettina di pane in cassetta di media grandezza, spessa circa 1 centimetro, pesa gr. 20.

1 fetta biscottata di media grandezza pesa gr. 10.

I cucchiai e i cucchiaini s'intendono riempiti leggermente a cupola.

Tavola delle calorie

(valore calorico per 100 grammi)

Latte e formaggi

LATTE INTERO	Calorie	68
LATTE MAGRO	»	36
YOGURT NORMALE	»	75
YOGURT MAGRO	»	43
BEL PAESE	»	319
CACIOTTA	»	362
CRESCENZA	»	253
FONTINA	»	325
GROVIERA NOSTRANO	»	350
MOZZARELLA	»	216
PARMIGIANO	»	377
PECORINO	»	400
RICOTTA	»	350

Pane, grissini e biscotti

PANE BIANCO (FORME DA GR. 500)	»	266
PANE BIANCO (PANINI)	»	285
PANE DI SEGALE	»	245
PANE INTEGRALE	»	248
PANE DI GRANOTURCO	»	240
GRISSINI	»	366
FETTE BISCOTTATE (SENZA ZUCCHERO)	»	352
BISCOTTI SECCHI DOLCI	»	400

337

Pasta, farina e cereali

PASTA COMUNE	Calorie	358
PASTA GLUTINATA	»	360
FARINA DI FRUMENTO	»	336
FARINA DI GRANOTURCO	»	357
SEMOLINO DI GRANO	»	348
SEMOLINO DI RISO	»	352
AMIDO DI GRANOTURCO (MAIZENA)	»	351
RISO	»	344
FARINA DI RISO	»	352
ORZO	»	351
TAPIOCA	»	349
FIOCCHI D'AVENA	»	383
FECOLA DI PATATE	»	328

Carni e frattaglie

MANZO MAGRO	»	98
VITELLO MAGRO	»	90
CONIGLIO	»	99
POLLO	»	195
PICCIONE	»	100
TACCHINO (PETTO)	»	150
ANIMELLE DI VITELLO	»	150
CERVELLO DI VITELLO	»	106
CORATA DI VITELLO	»	105
FEGATO DI VITELLO	»	130
ROGNONE DI VITELLO	»	118
TRIPPA DI MANZO	»	75
LINGUA DI MANZO SALMISTRATA	»	300

Pesci e crostacei

ACCIUGHE FRESCHE	»	100
ACCIUGHE SOTT'OLIO	»	300
BACCALÀ (AMMOLLATO)	»	100
BIANCHETTI	»	99
NASELLO	»	90
PESCE PERSICO	»	92
OMBRINA	»	100
ORATA	»	110
SALMONE ROSA IN SCATOLA AL " NATURALE "	»	145
SOGLIOLA	»	82
PESCE SPADA	»	118

DENTICE	Caorie	**100**
BRANZINO	»	130
TONNO FRESCO	»	122
TONNO SOTT'OLIO	»	244
CALAMARO	»	68
CARPA	»	120
TROTA	»	82
POLIPO	»	56
SEPPIA	»	75
GAMBERO	»	85
ARAGOSTA	»	85
SCAMPO	»	85
PEOCIO O COZZA	»	60
VONGOLA	»	75
RANA	»	63
LUMACA	»	75

Ortaggi e legumi

ASPARAGI	»	20
BARBABIETOLE	»	42
BIETOLE	»	25
BROCCOLETTI DI RAPE	»	22
CARCIOFI	»	37
CAROTE	»	45
CAVOLFIORI	»	31
CAVOLINI DI BRUXELLES	»	53
CAVOLI VERZE	»	22
CETRIOLI	»	17
CIPOLLE	»	19
FAGIOLINI VERDI	»	17
FAVE FRESCHE	»	37
FINOCCHI	»	7
FUNGHI FRESCHI	»	40
FUNGHI SECCHI	»	300
INDIVIA	»	13
LATTUGA	»	19
LENTICCHIE	»	323
MELANZANE	»	17
OLIVE VERDI IN SALAMOIA . . .	»	168
PATATE	»	77
PATATE NOVELLE	»	69
PEPERONI	»	17
PISELLI FRESCHI	»	90
PISELLI SECCHI	»	332

POMODORI	Calorie	22
PREZZEMOLO	»	52
RAPE	»	37
RAPANELLI	»	13
SEDANI	»	13
SCAROLA	»	14
SPINACI	»	35
ZUCCA GIALLA	»	9
ZUCCHINE	»	16

Frutta

ALBICOCCHE	»	34
ALBICOCCHE SCIROPPATE	»	85
ANANAS	»	50
ANANAS SCIROPPATI	»	100
ANGURIA	»	14
ARANCE	»	32
BANANE	»	102
CACHI	»	84
CILIEGIE	»	40
CASTAGNE	»	195
DATTERI	»	304
FICHI	»	62
FICHI SECCHI	»	281
FRAGOLE	»	36
LAMPONI	»	56
LIMONI	»	6
MANDARINI	»	7
MANDORLE SECCHE	»	631
MELE	»	48
MELONI	»	29
MORE	»	57
NESPOLE	»	66
NOCI DI COCCO	»	542
NOCI SECCHE	»	693
NOCCIOLINE SECCHE	»	657
PERE	»	49
PERE SCIROPPATE	»	55
PESCHE	»	72
PESCHE SCIROPPATE	»	80
PINOLI	»	600
POMPELMI	»	41
PRUGNE	»	59
PRUGNE SECCHE	»	262
RIBES	»	55

UVA	Calorie	72
UVA SECCA	»	291
GELATINA DI FRUTTA	»	260
MARMELLATA D'ALBICOCCHE . . .	»	215
MARMELLATA D'ARANCE	»	260
MARMELLATA DI CILIEGIE . . .	»	225
MARMELLATA DI MELE	»	230
MARMELLATA DI PERE	»	219
MARMELLATA DI PESCHE	»	222
MARMELLATA DI PRUGNE . . .	»	202
FRUTTA CANDITA (VALORE MEDIO) . .	»	330

Grassi

BURRO	»	758
MARGARINA	»	715
OLIO D'OLIVA	»	925
OLIO DI SEMI	»	885

Alimenti vari

UOVO DI GALLINA (PESO GR. 45) . .	»	72,65
UOVO DI GALLINA (TUORLO GR. 16) .	»	55,82
UOVO DI GALLINA (ALBUME GR. 29) .	»	16,83
ZUCCHERO RAFFINATO	»	385
MIELE	»	302
CACAO IN POLVERE	»	497
CIOCCOLATO AMARO	»	570
CIOCCOLATO AL LATTE . . .	»	541
GELATO DI FRUTTA (VALORI MEDI) . .	»	163
ESTRATTO DI CARNE PER BRODO . .	»	140
ESTRATTO VEGETALE PER BRODO . .	»	50
SALSA DI POMODORO	»	66
SENAPE	»	275

Bevande alcoliche

ACQUAVITE	»	280
BIRRA (VALORI MEDI)	»	40
BRANDY	»	395
MARSALA	»	112
VINO BIANCO (VALORI MEDI) . . .	»	79
VINO ROSSO (VALORI MEDI) . . .	»	83
VERMOUTH	»	67
WHISKY	»	295
SPUMANTE DOLCE	»	112
SPUMANTE SECCO	»	85

Indice alfabetico

Indice generale

Per gli epatici e per gli affetti da ipercolesterolemia

FINITO DI STAMPARE
NEL MESE DI NOVEMBRE 1970
NELLO STABILIMENTO
DI RIZZOLI EDITORE IN MILANO

·

PRINTED IN ITALY